A͛GNÈ͛

Après six ans d'exercice en tant que psychologue clinicienne dans la protection de l'enfance, Agnès Martin-Lugand se consacre désormais à l'écriture. Elle fait aujourd'hui partie des auteurs les plus lus en France. Son premier roman, *Les gens heureux lisent et boivent du café* (Michel Lafon, 2013), a connu un immense succès auprès du grand public. Il est suivi de *Entre mes mains le bonheur se faufile* (2014), *La vie est facile, ne t'inquiète pas* (2015), la suite de son premier roman, *Désolée, je suis attendue* (2016) et *J'ai toujours cette musique dans la tête* (2017) chez le même éditeur. Son nouvel ouvrage, *À la lumière du petit matin*, paraît en 2018 aux Éditions Michel Lafon.

Retrouvez l'auteur sur sa page Facebook :
Agnès Martin-Lugand auteur

À LA LUMIÈRE
DU PETIT MATIN

AGNÈS MARTIN-LUGAND

À LA LUMIÈRE
DU PETIT MATIN

Michel LAFON

© Éditions Michel Lafon, 2018

ISBN : 978-2-266-28290-1
Dépôt légal : avril 2019

Chers lectrices, chers lecteurs,
Merci pour la merveilleuse vie que
vous offrez à mes personnages !
Je suis touchée par votre fidélité
& vos sourires...
Belle rencontre avec Hortense,
    & sa Lumière,

                    Agnès

Pour Guillaume, Simon-Aderaw et Rémi-Tariku,
mes rayons de soleil...

*Certains actes en apparence non intentionnels
se révèlent (...) parfaitement motivés et déterminés
par des raisons qui échappent à la conscience.*

Sigmund FREUD

After We Meet,

I HAVE A TRIBE

1

Quatre ans. Quatre ans qu'ils étaient partis. Quatre ans que mes parents m'avaient laissée. Quatre ans que, en ce jour de fin février, je venais m'asseoir face à leur olivier, sur le banc en fer forgé que maman affectionnait tant. Quatre ans que je leur soufflais mon chagrin et ma colère. Mon pardon, aussi. Comment, au fond, en vouloir aux êtres les plus merveilleux qu'il m'avait été donné de rencontrer ?

Je n'avais rien d'original, avec mon amour infini pour mes parents. J'entendais encore ma mère me répéter que j'étais leur petit miracle. Mes parents s'étaient follement aimés, se suffisant longtemps à eux-mêmes. Ils avaient malgré tout voulu agrandir leur bulle d'amour. La vie réservait des surprises ; bonnes ou mauvaises. Leur difficulté à avoir un enfant, loin de les séparer, les avait rapprochés. Ils entretenaient la légende selon laquelle c'était grâce à leur force que j'avais fini par pointer le bout de mon nez. Peu importait comment, au bout du compte, j'étais là depuis trente-neuf ans. D'un duo, ils étaient passés naturellement à un trio, avec la même évidence. J'avais été choyée, aimée, élevée, valorisée, réprimandée aussi. Ils m'avaient tout offert pour que je puisse me lancer dans la vie sur de bons rails. J'avais le sentiment d'avoir grandi dans la maison du bonheur, où mes amis étaient toujours accueillis à bras ouverts. Grâce à mes parents, à la liberté de pensée qu'ils m'avaient accordée, j'avais pu me chercher, me trouver et me permettre de découvrir celle que je voulais devenir. Et puis, un jour, ils avaient appris qu'une saloperie rongeait les neurones de maman les uns après les autres. Bientôt elle ne se souviendrait de personne, pas même de qui elle était. Bien sûr, pour me protéger, ils me l'avaient caché, se transformant en de merveilleux acteurs. Maman avait toujours été tête en l'air et, avec papa qui veillait au grain dès que je leur rendais visite, je n'avais rien vu venir. Je vivais loin d'eux, à Paris, et lorsque je descendais à la maison dans le Sud, ils mettaient toute leur énergie dans la bataille pour préserver leur secret. Certains diraient que je n'avais pas été très attentive, peut-être était-ce vrai, mais même si j'avais remarqué quoi que ce soit, rien n'aurait pu briser la spirale infernale dans laquelle ils étaient entrés. Je l'avais compris en lisant leur lettre. À travers ces quelques lignes, aujourd'hui parties en fumée avec eux, ils s'étaient excusés pour la souffrance qu'ils allaient m'infliger, mais ils savaient aussi que si l'un restait en vie sans l'autre, celui qui resterait m'en infligerait davantage encore. Ils m'avaient demandé pardon pour leur égoïsme d'amoureux. Leur amour avait tout emporté sur son passage, jusqu'à leur fille unique.

— Hortense ?

Un sourire éclaira mon visage en entendant la voix douce de Cathie, ma meilleure amie, la sœur que je n'avais pas eue, celle que j'avais rencontrée le jour de mon premier cours de danse, trente-cinq ans plus tôt. Je jetai un coup d'œil par-dessus mon épaule, elle arrivait emmitouflée dans une grosse veste de laine. Qui a dit qu'il faisait toujours beau en Provence ? Le temps était à l'image de mon humeur triste, il faisait gris et le mistral glaçait les os. Je l'encourageai à prendre place sur le banc à côté de moi. Elle s'assit délicatement, attrapa ma main et fut à son tour aimantée par l'olivier.

— C'est dommage que tu ne puisses pas rester un ou deux jours de plus, murmura-t-elle. On te voit si peu…

J'inspirai profondément, submergée par une nouvelle salve de tristesse.

— Je suis d'accord avec toi, ça me manque beaucoup. Mais tu sais bien que je ne viens que pour ce rendez-vous avec papa et maman, je ne peux pas m'absenter plus longtemps.

— C'est bon signe, les cours sont pleins !

— Plutôt, oui.

— Tu sais quand tu arrives cet été ?

— Pas exactement, mais au plus tard le week-end du 14 Juillet. Je vais bientôt débuter l'organisation des stages et lancer la réservation des chambres.

J'avais refusé de me séparer de la maison de mes parents dans la campagne de Bonnieux, village perché sur un flanc du Luberon. À l'époque où ils avaient perdu tout espoir d'avoir un enfant, ils avaient investi

15

leurs économies dans cette ruine à restaurer – une vieille ferme qu'ils avaient baptisée ironiquement la Bastide – et décidé de quitter la ville pour s'y installer. Ce projet fou devait être leur bébé, et finalement, il y avait eu des biberons à donner et des couches à changer. J'y avais tous mes souvenirs avec eux, avec Cathie. Et quand il avait été clair pour papa que sa fille concevait une passion irrévocable, il avait aménagé une vieille grange encore inoccupée jusque-là en studio de danse qui n'avait rien à envier à ceux des professionnels. Le fait qu'ils se soient donné la mort dans leur maison n'enlevait rien à mon attachement pour ces murs. Ils s'y étaient aimés, ils m'y avaient conçue, ils m'y avaient aimée, et leurs cendres reposaient au pied de *leur olivier*. Comment aurais-je pu envisager que des étrangers prennent possession de cette terre et de ces pierres ?

— Tu as fait le tour de la maison ? s'enquit Cathie. Tout va bien ?

Chaque fois que je venais rendre visite à l'olivier de mes parents, en février, elle et Mathieu, son mari, m'accueillaient dans leur petite maison de village. Il aurait été ridicule et trop lourd d'ouvrir la maison pour vingt-quatre ou quarante-huit heures. J'adorais ces moments chez eux, toujours empreints de douceur, de paix, de sérénité. Tous deux partageaient le don de faire du bien aux autres ; par un geste, une petite attention aussi, toute discrète soit-elle, ils redonnaient de la joie au cœur le plus meurtri. La naissance de leur fils cinq ans plus tôt n'avait rien changé à leur manière d'être ; leur ouverture et leur générosité envers ceux

16

qu'ils aimaient n'en avaient été que renforcées. Les entendre me parler de leur vie, simple, proche de la nature, qui était pour moi symbole de pureté, me comblait ; Cathie était apicultrice et Mathieu avait son entreprise d'élagage.

— Elle supporte bien l'hiver, je trouve, lui répondis-je.

— Tu connais ta maison... Dès que les températures remontent, on viendra régulièrement l'ouvrir et l'aérer.

— C'est gentil, mais vous êtes assez occupés comme ça. Ne perdez pas votre temps...

— Ça ne nous embête pas, tu devrais le savoir.

Elle se leva, et me tendit le bras pour me hisser à mon tour.

— Si tu veux avoir ton train, il faut y aller.

J'inspirai à pleins poumons pour puiser du courage, puis lui lâchai la main et rejoignis *l'olivier* pour lui dire au revoir. Je caressai l'écorce sous ma paume, et finis par y poser ma joue.

— Je vous aime, papa et maman. À cet été...

Tout le trajet, Cathie et moi n'arrêtâmes pas de jacasser. Bavardage de filles pour mieux combler notre cafard, faire taire le vide qui risquait de nous envahir. Nous avions nos habitudes toutes les deux ; on « pipelettait » jusqu'au moment de quitter la voie rapide. À l'approche de la gare, le silence nous saisissait dans les dernières centaines de mètres avant la séparation inéluctable. Elle se garait à hauteur des loueurs de voitures et laissait tourner le moteur, je descendais seule, elle ne m'accompagnait jamais sur le quai, ni elle ni moi ne voulions verser de larmes en public. Je lui disais *Merci, embrasse Mathieu et fais attention à toi*, elle me répondait *C'était bon de te voir, embrasse Aymeric, Sandro et Bertille, et prends enfin soin de toi, bon sang*. Un dernier baiser sur sa joue et je sortais. Juste avant de m'engouffrer dans le hall, je me retournais pour lui faire de grands signes, le sourire aux lèvres, et quand elle redémarrait, elle klaxonnait. Ce n'était qu'après que la chape de plomb me tombait dessus, et que je l'imaginais papillonner des yeux. Les années passaient – je ne vivais plus dans la région depuis plus de quinze ans –, ma vie parisienne me procurait joie, bonheur et satisfaction professionnelle. J'avais beau rester très attachée à mon Luberon natal, jamais il ne me serait venu à l'idée de quitter la capitale ; les lumières, le fourmillement d'activités, les bruits, les spectacles, la vie nocturne me captaient. Pourtant à chaque départ, ce même pincement au cœur, ce même nœud à la gorge, cette même bouffée de solitude. Cette même faille dans la poitrine qui ne se comblerait jamais ; la mort de mes parents n'avait rien à y voir. Et elle disparaissait, sitôt le pied posé sur le quai de la Gare de Lyon ; j'étais aspirée par le tourbillon de ma vie, le moral en hausse, ravie de retrouver l'école.

Même si, dans notre esprit, elle restait sous la houlette de notre mentor, Auguste, cela faisait maintenant cinq ans qu'avec Sandro et Bertille nous avions repris son école de danse. À vingt-cinq ans, je sortais de plusieurs années de scènes, des petites, des moyennes, jamais de grandes – je n'étais pas assez sérieuse et disciplinée pour accéder à ce Graal. Dégoûtée par mes années de conservatoire, j'avais voyagé, profité de ma jeunesse, bourlingué en claquant sans regret la porte de la danse académique. Il avait fallu le regard de plus en plus inquiet de mes parents quant à mon avenir pour que je me rende à l'évidence, et que je me prenne en main. Si je continuais à me comporter comme une éternelle adolescente, je ne construirais jamais rien. Il était temps de grandir et de les rendre fiers de moi. J'avais voulu savoir si je pouvais encore vivre de ma passion, ou s'il me faudrait malheureusement la mettre de côté. Je m'étais présentée aux auditions d'Auguste que je connaissais de réputation ; dur mais juste. Après avoir dirigé une école gigantesque pendant plus de vingt ans, il avait décidé de se consacrer exclusivement aux éclopés, ceux qui sortent du rang, les anticonformistes, pour les révéler à eux-mêmes. Le stress avait eu raison de mon entraînement acharné, ma prestation avait été un véritable fiasco. Pourtant, il m'avait prise dans son cours. C'est ainsi que j'avais rencontré ceux qui allaient devenir mes partenaires, Sandro et Bertille.

Sandro venait tout juste de débarquer du Brésil pour se perfectionner à la dure. Il avait parfaitement conscience de son talent, mais il voulait descendre de son piédestal. Résultat des courses : il n'était jamais reparti. Toutes les têtes se retournaient sur son passage – sa peau cuivrée et sa silhouette athlétique y étaient pour beaucoup –, mais dès que lui et son accent chaud ouvraient la bouche, on découvrait, au-delà de l'esthète, un homme d'une gentillesse et d'une générosité peu communes, au sens de l'humour à toute épreuve. Lorsqu'il mettait son corps en mouvement, il émanait de lui une puissance et une sensualité brutes. Le jour de l'audition, chaque candidat était resté bouche bée devant sa chorégraphie, se demandant comment un tel talent avait pu atterrir là et, surtout, plus égoïstement, comment passer après lui. Auguste, lui, avait dû cerner la faille, puisqu'il l'avait retenu.

Quant à Bertille, c'était son ego blessé qui l'avait poussée à tenter sa chance. Jeune mère de jumeaux de un an, elle avait été mise à la porte de la compagnie où elle dansait depuis quelques années. Lorsqu'elle nous avait expliqué sa situation, je l'avais scrutée des pieds à la tête, sans croire un seul instant que le laisser-aller pût être à l'origine de son exclusion. Bertille était le feu sous la glace. Une femme au premier abord tout en retenue, mais au caractère bien trempé dès qu'elle n'obtenait pas ce qu'elle voulait, comme elle voulait. Depuis, j'avais goûté à ses coups de sang ! Et lorsqu'elle dansait, on peinait à admettre que c'était celle qui venait de nous passer un savon, quelques minutes plus tôt. Son corps devenait un instrument délicat, un seul de ses mouvements véhiculait une émotion époustouflante, qui suffisait à vous faire quitter terre.

Nous nous étions liés d'amitié et soutenus pendant cette folle année sous la baguette bienveillante d'Auguste. Conscients qu'il nous avait pris sous son aile et qu'il s'était attaché à nous, nous avions parfois l'impression d'être les élus. Mais il n'en avait été que plus dur et exigeant, sans la moindre considération pour nos états d'âme. Il fallait danser, danser et encore danser jusqu'à en crever. Il nous poussait dans nos retranchements, il voulait savoir ce que nous avions dans le ventre, et testait nos limites en permanence. Son credo : nous faire raconter une histoire lorsque nous dansions. Il attendait de nous qu'on traque et qu'on libère les émotions enfouies au plus profond de notre être. Nous avions à peine droit au repos, mais il était si extraordinaire que nous cédions à toutes ses demandes, aucun de ses élèves – pourtant de nature rebelle – ne se révoltait jamais. Mes deux amis et moi, nous lui avions demandé de suivre une année supplémentaire, il avait refusé, partant du principe qu'il avait accompli sa mission, mais nous avait plutôt proposé de l'assister dans ses cours à tour de rôle. Nous avions découvert l'enseignement, et cela avait été pour moi une révélation. Auguste nous avait encouragés à préparer en candidats libres le diplôme de professeur. Il nous avait mis face à la réalité. Grâce à lui et à son acharnement, nous avions trimé comme des bêtes et avions décroché notre bout de papier. Il nous avait alors laissés voler de nos propres ailes. Nous avions chacun enseigné dans différentes écoles, sans jamais nous perdre de vue, bien au contraire. Nous ne nous étions pas davantage éloignés d'Auguste, chez qui nous nous retrouvions régulièrement. Un soir où nous dînions chez lui, il nous avait mis le marché en main :

— Les enfants, je suis fatigué. Je vais fermer mon cours.

Nous avions hurlé, bondi de nos chaises, lui interdisant de faire une chose pareille. Nous étions si choqués par sa décision que nous en avions oublié la bienséance respectueuse que nous adoptions habituellement en sa présence.

— Ça suffit, avait-il dit calmement.

Sur un simple geste de sa main, nous avions repris notre place comme des enfants obéissants.

— Je ferme mon cours, mais vous allez ouvrir les vôtres. À partir de la rentrée prochaine, l'école est à vous, vous en serez les enseignants. Accueillez le public que vous souhaitez, des enfants, des adolescents, des vieux comme moi. Faites ce que vous voulez, ce que vous avez envie de porter avec votre art. Si vous refusez, le cours ferme définitivement, il n'y a qu'à vous que je peux confier cette tâche. Vous êtes mes petits…

Nous étions restés muets de longues minutes devant sa mine satisfaite et émue. Nous nous étions regardés, j'avais lu dans le regard de Bertille et de Sandro les mêmes sentiments que ceux que j'éprouvais : terreur, responsabilité, mais aussi envie d'y aller et de rendre notre père spirituel fier de nous. Je m'étais senti pousser des ailes, les idées, les envies venant les unes après les autres, sans que je puisse les contenir. J'avais parlé la première :

— Vous ne regretterez pas votre choix, Auguste. Vous pouvez nous faire confiance.

Depuis, l'école fonctionnait plutôt bien. À peine avions-nous le temps d'ouvrir les inscriptions que les cours étaient déjà pleins. Toutes les générations se côtoyaient ou se croisaient dans les couloirs. Des tout-petits de trois ans aux plus vieux, dont on taisait l'âge… Le langage de Bertille était la danse classique, Sandro et moi, c'était le modern jazz, et lui possédait le petit plus des danses du monde. Mais nous pouvions tous nous remplacer au pied levé en cas de nécessité. Les deux studios étaient occupés en permanence, et nous recevions des piles de CV de professeurs souhaitant travailler avec nous et sous la bannière d'Auguste.

*

* *

Le lendemain, je finissais ma journée par mes grandes adolescentes. Je les adorais. Au début du cours, elles me supplièrent de leur dire quelle serait la chorégraphie pour le spectacle de fin d'année. Incapable de dissimuler mon entrain, je leur ouvris une brèche et elles piaillèrent immédiatement pour que je leur montre tout. Nous avions encore de longues semaines de préparation devant nous, mais j'avais envie de mettre la barre plus haut que l'année précédente. Elles étaient douées, formaient un groupe soudé, ça valait la peine de tenter le coup, de monter d'un cran le niveau ainsi que mon exigence envers elles. En cinq ans, certaines s'étaient révélées ; à force de persévérance, de patience, de douceur, j'avais réussi à découvrir en elles la petite étincelle en plus. J'étais certaine qu'on arriverait à faire quelque chose de sympa. Et puis, je souhaitais un beau final. La plupart allaient bientôt quitter l'école et mes cours ; à dix-sept ans, la danse n'était qu'un loisir pour elles, elles seraient happées par leur vie d'étudiante, par d'autres occupations. Je les avais vues grandir, devenir des petites femmes, j'estimais que je devais rendre hommage une dernière fois à leur implication, leur talent pour la danse.

— OK ! Je vous montre, les filles, cédai-je en souriant.

Elles applaudirent et s'installèrent, surexcitées, sur le côté du studio. Je me mettais rarement en avant, je n'étais pas là pour les écraser avec mes années de pratique, j'étais là pour leur transmettre mon savoir, leur permettre d'assumer leur corps, de bouger, d'être épanouies et bien dans leur peau. Je préparai le morceau – *Blouson Noir* d'Aaron – qui nous accompagnerait les prochains mois, confiai la télécommande de la sono à l'une d'entre elles et me positionnai au centre de la salle. Je me lançai un regard dans le miroir, puis j'inclinai la tête, jambes serrées, bras tendus le long du corps et, d'un signe, je donnai le top départ pour que le son nous absorbe. À partir de là, je décollai, me laissant guider par le déploiement de mon corps et l'histoire que je souhaitais raconter. Je voulais de la vie, de l'énergie, de la joie. Je pensais à tout, au mouvement d'un petit doigt qui pouvait en dire beaucoup, à mes yeux, même si je les fermais par moments ; le plus infime geste renforçait le message délivré durant ces quatre minutes trente-cinq. Le volume augmenta brusquement, je souris et aperçus Sandro aux côtés de mes élèves : il n'avait pu s'empêcher de venir, après avoir entendu ce qui se passait dans ma salle. Je dansais trop peu souvent seule à son goût. Il avait parfaitement réagi avec la musique – il me connaissait si bien – puisqu'il s'agissait précisément de l'instant où j'allais demander à mes petites poulettes de lâcher les vannes. Je voulais une explosion d'énergie, qu'elles envahissent l'espace, qu'elles happent les spectateurs par leur liberté et qu'elles gardent à vie cette impression. Je leur en fis la démonstration, et fus moi-même surprise par le plaisir de ce lâcher-prise. Quand le silence gagna à nouveau le studio, Sandro siffla d'admiration.

— Amusez-vous bien, les girls !

Son sourire était un vrai rayon de soleil. Je lui soufflai un merci reconnaissant, ses compliments m'allaient toujours droit au cœur.

— On y va, dis-je à mes élèves pour les encourager.

Je pouvais percevoir leurs doutes.

— Vous allez y arriver ! Je ne vous envoie pas au casse-pipe. Si je vous propose cette chorégraphie, c'est que je sais que je vous en êtes capables.

Une heure et demie plus tard, appuyée à la barre, je les regardais tout en m'épongeant le visage : elles m'auraient presque fatiguée, ces chipies. Je m'autorisai un brin d'autosatisfaction ; j'avais visé juste, elles relevaient le défi. Je lançai un regard à la pendule et frappai dans mes mains.

— Au vestiaire, les filles ! Ne traînez pas !

— À la semaine prochaine, Hortense !

Elles partirent en piaillant. Pendant qu'elles se rhabillaient, j'en profitai pour faire mes étirements en prenant un soin particulier à détendre tous mes muscles, je voulais par-dessus tout être au top de ma forme les prochaines heures. Puis j'avalai la moitié de ma bouteille d'eau. Lorsque mes élèves ressortirent habillées, parées comme des châsses pour retrouver leur petit copain, je les accompagnai jusqu'à la sortie, sans avoir à me soucier de ce qu'elles feraient après. C'était l'avantage des cours pour adolescentes et adultes : pas de surveillance ou d'attente de mamans en retard. Elles me firent chacune une bise et filèrent.

— Reposez-vous bien, les minettes ! les interpellai-je dans la rue.

— Promis !

Je riais encore de leur insouciance en rejoignant le bureau, qui avait été celui d'Auguste. Nous n'avions jamais compris pourquoi il ne s'était pas octroyé un espace plus confortable. Six mètres carrés à tout casser où nous avions tout de même réussi à caser une table, trois chaises, deux meubles de rangement, un minifrigo et nos souvenirs. Mes amis étaient là, Sandro sur son perchoir – tout en haut de l'étagère – et Bertille derrière le bureau à gérer une partie de la paperasse (nous nous partagions toutes les deux cette tâche ingrate).

— Tu t'en sors ?

— Ouais, ça va.

— Arrête, je finirai demain.

Je m'assis et commençai à masser une de mes chevilles qui me titillait depuis quelque temps.

— Il paraît que ta choré est absolument géniale ?

— Je ne sais pas, mais les filles sont fans.

— Ne fais pas ta modeste ! C'est ridicule ! Et franchement, tu es superbe, j'espère que tu danseras avec elles pour le spectacle, ça serait du gâchis, sinon.

Je balayai cette suggestion d'un geste.

— En tout cas, j'ai hâte de voir ça, renchérit Bertille.

Elle se cala plus confortablement contre le dossier de sa chaise et me lança un regard éberlué.

— Qu'est-ce que tu fais encore là, toi, au fait ? Ce n'est pas ce soir qu'Aymeric rentre ?

Danser m'avait vraiment fait déconnecter ! Comment avais-je pu l'oublier ?

— Il faut que je file !

Je bondis de mon siège, poussai Sandro pour récupérer mon vieux sac Darel qui ne me quittait jamais, enfilai mes chaussures, mon manteau et nouai mon foulard. Ils éclatèrent de rire devant mon empressement. Je leur tirai la langue.

— C'est bon ! Ça fait dix jours qu'on ne s'est pas vus !

— C'est rare, commenta Bertille.

— Oui, et heureusement… mais là, c'était un peu compliqué, il avait plusieurs déplacements pour le boulot, donc…

— Tu lui sors le grand jeu, alors ! ricana Sandro.

— Si j'ai le temps de me préparer.

— Je te dépose chez toi, si ça t'arrange, je suis attendu aussi, nous annonça-t-il en roulant des mécaniques.

Il me tendit un casque de scooter. Je levai les yeux au ciel en me retenant de rire. Sandro était un bourreau des cœurs, il les lui fallait toutes, les jeunes, les moins jeunes et les autres. Il s'appliquait à ne faire aucune discrimination. Avec son accent charmeur, il nous expliquait régulièrement qu'une femme était une femme, qu'une femme était belle, mystérieuse et désirable quel que fût son âge, son tour de taille ou son bonnet de soutien-gorge. Par moments, Bertille et moi tentions de le raisonner, mais rien n'y faisait.

Il slalomait sur son scooter cabossé dans la circulation en sifflotant un air de son Brésil natal. Un petit quart d'heure nous suffit pour aller jusque chez moi. Il releva sa visière lorsque je fus descendue de sa pétrolette, je lui tendis mon casque.

— Garde-le, je passe te prendre demain matin !

— Tu vas réussir à te lever ? lui demandai-je en haussant un sourcil soupçonneux.

— Pas trop le choix. Et toi, tu commences à quelle heure ?

— Dix heures !

— Mais oui, c'est le jour des chouchous !

Je souris, déjà impatiente d'y être. Depuis deux ans, soutenue par un psychomotricien, j'accueillais tous les jeudis matin un groupe d'enfants handicapés pour les aider à travailler leur souplesse. J'étais payée des clopinettes, ce qui faisait grincer des dents Bertille, mais je m'en moquais.

— À demain et merci pour le trajet !

— Dépêche-toi ! L'amour n'attend pas !

Il repartit en sifflotant. Quant à moi, je gravis au petit trot les six étages qui me séparaient de mon appartement.

Je vivais là depuis plus de quatre ans. J'avais eu le coup de cœur pour ce nid sous les toits, ce cocon retapé avec l'aide de mes deux acolytes et du mari de Bertille. Je l'avais acheté grâce aux économies faites depuis que j'avais commencé à travailler et à une donation de mes parents. Je n'y avais pas vu de signe. Ils m'avaient encouragée à investir – comme eux – dans la pierre et avaient tenu à m'aider. Lorsque j'étais entrée dans cette grande pièce délabrée de quarante mètres carrés avec son petit balcon entre les toits en zinc, j'avais su qu'ils l'aimeraient et qu'ils me diraient qu'elle me ressemblait. J'avais passé des journées entières à poncer les murs et le vieux parquet. Pour la cuisine, nous avions fait une expédition chez Ikea et Sandro s'était lancé pour la première fois de sa vie dans le montage de meubles. Voilà pourquoi, aujourd'hui encore, l'une des portes de placard manquait. Pour séparer la chambre du reste de l'appartement, j'avais déniché un vieux paravent des années trente sur lequel j'avais installé un voilage blanc qui accentuait la douceur du blanc grisé de la peinture. Sur le minuscule balcon, j'avais accroché deux ampoules guinguette – pas de place pour plus –, un pot de fleurs et, lorsqu'il faisait beau, je pouvais installer une petite table métallique pliante, à cheval entre ombre et lumière, que le reste de l'année je planquais derrière une porte.

Il me restait une petite heure avant d'avoir des nouvelles d'Aymeric ; le temps de me préparer. Il m'avait tant manqué ! Le retrouver finirait de dissiper le trouble après ma visite à l'olivier de mes parents. Je déambulai nue dans la pièce, mis de la musique – la voix chaude d'Alicia Keys –, puis je pris un soin particulier à choisir ma lingerie et la robe idéale – la dos-nu noire – et, pour finir, je récupérai sous le lit de hautes sandales à lanières. Peu importaient les températures fraîches, je désirais voir l'effet qu'elles produisaient sur lui – effet que je connaissais. J'interceptai un message à l'instant où j'entrais dans la

salle de bains, je luttai contre une petite angoisse nais-
sante et soupirai de soulagement en le lisant : « Suis
dans les bouchons, je ne peux pas passer te prendre,
rejoins-moi directement et vite ! Tu m'as manqué... Je
t'embrasse. A. » Rassurée, je me glissai enfin sous la
douche. Au contact de l'eau, je me dénouai et me
détendis. Le dernier jet glacé me tonifia et me vivifia
la peau. Enroulée dans ma serviette de toilette, je me
maquillai avec application pour mettre mes yeux gris
et mes lèvres en valeur. Pour mes cheveux – dont il
aimait la blondeur naturelle –, j'optai pour un chignon
désordonné dont je laissai savamment s'échapper une
mèche, la coiffure qu'il préférait. Ensuite, pour rendre
ma peau veloutée, j'appliquai une huile sèche. La
touche finale : une unique goutte de parfum au creux
de mes seins. J'étais prête.

2

Je ne fus pas étonnée d'arriver la première. Aymeric avait beau être l'homme le plus organisé que je connaisse, il était presque toujours en retard ; un dernier appel, un dernier mail à envoyer, une dernière situation de crise à gérer. Je ne lui en voulais pas, il réglait toujours le maximum de choses avant de me retrouver pour qu'on ne soit pas dérangés. Le serveur, qui nous connaissait très bien, m'escorta à notre table habituelle, dans une alcôve tranquille propice aux retrouvailles, d'où nous pouvions voir sans être vus. Il revint quelques minutes plus tard, un cocktail à la main.

— Je n'ai rien commandé, je vais l'attendre.

— Il m'a appelé juste avant votre arrivée pour me demander de vous servir, il en a encore pour quelques minutes.

Et voilà, qu'est-ce que je disais !

— Merci beaucoup.

Un petit quart d'heure plus tard, alors que je n'avais siroté que trois gorgées de mon verre, Aymeric apparut dans l'entrée du restaurant, téléphone encore vissé à l'oreille. À son visage tendu à l'extrême et sa main crispée sur son portable, je pouvais percevoir son impatience et sa concentration. Rêveuse et heureuse, je ne résistai pas au plaisir de le regarder. Il avait l'art d'apporter du sex-appeal à son uniforme sorti tout droit du *Printemps de l'Homme*. Peu importait son look ou sa haute silhouette, son seul charisme irradiait une pièce. Aymeric en imposait aussi par son assurance polie. Quiconque le rencontrait sentait qu'il réussissait tout ce qu'il entreprenait ; pourtant jamais, chez lui, je n'avais perçu une volonté d'écraser les autres, il démontrait simplement par A+B qu'il excellait dans son domaine, que rien ne lui faisait peur, balayant les obstacles à force de travail, de volonté et d'audace.

Son expression s'adoucit à l'instant où nos regards se croisèrent ; portant deux doigts à sa bouche, il m'envoya un baiser. Quelques minutes plus tard, il raccrocha… enfin. Il parcourut du regard la salle de restaurant avant de me rejoindre, un léger sourire carnassier aux lèvres. Je le laissai s'approcher sans esquisser un geste. Je lui offris mon cou lorsqu'il arriva près de moi, il y déposa un baiser qui me fit frissonner, avant de s'asseoir en face de moi. Il prit de longues minutes pour me détailler – son rituel – comme s'il cherchait à me redécouvrir. Cela semblait toujours avoir pour effet de le détendre. J'aimais ces instants où il redescendait de son monde pour rejoindre le mien, j'avais l'impression d'être le centre de son univers, il redevenait le Aymeric que moi seule connaissais.

— Ton appel ? Rien de grave, j'espère ?

— Non… plutôt une bonne nouvelle ! me répondit-il, le visage rayonnant et avec une lueur d'excitation dans le regard. Mis à part un nouveau casse-tête impossible pour mon agenda.

— Et je peux savoir quelle est cette nouvelle qui te met dans un état pareil ?

Il s'emballa, comme chaque fois qu'il était question de son travail ; je le laissai m'expliquer par le menu en quoi consistait cette opportunité. Sa volubilité m'amusait. Brusquement, il dut se rendre compte qu'il faisait les questions et les réponses depuis une dizaine de minutes. Avec un sourire d'excuse, il reprit sa respiration.

— Peu importe, on en reparlera… Maintenant, je suis tout à toi.

Pas encore totalement, puisque notre serveur surgit pour prendre notre commande.

— Alors, comment ça s'est passé, dans le Sud ? me demanda-t-il une fois que nous fûmes à nouveau en tête à tête.

Je lui envoyai un petit sourire, certainement un peu triste.

— Cathie et Mathieu t'embrassent, ils espèrent te voir cet été.

— Moi aussi. Et pour tes parents ?

— J'ai fait ce que j'avais besoin de faire… c'est juste une année de plus sans eux.

Il attrapa ma main par-dessus la table et la caressa délicatement.

— J'aurais aimé être avec toi.

— Je sais. Mais ne t'inquiète pas, je vais bien. J'ai passé une superbe journée à l'école, et tu es là, maintenant.

Et c'était vrai. À présent qu'il était devant moi, tout allait parfaitement bien.

— C'était long, me dit-il après une gorgée de vin, en reposant son verre. Trop long, même…

— Je suis d'accord, mais tu n'avais pas vraiment le choix.

Il lâcha ma main et, avec une mine de conspirateur, s'adossa à la banquette en plongeant ses yeux dans les miens. Nous nous concentrions enfin sur nous ; j'en étais ravie.

— J'ai eu une idée, ces jours derniers : il faudrait que tu m'accompagnes de temps en temps, ce serait tellement bien.

J'émis un rire léger. Gentiment moqueuse, je secouai la tête, les yeux au ciel. Puis je me penchai vers lui, prête à lui faire une confidence.

— Aymeric…

Visiblement satisfait et curieux, il arbora un petit sourire en coin.

— Oui…

— Tu as l'air d'oublier que j'ai une vie, des élèves, des cours à donner…

Changement d'humeur. Moue boudeuse. Quand il s'y mettait, il avait tout de l'enfant capricieux. Pourtant, il se reprit rapidement :

— Le pire, c'est que j'aime que tu aies cette vie… D'ailleurs, ça fait longtemps que je ne t'ai pas vue danser…

— Tu n'auras qu'à venir au spectacle de fin d'année !

— Je n'ai pas l'intention d'attendre si longtemps. Et… je ne t'ai pas dit que je voulais vous voir danser, tes élèves, les autres et toi. Là, maintenant, ce soir, si tu veux tout savoir, il n'y en a qu'une qui m'intéresse.

La distance se réduisit entre nous, il riva son regard au mien.

— On trouvera bien un moyen pour que tu me voies avant…

— Je ne voyais pas les choses autrement.

Amusé, il rétablit une distance de sécurité entre nous.

— Quelle idée j'ai eue qu'on dîne au resto, ce soir, j'aurais dû te rejoindre immédiatement !

— Qu'est-ce que tu peux être impatient ! le taquinai-je.

Sa main emprisonna mon poignet.

— Pas toi, peut-être ?

Sitôt nos assiettes débarrassées, il abandonna sa serviette sur la table, jeta un coup d'œil à sa montre et fit signe de préparer l'addition. Je compris le message et, si son empressement m'amusait, en réalité, je ne valais guère mieux que lui. Il sortit de la poche intérieure de sa veste quelques billets qu'il tendit au serveur.

— La même table, jeudi prochain, lui rappela-t-il avant de franchir la porte.

— C'est déjà noté ! Bonne fin de soirée à tous les deux.

— Merci, lui répondis-je.

La main d'Aymeric suivit la courbe de ma robe et se glissa au creux de mon dos. Cette caresse m'électrisa. Le désir que je perçus dans son regard m'enflamma. Il approcha son visage du mien, prêt à m'embrasser, mais il recula à la dernière minute.

— Tu joues avec mes nerfs, chuchotai-je.

— Avec les miens aussi… Allons-y.

À peine avions-nous franchi la porte de mon appartement que ma robe vola et que mon lit nous accueillit. L'impatience l'emportait. Depuis notre rencontre, c'était explosif entre nous, le désir nous tenaillait dès que nous étions en présence l'un de l'autre. Aymeric, sûr de lui et du pouvoir qu'il exerçait sur moi, m'aimait avec possessivité. Je le lui rendais bien, lui abandonnant mon corps inconditionnellement. Nous n'étions jamais rassasiés. Mais l'attente eut raison de nous, la délivrance nous saisit rapidement et par surprise.

— Définitivement, c'était trop long, murmura-t-il le visage niché dans mon cou, la respiration encore haletante.

— Ce n'est pas moi qui dirai le contraire, lui répondis-je en passant une main dans ses cheveux blonds.

Il roula sur le côté et m'enfouit dans ses bras. On resta ainsi de longues minutes, blottis l'un contre l'autre, sans rien dire. Je me concentrai sur les battements de son cœur.

— Je ne pourrai jamais me passer de toi, finit-il par chuchoter, presque tristement.

Je relevai le visage vers lui, il caressa ma joue. Je connaissais ce regard, celui de l'approche du départ. La nostalgie des trois dernières heures pointait déjà. Le mince espoir de le garder avec moi s'envola aussitôt. Ma déception s'incarna dans un soupir qui ne passa pas inaperçu.

— La semaine prochaine, on reprend nos habitudes. Et on aura plus de temps, Hortense.

J'acquiesçai, incapable de soutenir son regard.

— Ça va ?

— Oui… mais quand pourra-t-on repasser toute une nuit ensemble ? J'ai l'impression que ça fait des années-lumière que je n'ai pas dormi avec toi.

— Moi aussi…

— Tu aurais pu rester, ce soir…

Il s'éloigna soudainement de moi. *Bien joué, Hortense.*

— Il faut que j'y aille.

J'avais eu tort d'insister, j'aurais dû le savoir. Il s'enferma dans la salle de bains. Je remontai la couette sur moi, et ne bougeai plus. La pièce était plongée dans la pénombre, seul filtrait un rayon de lumière sous la porte de sa cachette. J'entendis son tiroir s'ouvrir, se fermer, l'eau couler dans le lavabo quelques minutes. Lorsqu'il réapparut, il était propre sans l'être totalement, du moins mon odeur n'était-elle plus inscrite sur sa peau. Il se rhabilla soigneusement, prenant bien garde à ne conserver aucune trace de nous, retirant jusqu'au cheveu qui traînait sur sa veste. Il s'approcha de moi, mal à l'aise. Je m'assis en restant camouflée dans les draps.

— Je fais ce que je peux, Hortense.

Je sais…

— Je sais.

Il posa sa main sur ma joue et son front sur le mien. Nous nous regardâmes dans les yeux. Lorsque je lui souris, il parut soulagé. Je ne voulais pas qu'il parte sur une fausse note.

— Je vais faire une chose qu'il va falloir me pardonner, lui annonçai-je.

Il fronça les sourcils, visiblement inquiet de ce qui allait suivre. Ne pouvant résister plus longtemps, je l'embrassai fougueusement. Il craqua lui aussi et me serra fort contre lui. Mais il finit par rompre notre baiser.

— File, lui ordonnai-je.

Il me fit un grand sourire et se redressa, requinqué par ce que je venais de lui donner. Il s'inspecta une dernière fois avant de sortir.

— Aymeric ?

— Oui !

Il me regarda par-dessus son épaule.

— Tu m'envoies un message quand tu es arrivé ?

— Bien sûr… et toi, tu n'oublies pas ?

— Ne t'inquiète pas.

— À lundi !

Il claqua la porte, je l'écoutai dévaler l'escalier. Lorsque le silence revint, je m'extirpai de mon lit et me préparai pour la nuit. Je me recouchai, mon portable à portée de main. J'attendis une demi-heure avant qu'il bipe. J'avais mon message, auquel je ne répondrais pas, comme d'habitude. Mais je pouvais dormir tranquille ; Aymeric était chez lui, dans sa maison de banlieue chic auprès de sa femme et de ses enfants.

Jamais je n'aurais imaginé, ni même envisagé devenir *l'autre*, la maîtresse, l'amante, celle qui reste dans l'ombre. Je ne me complaisais pas dans cette situation, bien au contraire, mais Aymeric m'était tombé dessus il y avait de cela trois ans.

Je n'avais pas encore remonté la pente un an après le décès de mes parents. J'étais facilement sur les nerfs, à cette époque-là. Le soir, je restais bien souvent seule à l'école pour danser. Le reste du temps, je donnais le change pour sauver les apparences, pour ne pas nourrir l'inquiétude de Bertille, Sandro, Auguste et Cathie, qui m'avaient portée à bout de bras, pour ne pas disparaître noyée sous le chagrin. Ils ignoraient à quel point j'étais perdue, à quel point je ne savais plus ce que je voulais faire de ma vie. La disparition de mes parents avait fait voler en éclats tous mes repères. Il était temps que mes amis reprennent leur vie sans plus avoir à se soucier de moi. Alors, quand je sentais que la douleur et le manque de papa et maman devenaient trop forts, je dansais pour évacuer, pour me défouler, pour palper une émotion brute et me retrouver. Me laisser emporter par le rythme de la musique et mon corps me faisait un bien fou. J'occupais l'espace de la salle, pieds nus, yeux fermés, totalement hermétique à mon environnement. Cette fois-là, lorsque le silence s'était fait, j'étais restée debout sans bouger au beau milieu de la pièce, pour reprendre ma respiration et savourer la sensation d'avoir détendu mes muscles et oublié mes sombres pensées l'espace d'un instant. Quelqu'un avait toussoté dans mon dos. Je m'étais retournée pour découvrir un homme que je ne connaissais pas. Il ne paraissait pas très à son aise, pourtant il ne m'avait pas fuie du regard ni cherché à prendre la poudre d'escampette. Je m'étais immédiatement fait la réflexion qu'il était pas mal, pas mal du tout.

— Bonsoir, avais-je dit en faisant deux pas vers lui. Je peux peut-être vous renseigner ?

Il avait esquissé un sourire, seule sa main dans ses cheveux trahissant son malaise. Je l'avais trouvé craquant avec son physique de gendre idéal, un peu fashion victim, et son expression de môme pris en faute.

— Euh… oui… bonsoir… je cherche une certaine Hortense…

C'était Noël en juillet, c'est moi qu'il cherchait !

— Vous l'avez devant vous ! Mais… est-ce qu'on se connaît ?

— Je crois que je m'en souviendrais, avait-il marmonné.

Il avait eu un petit rire, comme pour lui-même, avant de fouiller dans sa sacoche.

— J'ai retrouvé votre portefeuille dans la rue, m'avait-il dit en me le tendant.

J'étais restée bête de longues secondes, en le fixant d'un air ahuri.

— Ce n'est pas le vôtre ? avait-il fini par s'inquiéter.

J'avais sursauté.

— Si, si ! Mais je ne m'étais pas rendu compte que je l'avais perdu.

J'avais franchi la distance qui nous séparait pour récupérer mon bien. À son expression interloquée, je m'étais sentie obligée de me justifier.

— Je suis un peu tête en l'air, en ce moment !

— C'est le moins que l'on puisse dire ! Avez-vous conscience de son poids ? Je veux bien qu'un portefeuille de femme cache des trésors, mais à ce point-là !

— Il ne vous a pas déboîté l'épaule, au moins ?

Et nous avions ri, ensemble, de bon cœur, sans nous quitter des yeux. J'avais remarqué sa fossette, le grain de beauté dans son cou, son regard perçant qui s'était attardé sur une mèche de cheveux tombant sur mon épaule. Nous étions devenus silencieux. L'impact de sa présence sur mon corps, les battements de mon cœur me chaviraient. Depuis combien de temps n'avais-je pas ressenti une telle attirance ? J'avais malgré tout tenté de me ressaisir.

— Merci beaucoup… c'est vraiment sympa de vous être déplacé jusque-là.

— Je vous en prie.

Son sourire. Comment résister ? Bien que cela soit de manière fort discrète, je pouvais voir qu'il me déshabillait du regard, j'aimais ça et j'en voulais plus encore.

— On pourrait prendre un verre au bar d'en face, si vous avez le temps, je me change et c'est bon.

Il m'avait souri une nouvelle fois, mais subitement j'avais eu l'impression qu'il redescendait sur terre. Il avait fait un pas en arrière, en passant une main sur son visage, comme s'il cherchait à se réveiller. C'est là que j'avais vu son alliance.

— Cela aurait été avec plaisir, mais…

Injustice totale, avais-je pensé.

— Bien sûr. Je vous raccompagne.

Nous avions traversé l'école épaule contre épaule, comme si une force nous avait poussés à nous rapprocher, à faire en sorte que nos corps s'effleurent au moins l'espace d'un instant. Au moment de sortir, nous nous étions encore regardés dans les yeux,

41

de longues secondes. Et au même instant, nous étions sortis de notre bulle. Je lui avais alors tendu la main, il l'avait tenue délicatement, sa peau m'avait semblé si douce.

— Pour mon portefeuille, encore merci… euh… je ne sais même pas comment vous vous appelez.

Il avait resserré sa pression sur ma main, j'avais fait de même.

— Aymeric.

— Merci, Aymeric.

Sourire désabusé aux lèvres, il avait poussé un soupir à fendre l'âme, avant de se détacher de moi. Il avait reculé de quelques pas, sans cesser de me regarder. Puis, comme dépité, il avait haussé les épaules et fini par faire demi-tour. Je l'avais suivi des yeux jusqu'à le voir disparaître. Il s'était retourné une dernière fois juste avant de tourner au coin de la rue.

Les jours suivants, Aymeric dont je ne savais rien, sinon qu'il était marié, n'avait eu de cesse de me hanter. Le souvenir de notre rencontre me faisait décrocher des conversations, me rendait rêveuse, me donnait des envies de légèreté, de fêtes. J'avais l'impression de renouer avec la gaieté, de reléguer aux calendes grecques mes doutes, mes peines et mes projets quant à mon avenir ; ces quelques minutes avec lui avaient mis du baume sur mon cœur, alors même que j'étais convaincue que je ne le reverrais jamais. Pourtant, une semaine plus tard, Bertille était venue me chercher dans ma salle entre deux cours pour me dire qu'un type demandait à me voir. J'avais immédiatement pensé à lui, tout en me disant qu'il ne fallait surtout pas que ce soit le cas. De toute façon, c'était impossible. Mais quand je l'avais vu faire nerveusement les cent pas dans le couloir de l'école, je n'avais pu empêcher mon cœur de bondir dans ma poitrine. À l'instant où il m'avait aperçue, son visage s'était illuminé.

— Aymeric, je n'ai rien perdu, que je sache.

Nous avions franchi la distance qui nous séparait, il était resté muet, se contentant de me dévorer du regard.

— Que faites-vous ici ? avais-je murmuré. Vous voulez des renseignements sur les cours de danse ?

Nous avions étouffé un rire.

— Ma fille est déjà inscrite ailleurs et je le regrette, croyez-moi.

— Pas moi…

Il avait planté ses yeux dans les miens.

— Je n'aurais pas dû venir, hein ?

— Non, vous n'auriez pas dû. Ce n'est pas raisonnable d'être ici, avec moi, en plein après-midi…

— Je sais, mais…

Il avait été interrompu par Sandro qui m'appelait à tue-tête pour mon cours. Sans lâcher Aymeric des yeux, je lui avais demandé de faire patienter mes élèves. J'avais eu si peur qu'il ne disparaisse. Et pourtant, il n'y avait pas d'autre choix possible. Alors, je l'avais attrapé par le bras et entraîné vers la sortie. Il me fixait, paniqué. J'avais pris sur moi :

— Aymeric, partez maintenant, c'est mieux. Je suis certaine qu'une jolie petite famille vous attend ce soir à la maison.

Il avait reculé en accusant le coup, j'avais enfoncé le clou.

— C'est comme ça, dans la vie, il y a des rencontres qui ne doivent rester que des rencontres.

— Si seulement c'était si simple, avait-il grogné.

— Je ne dis pas que c'est facile.

— Donc, vous avez pensé à moi, ne serait-ce qu'un petit peu ?

J'avais esquissé un sourire, auquel il avait répondu.

— Hortense, vous allez me prendre pour un fou, mais je n'arrive plus à travailler, je n'arrive plus à parler, je n'arrive plus à dormir, à vivre normalement. Je ne pense qu'à vous. J'ai cherché toutes les informations possibles sur votre école pour en apprendre davantage sur vous, je veux tout connaître, tout savoir. Je ne sais plus quoi faire pour vous sortir de ma tête.

— C'est pour ça que vous êtes là ? Vous pensiez que revenir me voir vous aiderait ?

— J'avais besoin de savoir si notre rencontre était réelle, si je ne rêvais pas ce qui s'était passé entre nous…

Il s'était rapproché de moi, en m'acculant contre le mur. Il m'avait semblé si sûr de lui, pourtant je voyais bien qu'il tremblait de la tête aux pieds. Je n'étais pas mieux, avec ma gorge sèche, mes jambes chancelantes.

— Vous ne voulez pas savoir ? m'avait-il dit tout bas.

— Il ne vaut mieux pas… Songez aux conséquences…

— Vous croyez que je n'y ai pas pensé ! s'était-il énervé. Ça me rend dingue ! Je ne suis pas un sale type. Je sais que vous ne me connaissez pas, que vous n'avez aucune raison de me croire, mais je n'ai jamais trompé ma femme. Je ne suis pas volage, encore moins du genre romantique ; pour moi, les coups de foudre, c'est dans les romans à l'eau de rose, pas dans la vraie vie. Mais voilà, vous m'êtes tombée dessus et je ne sais pas quoi faire de vous.

— Oubliez-moi.

— Accordez-moi un dîner, ou même ne serait-ce qu'un verre ? Après tout, vous me l'aviez bien proposé !

— Ne jouez pas à ça... Vous êtes marié, je viens d'apprendre que vous avez au moins un enfant et je parierais qu'elle n'est pas fille unique...

Il avait hoché la tête, j'avais soupiré, dépitée.

— Je ne veux pas être celle qui vous détourne du droit chemin, ni celle qui un jour ou l'autre morflera, parce que je sens qu'avec vous ça pourrait être le cas.

J'avais essayé de le repousser, il avait enfermé mes mains dans les siennes, les battements rapides de son cœur m'avaient bouleversée.

— Laissez-moi, s'il vous plaît, Aymeric, respectez-vous, respectez votre famille, et... respectez-moi.

J'avais senti son souffle sur mon visage, sa respiration tout aussi saccadée que la mienne.

— Je ne peux pas, Hortense. Je suis incapable de lutter, je ne comprends pas ce qui m'arrive... pardonne-moi...

Et il m'avait embrassée. Je n'avais rien pu opposer à la puissance de son baiser.

Depuis, trois ans avaient passé. Nous avions échangé des mots d'amour, nous avions pleuré et ri ensemble de notre situation. Aymeric m'avait ramenée à la vie. Avec lui, je riais, je sentais mon cœur battre et la fièvre s'emparer de mon corps dès qu'il était auprès de moi. Dans son regard, j'avais le sentiment d'exister, j'étais aimée. Pourtant, je n'aurais jamais imaginé devenir celle qui réclame, qui attend, qui se tape la tête contre les murs quand son amant la laisse pour rejoindre sa famille, celle qui se dégoûte parfois. Lui était devenu un spécialiste de la dissimulation, de la double vie, un organisateur-né. Nous avions notre routine, comme un couple. Nous nous voyions les lundis et jeudis soir et, lorsque nos agendas nous le permettaient, nous déjeunions ensemble : un petit bonus, comme il disait. Très rapidement, l'hôtel nous avait paru vulgaire, notre relation valait mieux que ça. Il avait donc pris sa place et ses marques dans mon appartement, où parfois nous dînions, comme à la maison. De temps en temps, il arrivait à passer une nuit entière chez moi. L'été, il trouvait toujours le moyen de me rejoindre à la Bastide, deux jours de bonheur absolu. Je l'avais tout à moi, je pouvais lui tenir la main dans la rue, je l'embrassais dès que l'envie m'en prenait, il n'y avait plus d'interdit. Il connaissait et appréciait mes amis, qui le lui rendaient bien, même s'ils s'inquiétaient à demi-mot pour moi. Mais notre relation avait bien évidemment sa part d'ombre. Je n'existais pas. Aucun de ses amis, aucune de ses relations ne connaissait mon existence. Dans les moments d'angoisse, je me disais que s'il lui arrivait quelque chose, je ne le saurais jamais. Personne ne viendrait jamais m'avertir s'il allait mal, s'il était en danger, ou pire encore… Aymeric ne voulait prendre aucun risque, aussi, malgré mon insistance, avait-il toujours refusé de prendre un deuxième téléphone ou d'établir des codes entre nous. J'avais donc l'interdiction formelle de l'appeler, de lui envoyer un SMS et même de répondre aux siens, je n'avais jamais pu lui faire de cadeau, ni glisser une photo de nous deux dans son portefeuille, alors que j'en avais toujours une avec moi. Au début, j'avais cru pouvoir arrêter tout ça, mais j'en avais été très vite incapable, j'étais tombée follement amoureuse de lui. Plus le temps passait, plus nous nous étions enfermés dans nos sentiments et dans notre relation, qui parfois me faisait l'effet de ne pas en être vraiment une. J'attendais. J'attendais quoi ? Au bout du compte, pas grand-chose. Je restais *l'autre*. C'était la condition pour l'avoir, lui ; il fallait bien vivre avec.

*
* *

Un samedi soir comme les autres. Plus de minuit. Après avoir dîné au restaurant de Stéphane, le mari de Bertille, accompagnée par Sandro, je franchis les portes d'une boîte de nuit où nous avions nos habitudes depuis des années. Accoudée au bar, en sirotant le premier daiquiri d'une longue série, j'observais mon ami entrer en chasse. Il était capable de faire danser les plus empotées et de les rendre sexy et gracieuses. Je prenais toujours plus de temps que lui avant de m'élancer sur la piste, sachant qu'une fois partie, je ne m'arrêterais que le temps de siffler un verre pour entretenir mon état second. Et c'était l'instant où je me demandais toujours si je restais ou si je m'enfuyais. Pourquoi venais-je chaque week-end m'étourdir de cette façon ? J'avalai la dernière goutte de mon cocktail, ma vue commençait à être trouble, mes tympans saturés par la ouate du volume assourdissant de la musique électro – parfait, j'étais prête – et je fis craquer mon cou. Sans regarder personne, je franchis la barrière des corps mouvants et rejoignis le centre de la piste. À partir de là, je n'étais plus véritablement moi, j'étais le mouvement, la sueur, le lâcher-prise, j'oubliais mes états d'âme. Je perdais le contrôle. Une dose d'abandon pour faire le vide. Je dansais avec acharnement, la plupart du temps les yeux fermés, j'entrais dans une dimension parallèle qui m'absorbait tout entière. Une transe dont je n'arrivais pas à me passer et qui me donnait l'illusion d'être libre de tout. Parfois, je sentais des mains baladeuses sur mon corps, je repoussais fermement les avances d'inconnus et acceptais celles de Sandro. Sandro garantissait ma tranquillité – repoussoir des dragueurs lourdingues du samedi soir – et j'éprouvais un plaisir immense à danser avec lui. Les quelques minutes que nous nous offrions revêtaient certainement des allures de démonstration de force, nous laissions les danseurs pros en nous s'exprimer sans réserves, trop imbibés pour nous soucier de l'effet que cela produisait sur les autres. Dans un éclair de lucidité, le visage d'Aymeric m'apparaissait parfois, je me disais alors que s'il m'avait vue dans cet état, il aurait rué dans les brancards. Je n'aurais pas été contre lui donner cette petite leçon. Il m'arrivait régulièrement de me retrouver dans la file d'attente des toilettes avec des petites jeunes insolentes de fraîcheur qui me reluquaient comme une vieille peau. Je comprenais leurs regards moqueurs en me découvrant dans le miroir ; le maquillage coulant, le front luisant de transpiration, mes presque quarante ans m'éclataient au visage. La conséquence : chaque fois, je reprenais un verre pour oublier davantage et leur montrer qu'elles ne gagneraient pas sur le terrain de l'endurance.

Dimanche midi. Certes, ma condition physique m'avait permis d'occuper la scène jusqu'au petit matin, mais mon âge ne me permettait plus de récupérer avec seulement quatre heures de sommeil, contrairement aux petites mômes défiées la veille et qui devaient être toutes pimpantes. Je réussis non sans difficultés à m'extraire de mon lit, je tirai les rideaux, éblouie par le soleil de fin d'hiver, je luttai contre une envie immédiate de retourner à l'abri sous la couette. Mes jambes lourdes me portèrent jusqu'à la salle de bains. En m'appuyant au rebord du lavabo, je fis l'état des lieux. J'avais vraiment une sale tête ; les yeux cernés de résidus de mascara, les rides plus creusées que d'habitude et le teint brouillé. Le seul moyen d'y remédier : ne pas traîner plus longtemps et prendre une douche.

Le temps était radieux, j'ouvris la fenêtre et approchai ma table. Certes, il faisait encore un peu frisquet, mais l'air viendrait peut-être balayer cette impression étrange de vide qui m'avait saisie dès le réveil. Les cheveux enroulés dans une serviette-éponge, je pris un copieux petit déjeuner vitaminé. Puis, bien décidée à me purifier, j'enfilai une tenue de sport, chaussai mes baskets et partis en claquant la porte. Munie de mes écouteurs, je courais au petit trot, sans chercher la performance, guidée par le seul besoin de suer. Je m'enfermai dans ma bulle musicale, oubliant la douleur de mes muscles ankylosés et saturés de toxines après les excès de la veille, excès rituels avec lesquels je renouerais dans moins de huit jours.

Malgré la fatigue, je devais me dépenser à tout prix, décharger l'énergie négative et malsaine, pour me recharger en ondes positives. Plus facile à dire qu'à faire. J'étais tellement ailleurs que je ne voyais personne autour de moi, c'était comme si Paris s'était vidé de ses habitants. Je courais, anonyme et seule, rejetant le plus loin possible mes questions, mes doutes. Je sentais une angoisse sourde, indéfinissable, enfler en moi. Elle était vicieuse dans sa manière de surgir à tout moment, et de plus en plus fréquemment, sans que je puisse la combattre. Ma course me guida jusqu'au jardin du Luxembourg. La soif me força à faire une halte. J'achetai une bouteille d'eau à un vendeur à la sauvette. Je trouvai une place où m'asseoir près du bassin et avalai mon quart de litre en quelques minutes. La sensation de bouche pâteuse qui ne me quittait pas depuis le saut du lit s'atténua enfin. Mon regard s'attarda sur les enfants qui poussaient leur bateau, je les trouvai mignons tous autant qu'ils étaient. Beaucoup s'étaient découverts, emportés par le beau temps et ce printemps précoce, certains se réveilleraient le lendemain avec un bon gros rhume, le soleil de ce début mars était traître.

Tout comme mes samedis, mes dimanches se ressemblaient ; je finissais toujours par être spectatrice de ces instants familiaux ou amicaux, et par me demander ce qu'Aymeric faisait pendant ce temps-là. Je sortis mon téléphone de ma poche et relus pour la millième fois du week-end son dernier SMS, celui qu'il m'envoyait tous les vendredis soir, vers 19 heures, lorsqu'il était dans les bouchons sur le périphérique et que j'assurais mon dernier cours. Chaque vendredi, il m'écrivait à peu près la même chose : « Je pense à toi, tu me manques, passe un bon week-end, je t'embrasse, à lundi ! A. » Parfois, il revenait sur notre soirée de la veille, il me disait combien il avait aimé ma peau, nos baisers, nos rires. Ses dimanches, il les passait chez lui ou chez des amis ; entouré de ses enfants, il revêtait certainement avec bonheur et plaisir son costume de bon père de famille – ce qu'il devait être, à n'en pas douter. J'éprouvai mon pincement au cœur dominical, pincement si familier. Au moins celui-là, je le connaissais. Nous parlions très peu de sa vie de famille, encore moins de son couple, je voulais en savoir le moins possible – j'en savais déjà bien assez –, tenir son *autre* vie à distance pour ne pas me laisser submerger par la jalousie et la culpabilité. Pourtant mes questions étaient nombreuses... Avait-il de réels problèmes avec sa femme ? Se doutait-elle de quelque chose ? Lui faisait-il encore souvent l'amour ? Était-il aussi volubile avec elle qu'avec moi ? Sortaient-ils encore tous les deux pour faire la fête ? Se collait-il à elle pour respirer son cou avant d'en mordiller la peau ? Était-il avec elle cet homme drôle, tendre, un brin autoritaire, se montrait-il aussi capricieux qu'avec moi ? Faisait-il semblant pour entretenir un mythe au sein de sa famille ? Bien sûr il m'arrivait parfois de crier, de hurler, d'avoir envie de tout casser. Il restait toujours silencieux le temps de ma diatribe. Quand il sentait que j'avais fini, il me disait sobrement « Je t'aime ». Et je flanchais à nouveau.

Un cri d'enfant me fit redescendre sur terre ; il était temps de rentrer, sous peine de continuer à broyer du noir jusqu'à la tombée de la nuit. J'engageai une lutte contre moi-même pour m'arracher à la mélancolie dominicale. Je m'apprêtais à rentrer chez moi en courant pour finir de m'achever quand je fus stoppée dans mon élan par mon téléphone qui vibrait. Aymeric. Incrédule, je fixai l'écran sans réagir, au point que je faillis le manquer. Pour autant, j'étais sur la réserve, et soufflai un petit « Allô » :

— Hortense, j'ai eu peur que tu ne décroches pas.

Sa voix était normale, il ne chuchotait pas, il ne paraissait pas angoissé, triste ou paniqué.

— Tout va bien ? Que se passe-t-il ?

— Rien de spécial. J'avais juste envie d'entendre ta voix.

— Oh…

Les bras m'en tombaient. Je pouvais compter sur les doigts de la main les appels de ce genre, qui plus est un dimanche. Focalisée sur lui, j'en oubliais le monde qui m'entourait.

— Tu fais quoi de beau ?

— Je suis au Luxembourg.

— Avec qui ?

Son instinct de propriété se réveillait. Si moi, je devais l'attendre, lui devait composer avec mon indépendance et ma liberté. Malgré la jalousie que cela générait chez lui, je savais bien que je n'en devenais que plus sexy à ses yeux... Je me mis à tournoyer sur moi-même, chorégraphiant malgré moi la légèreté qu'il venait de m'insuffler, les mains accrochées à mon portable, comme si elles tenaient Aymeric contre moi pour l'empêcher de disparaître.

— Toute seule, il fallait que je me décrasse, on est sortis avec Sandro.

— Ah ouais... et personne ne t'a emmerdée ?

J'aimais quand il était jaloux, je devais le reconnaître. Mais il n'avait pas à s'inquiéter. Comble de l'ironie, je lui étais fidèle.

— Si tu veux tout savoir...

Je m'arrêtai, laissant planer le suspense avant de rire de sa possessivité. Il finit par me suivre :

— Tu sais que tu m'énerves quand tu fais ça.

— Oui, je le sais, mais tu adores, ne dis pas le contraire.

— Tu me manques, Hortense.

Une bouffée de joie incommensurable me saisit et me fit sourire comme rarement.

— Toi aussi.

— Je voudrais être avec toi, là.

Sa voix était teintée de colère contenue et de lassitude.

— Je dois te laisser, reprit-il après quelques secondes de silence.

— D'accord, je t'embrasse.

— Moi aussi, à demain.

Il raccrocha. Ces quelques minutes avaient suffi à dissiper mes idées noires. À croire qu'il avait un radar à coups de cafard. Je rentrai chez moi, rassérénée.

3

Nous commencions nos lundis matin par une réunion. Réunion était un bien grand mot pour qualifier les deux petites heures au cours desquelles nous prenions le temps, autour d'un café, sans nous presser, d'évoquer les problèmes de planning, d'horaires ou encore les préparatifs du prochain spectacle. Ce jour-là, j'arrivai toute guillerette, toujours sous le charme de l'appel surprise d'Aymeric, avec une idée bien précise pour *l'ordre du jour*.

— Coucou ! chantonnai-je en lançant un sachet de boulangerie.

— Tu es un ange ! me dit Sandro en m'envoyant une bise de la main.

— Merci, se contenta de répondre Bertille, de son légendaire ton délicat.

Son air renfrogné ne me refroidit pas. Il n'était pas rare, j'en avais donc l'habitude. Je lançai néanmoins un regard interrogateur à Sandro. Il haussa les épaules : il n'en savait pas plus que moi. Quelques minutes plus tard, nous étions tous les trois tassés autour du bureau, café en main et chouquette à la bouche. Je pris la parole la première :

— Bon, histoire de bien démarrer la semaine, je voulais parler avec vous des stages de cet été.

Le regard dans le vague, je souris en m'imaginant déjà à la Bastide.

Dès la première année où nous avions repris l'école, j'avais instauré ce rendez-vous dont je gérais l'organisation : les inscriptions, les réservations de chambres, la répartition dans les différents ateliers, et le paiement – une partie allant dans les caisses de la Bastide pour subvenir à son entretien, l'autre dans celles de l'école. La plupart des participants étaient des danseurs de scène – passés entre les mains d'Auguste – qui avaient besoin de se reprendre un peu en main, dans une atmosphère détendue, ensoleillée et bon enfant. Papa et maman nous avaient accueillis pour les deux premières sessions. Je n'oublierais jamais leur bonheur de voir leur grande maison pleine de danseurs et de musiciens. Ils s'étaient même occupés des jumeaux de Bertille qui étaient de la partie, heureux de jouer aux grands-parents. J'avais perpétué cette habitude, après leur mort. Mon souhait le plus cher : en faire une tradition. L'intégralité de la propriété se transformait en espace de danse ; lors des cours à proprement parler, nous investissions à tour de rôle le studio, mais j'animais aussi des sessions en pleine nature et, le soir, nous nous retrouvions autour de la piscine pour nous amuser et faire la fête. Il y en avait toujours un pour sortir une gratte ou un saxo. La musique s'élevait dans la nuit étoilée. Je pouvais rester jusqu'au petit matin,

56

verre à la main, pieds nus à danser dans le jardin. Combien de levers de soleil avions-nous vécus ? Le rythme était paisible, propre à chaque stagiaire, suivant les besoins de son corps ou ce qu'il souhaitait travailler. Chacun se levait à l'heure qu'il voulait en fonction du programme de sa journée. Ni Sandro ni moi ne prenions jamais en charge les ateliers du matin, ils incombaient à Bertille, la lève-tôt, en bonne mère de famille qu'elle était. Tout était conçu pour renouer avec le plaisir simple et premier de la danse. Le mot d'ordre : se ressourcer, se reposer, régénérer son corps, se reconnecter avec l'émotion, loin des contraintes d'agenda et du tumulte parisien. On organisait même des cours de cuisine lorsque Stéphane descendait et prenait possession des fourneaux, apprenant à ceux qui le souhaitaient à mieux se nourrir pour prendre soin d'eux-mêmes. Comme j'avais hâte d'y être ! Je n'allais pas tarder à compter les jours.

— Hortense ! Hortense ! Tu es avec nous ?

Le ton péremptoire de Bertille me ramena abruptement à Paris, dans le temps présent. En découvrant sa mine sombre, j'eus un mauvais pressentiment.

— Excuse-moi, j'étais déjà là-bas ! m'exclamai-je joyeusement, espérant l'embarquer avec moi dans la bonne humeur.

À son air peu commode, je compris que la partie n'était pas gagnée.

— Écoute, ça tombe bien que tu abordes le sujet de l'été…

— Pourquoi ? Tu as des idées ou des envies à me soumettre ?

— Je voulais t'en parler, justement. Soyons raisonnables… Il faut songer à arrêter ces stages.

Ma gorge se serra. Bertille venait de me trahir, d'énoncer un verdict sans appel. *Contre qui ? Contre moi…*

— Quoi ? Mais… mais pourquoi ?

Cette décision inattendue m'anéantissait.

— Je suis désolée, comprends-moi. Ce n'est pas sérieux de fermer l'école tout l'été, après le spectacle. Bien sûr, c'était génial de faire des stages chez tes parents en juillet, mais entre nous, ce n'est pas pro, on y fait davantage la fête qu'autre chose. On a passé l'âge.

Elle enchaîna sans me laisser le temps de répliquer quoi que ce soit.

— On croule sous les demandes de stages à Paris, on pourrait recevoir un public intéressant, plus varié et qui nous rapporterait davantage. On a toujours su que ce serait temporaire…

— Oui, bien sûr, articulai-je d'une petite voix.

— Ce n'est pas une punition, je te le promets. Vois le bon côté des choses, d'accord ? Prends le temps d'y réfléchir sérieusement et dis-moi ce que tu en penses. Surtout que je compte sur toi pour t'investir dans nos nouveaux programmes d'été.

Ce que j'en pense, Bertille ? Tu viens de me priver d'un de mes plus grands bonheurs en évoquant la pérennité de l'école, comme si tu nous dirigeais, alors que la direction avait toujours été collégiale jusque-là. Que veux-tu que je te dise ?!

— Tu as raison.

— Je pourrai venir chez toi, en août ? me demanda Sandro. Ces petites vacances en Provence vont me manquer.

Sans savoir comment, je trouvai la force de lui sourire. Même Sandro ne paraissait pas choqué par la suggestion de Bertille. Peut-être avais-je un problème…

— Je suis contente que tu le prennes bien… À vrai dire, les stages ne sont que la première étape, je voudrais vous proposer autre chose, poursuivit-elle, visiblement encouragée par mon calme.

Qu'allait-il nous tomber sur la tête ? Elle semblait galvanisée par ces nouveaux projets. Je ne l'avais jamais vue aussi enthousiaste, elle en était presque rayonnante. De quel droit pouvais-je briser son élan ? Même si je n'avais qu'une envie, celle de hurler mon désaccord, il me fallait bien l'écouter en silence.

— On t'écoute, réussis-je péniblement à articuler.

— Pourquoi n'embaucherions-nous pas un nouveau prof ? On pourrait ouvrir plus de cours ? Avoir plus d'élèves ?

J'étais sidérée. Jusque-là, nous nous étions contentés de la petite structure que nous avions créée. Jamais, mais vraiment jamais, il n'avait été question d'autre chose, ni de changer d'échelle.

— Tu vas peut-être un peu vite en besogne, prenons le temps d'y réfléchir, tu ne crois pas ?

Elle prit une mine ahurie.

— Hortense, j'ai déjà essayé de t'en parler, mais tu es un vrai courant d'air. Entre les cours et… Aymeric, c'est impossible d'avoir une conversation sérieuse avec toi.

59

Elle me défia du regard, sachant pertinemment que je n'avais aucun argument à lui opposer. Aussi m'écrasai-je et lui fis-je signe de poursuivre.

— Nous avons un vrai défi à relever. Avec notre expérience, je suis certaine qu'on s'en sortirait haut la main. Nous dirigeons l'école avec succès depuis cinq ans, il est temps de passer à la vitesse supérieure ! Il faut être sérieux et avoir de l'ambition, pour nos élèves et pour nous. Il faut créer une dynamique, montrer aux autres écoles qu'on existe et qu'il faut compter avec nous.

Elle avait des étoiles dans les yeux, sa voix était déterminée.

— Ça me plaît ! s'enthousiasma Sandro en bondissant de sa chaise.

— Et toi, Hortense, tu ne dis rien ?

Bertille ne réalisait pas combien sa décision d'arrêter les stages était brutale pour moi. J'avais l'impression de me prendre des coups de marteau sur la tête et de m'enfoncer sous terre toujours plus profondément. Pourtant, je devais réagir. Sandro et elle avaient toujours eu plus d'ambition que moi, ainsi qu'une capacité à se projeter dans l'avenir. Il fallait peut-être accepter de grandir un peu.

— C'est génial ! me sentis-je forcée de répondre.

— C'est vrai ? Formidable ! J'avais peur que tu le prennes mal ! Vous réfléchissez à vos envies et on en reparle très vite. Je veux battre le fer tant qu'il est chaud !

— D'accord.

Sandro se frottait les mains, déjà prêt à se mettre au travail. Moi, je ravalai mes réserves, je devrais suivre le mouvement et trouver le moyen de me remobiliser malgré mon abattement. Après tout, elle n'avait peut-être pas tort.

Ce soir-là, je m'apprêtais à quitter l'école après avoir géré de la paperasse durant plus d'une heure. J'étais fatiguée, et toujours aussi assommée par les projets d'agrandissement de Bertille et Sandro. Je participais tant bien que mal à la conversation, feignant l'enthousiasme, mais je voyais bien que mon amie n'était pas dupe, on se connaissait suffisamment toutes les deux. Je devais me ressaisir et surtout trouver en moi le moyen de m'impliquer vraiment, sans jouer la comédie. Pour l'heure, je n'avais qu'une envie : rejoindre Aymeric et me changer les idées. Juste avant de partir, je découvris dix appels en absence de sa part, en l'espace de vingt minutes. Il m'agaçait quand il faisait ça. Je savais pertinemment qu'il n'y avait ni urgence ni drame. Quand il avait l'occasion de me téléphoner… il partait du principe que j'étais forcément aussi disponible que lui. Il appelait donc jusqu'à ce que je finisse par décrocher. Peu lui importait que j'aie une vie et un travail. En revanche, une fois n'était pas coutume, il avait laissé un message à sa dernière tentative : « Hortense, rappelle-moi ! » Plutôt laconique, le message. Laconique mais au contenu exceptionnel : le rappeler !

Il décrocha immédiatement.

— Ah ! Enfin ! me dit-il joyeusement. Où es-tu ?

— Encore à l'école. Pourquoi ?

— Très bien ! As-tu une robe et des talons avec toi ?

— Ça peut se trouver, je pense. Mais pourquoi ?

— Je passe te prendre dans vingt minutes, figure-toi qu'on fait l'école buissonnière. On s'offre vingt-quatre heures en amoureux ou presque, à Lille… parce que j'avoue, j'ai dû me caler une réunion de travail dans le coin demain matin, mais pendant ce temps-là, je t'ai réservé une séance de massage. Alors, il est bien, mon programme ?

J'en restai sans voix. Fatigue envolée. Je n'avais qu'une envie, lui sauter au cou, qu'il soit déjà là et surtout que nous soyons loin tous les deux, même si je sentais poindre les ennuis… Je croisai le regard curieux de Sandro, adossé à la porte du bureau.

— Laisse-moi le temps de me préparer.

— J'arrive le plus vite possible, sois prête, je ne veux pas perdre une minute avec toi.

Il avait déjà raccroché. Charmée, je fixais mon téléphone, d'un air certainement béat.

— Il était chouette, cet appel ? me demanda doucement Sandro.

Il s'amusait de ma confusion, ayant compris que quelque chose se tramait. Il vint se placer tout près de moi.

— Raconte à tonton Sandro.

Je m'exécutai sans me faire prier, les yeux déjà avec *lui*, rêveuse et heureuse.

— C'est une bien jolie surprise qu'il vient de te faire. Tu as besoin qu'il soit plus présent, on voit que c'est dur en ce moment pour toi…

Je restai idiote devant sa clairvoyance.

— Ne fais pas l'étonnée ! On lit en toi comme dans un livre ouvert.

Sa remarque m'extorqua un petit rire gêné.

— Pas faux… désolée si je suis irritable.

Il balaya mes excuses d'un revers de main.

— Bon, si je comprends bien, je prends la relève demain. C'est bien ça ?

Je lui sautai au cou et le serrai dans mes bras. Il me berça joyeusement. J'étais déjà loin, le bonheur m'envahissait. Je pouvais laisser éclater ma joie à l'idée des prochaines heures.

— Et, Hortense, ne t'inquiète pas. Je gère Bertille, d'accord ?

Heureusement qu'il était là, je n'y avais même pas pensé.

— On parle de moi ?

Catastrophe. Ma défection risquait de la mettre en rogne. Sandro me lâcha, non sans un clin d'œil complice, et s'approcha d'elle. Elle haussa un sourcil méfiant, nous connaissant trop tous les deux pour ne pas flairer l'entourloupe.

— Quel coup foireux êtes-vous en train de préparer ?

— Trois fois rien, je la remplace demain.

Elle se tendit comme un arc, le visage plus figé qu'une statue.

— Pour quel cours ?

— Une grande partie. Tu prendras les autres !

— Première nouvelle, balança-t-elle d'un ton acerbe.

Pour l'amadouer, il posa ses grandes mains sur ses épaules.

— Chéri-Chéri lui a fait une surprise. On leur file un coup de main ! D'ailleurs, tu n'as pas une robe un peu sexy qui traîne dans un placard ?

Elle se dégagea d'un mouvement sec et s'approcha de moi en pointant un doigt menaçant.

— Tu abuses, Hortense ! Tu crois qu'on peut se plier en quatre chaque fois qu'Aymeric fait un caprice ! On a une vie, Sandro et moi ! Et ce n'est certainement pas de cette façon que l'école va avancer !

— Tu n'as pas l'impression d'exagérer ! Certes, c'est à la dernière minute, mais je fais ma part ici, comme vous ! As-tu à te plaindre de mon travail ? Et on n'a pas le choix ! Pour une fois qu'on a l'occasion de se voir plus longtemps, tu ne vas pas tout gâcher !

— Et tu comptes donner quelle excuse à tes élèves ? Ce n'est pas à nous d'assumer le fait qu'il te voie entre deux portes parce qu'il trompe sa femme ! Et de quelle manière, qui plus est !

Sa méchanceté me fit reculer. Utiliser la double vie d'Aymeric pour m'atteindre et me faire culpabiliser de mon récent manque d'implication dans l'école était si facile, si lâche. Elle ne savait pas à quel point je m'écrasais devant elle pour éviter les conflits.

— C'est tellement bas, Bertille.

— Non, c'est juste la vérité et il faut bien que quelqu'un te rappelle à la réalité de temps en temps !

— Hé ! Vous allez vous calmer, les filles ! s'interposa Sandro. Hortense, va préparer tes affaires, et toi, Bertille, tu lui fous la paix !

— Et évidemment, tu la défends ! C'est n'importe quoi, lâcha-t-elle, hargneuse.

Elle partit en claquant la porte du bureau. Je restai abasourdie, hallucinée par ce qui venait de se passer.

— Réagis, insista Sandro. Aymeric va t'attendre. Et je vais la calmer, te fais pas de bile. Vas-y, on en reparlera.

La culpabilité m'étreignit un instant.

— Et pour mes élèves…

— Laisse, je gère.

Les mots qu'il me fallait. Reconnaissante, je le serrai une dernière fois dans mes bras, avant de filer vers mon vestiaire récupérer mes affaires. J'y dénichai une robe et des chaussures de danse à talons utilisées pour un spectacle. Avant de quitter l'école, je jetai un coup d'œil par la vitre du studio de Bertille. Malgré la grâce de ses mouvements, je pouvais lire sur son visage les stigmates de la colère, elle était loin de s'être calmée. Tant pis, je réglerais le problème en rentrant.

Sac sur la tête pour m'abriter, je m'élançai sous la pluie et faillis glisser sur la chaussée détrempée. Je me rattrapai in extremis, mais ma cheville se rappela à mon bon souvenir. Je m'engouffrai dans la voiture d'Aymeric, enfin à l'abri et sauvée. Il essuya quelques gouttes sur mon front et mes joues, et me contempla de longues secondes. Il fronça les sourcils, circonspect.

— Tu n'es pas contente de partir ?

— Bien sûr que si ! On s'est un peu pris la tête, avec Bertille. Tu la connais… Mais je m'en moque, profitons de nous.

Et je l'embrassai.

*
* *

Aymeric, nonchalamment adossé à la tête du lit, bras croisés derrière le cou, ne me quittait pas des yeux tandis que je m'effeuillais de mes vêtements de la journée. Je le sentais et j'en jouais. Je jouais de mon corps gracile et du pouvoir d'attraction qu'il exerçait sur lui. Tout en feignant de l'ignorer, je savais pertinemment que je ne faisais qu'exacerber son envie de moi. Je passai en lingerie fine de la chambre à la salle de bains avec désinvolture. Devant le miroir, une moue boudeuse aux lèvres, je relevai mes cheveux, dégageai ma nuque, mimant l'hésitation. Exagérant ma cambrure, je me maquillai, consciente de l'effet hypnotique de ma chute de reins. Je sentis brusquement l'atmosphère changer du tout au tout. Un instant plus tôt, Aymeric était prêt à m'allonger sur le lit. Désormais, un froid glacial régnait dans la pièce. Mes yeux confirmèrent mes craintes : le poids des *siens* écrasait l'écran de son portable. Je m'approchai de lui sans qu'il réagisse. Je m'assis à son côté et regardai par-dessus son épaule. Trois appels en absence de *maison*. Je ravalai ma contrariété, puis passai tendrement la main dans ses cheveux. Je voulais le rassurer, pour mieux profiter de lui.

— Je peux t'aider avec ta conscience ?

— Je suis désolé.

— Laisse-moi finir de me préparer, oublie-moi quelques instants. Tu descends faire ce que tu as à faire et tu me reviens juste après, d'accord ?

Je n'avais pas le choix, il devait rappeler et je devais sacrifier quelques minutes avec lui. C'était terriblement dur, mais notre relation était ainsi. Je partageais l'homme que j'aimais avec sa famille et, ce soir, je ne pouvais pas piquer de crise, alors même qu'il était avec moi dans un endroit de rêve. Il m'embrassa dans le cou, se leva et, certainement pour se donner du courage, il inspira à fond. Je n'esquissai pas un mouvement. Avant de passer la porte, il me lança un regard inquiet.

— Tout ira bien quand on se retrouvera après ?

Je lui souris doucement.

— Tout ira bien pour moi, je te le promets.

— Pour moi aussi, alors.

Camouflée derrière le voilage de la fenêtre, depuis notre étage élevé, je l'observai faire les cent pas dans la cour intérieure. Les propos de Bertille me hantaient encore. Mon état d'esprit changea radicalement. Le voir téléphoner à sa femme m'écœurait, me fatiguait. Qui étais-je, finalement ? Une femme avec qui il couchait deux fois par semaine, une femme qu'il emmenait en cachette dans un hôtel de luxe. Comment avais-je pu tomber si bas ? Je n'avais donc plus aucun respect pour moi-même… J'avais peut-être la bêtise de croire encore qu'un jour il finirait par venir définitivement et totalement vers moi, alors qu'il ne m'avait jamais rien promis. Il fallait toujours que j'interprète tous les signes en ma faveur pour me convaincre que notre histoire en valait la peine. Il m'aimait et, forte de ses déclarations, je n'arrivais ni à réfléchir posément ni à douter de ses sentiments. Tout était prétexte à lui trouver des excuses… *Le doute*…

Pourquoi lui avais-je cédé la seule fois où j'avais eu le courage de le quitter ? Pourquoi étais-je revenue vers lui pour me retrouver encore et encore dans cet état de solitude, cette culpabilité et ce dégoût de moi-même ?

Après un an et demi à ses côtés par intermittence, j'étais lasse de notre situation ; le temps passait et Aymeric ne prenait aucune décision, éludant toujours mes questions. Mais je n'arrivais pas à franchir le pas, à le quitter. L'oublier, tirer un trait sur ce que nous vivions ensemble, tant les instants partagés frôlaient la perfection, tant je l'aimais. Un jour que je le retrouvais pour déjeuner, j'avais explosé. Il faisait un temps radieux, mais notre clandestinité nous interdisait de profiter du soleil et de nous installer dehors, comme n'importe quel couple normal. Avant de pénétrer dans la brasserie dans laquelle nous avions rendez-vous, j'avais fait demi-tour avant qu'il me remarque et je m'étais cachée dans un renfoncement d'où je pourrais le voir, une dernière fois. J'avais attendu là, dans l'ombre, sachant qu'il finirait par m'appeler, ce qui n'avait pas manqué d'arriver. Il avait eu l'aplomb de m'enguirlander pour mon retard et mon absence, oubliant l'interdiction formelle que j'avais de l'appeler. Je lui avais alors annoncé que je ne viendrais plus, et il avait paniqué, presque gueulé dans le combiné, faisant fi de notre anonymat. Il avait insisté pour que nous nous voyions encore une fois, brandissant la force de notre amour.

— Notre histoire ne mène nulle part, lui avais-je répondu. Pourquoi continuer ? Ma décision est prise, nous voir n'y changera rien.

Je l'avais vu sortir en trombe du restaurant. Il s'était mis à faire les cent pas sur le trottoir. Le cœur brisé, j'avais lutté contre mon envie de courir me jeter dans ses bras en le suppliant d'oublier mes dernières paroles. Mais je n'en avais pas le droit.

Les semaines suivantes, il s'était livré à un véritable harcèlement ; il me téléphonait sans cesse, inondant ma messagerie, m'envoyant des SMS toutes les heures, il appelait même à l'école. Je me débrouillais pour rentrer très tard chez moi accompagnée par Sandro, de peur qu'Aymeric ne m'y attende. J'étais perpétuellement sur le qui-vive, ne me faisant aucune confiance si je me retrouvais face à lui. Tant bien que mal, j'arrivais à assurer mes cours, pourtant je ne mangeais plus, la nuit je ne dormais pas ou très peu, enchaînant les heures à pleurer toutes les larmes de mon corps, rongée par le manque de lui. Dans l'obscurité, j'écoutais en boucle ses messages, ses déclarations d'amour dans lesquelles il me disait qu'il ne pouvait pas se passer de moi, qu'il vivait l'enfer. Cette souffrance que je m'imposais m'était nécessaire, j'avais besoin d'entendre sa voix désespérée. Un jour, il n'avait plus donné signe de vie. Sandro m'avait avoué avoir eu une discussion avec lui une énième fois où il avait appelé à l'école. Il lui avait demandé de me laisser en paix. Aymeric avait obéi, certainement pour la première fois de sa vie. C'était peut-être là que j'avais le plus souffert, étranglée par l'impression de l'avoir perdu à tout jamais. J'avais donc baissé la garde et repris ma routine d'avant. Aymeric s'était engouffré dans la brèche, sa disparition des radars était volontaire, une stratégie pour mieux me faire succomber. Un soir, tard, trois coups avaient retenti ; c'était lui. J'avais été choquée par son teint terreux, ses yeux creux. Je m'étais mise à trembler des pieds à la tête.

— Va-t'en, lui avais-je soufflé.

Il avait forcé le barrage de ma porte et fondu sur moi, je n'avais eu ni la force ni l'envie de le repousser. Nous avions fait l'amour à même le sol ; une étreinte brutale, douloureuse, renversante. Et nous avions replongé.

Nous n'en avions jamais reparlé. J'avais décidé de prendre encore un peu plus sur moi, de ne pas lui mettre inutilement la pression. Je n'aurais plus la force de le menacer ni de le quitter à nouveau – c'était un fait et je l'avais accepté. Lorsque nous étions ensemble, je prenais ce qu'il me donnait et je mettais tout en œuvre pour que nos moments flirtent avec la perfection. Ma vie était consacrée à le garder près de moi. J'avais définitivement cessé de lui réclamer davantage que ce qu'il pouvait m'offrir. Parfois, des images de sa femme surgissaient dans mon esprit, alors même que je ne savais pas à quoi elle ressemblait. Je me débrouillais pour les chasser le plus vite et le plus loin possible. Quand la jalousie m'étranglait, je me rappelais ou me convainquais que j'avais l'amour de son mari. J'aurais tant aimé la haïr ; impossible. Quand la culpabilité me broyait le cœur à en hurler de douleur, je me rappelais tous mes sacrifices. J'aurais tant voulu moins aimer Aymeric ; impossible également. J'étais une droguée. Droguée à lui, incapable de renoncer à ma dose.

Voyant qu'il en avait fini avec *maison*, je m'arrachai à mes souvenirs douloureux. Avant de plonger la chambre dans l'obscurité, je lançai un dernier regard dans le miroir ; j'étais belle pour l'homme que j'aimais et nous allions passer une merveilleuse soirée. Je repoussai le reste – son *autre* vie, la contrariété et le venin de Bertille, qui m'apparaissaient à présent bien futiles – au fond de mon esprit. Il m'attendait au pied de l'escalier. À son sourire et sa mine détendue, je sus que pour les prochaines heures, il serait à moi et rien qu'à moi. Tant pis pour ma fierté.

J'étais calée au creux de son épaule, Aymeric jouait avec mes doigts pour cacher son désarroi. Notre silence était lourd, tant nous étions déjà gagnés par le cafard, la fin de la parenthèse approchait. L'impression de la veille que nous avions des jours et des jours devant nous – à défaut de la vie, pour moi – s'estompait à mesure que les heures filaient. L'enthousiasme était retombé. Quand pourrions-nous à nouveau nous échapper ?

— Que s'est-il passé avec Bertille, hier ? C'est à cause de notre escapade que vous vous êtes engueulées ?

Je soupirai, fatiguée d'avance par ce qui m'attendait à mon retour. Je lui traçai dans les très grandes lignes le contenu de ma conversation houleuse avec Bertille, en omettant bien évidemment sa remarque sur notre situation, et mes réserves vis-à-vis des changements qu'elle voulait opérer à l'école. Puisque lorsque je les avais évoqués avec lui, il avait été emballé, je n'avais pas osé lui dire que je pensais tout le contraire, par

crainte de le décevoir. Je reportai tout sur les conséquences de l'organisation des cours. Je me retournai
en restant collée à lui et caressai sa joue mal rasée.

— Nous voilà revenus dans la vraie vie. Je suis
désolée.

Il embrassa ma main, mon poignet.

— Je vais trouver quelque chose pour qu'on se
fasse pardonner. Laisse-moi réfléchir…

À 16 h 45, nous étions tous les deux dans le bureau.
Il avait tenu à m'accompagner pour repousser la séparation le plus possible. Il avait consulté ses mails
pendant que je me changeais et pendant mon échauffement. Tout s'était déroulé sans que nous croisions
personne, ils étaient encore en cours. La porte s'ouvrit
brusquement, Bertille se figea en nous découvrant.

— Ah… tu es là ?

Je vins lui coller un baiser sur la joue ; je n'avais
pas envie de repartir dans une joute verbale, je ne souhaitais que l'apaisement.

— Oui, ta journée est finie, on est rentrés plus tôt
pour te libérer de mes derniers cours.

— Salut, Bertille, nous interrompit Aymeric. Quel
plaisir de te voir ! Comment vas-tu ?

Il nous rejoignit et lui fit la bise, comme si de rien
n'était.

— Très bien, lui répondit-elle, sur la réserve.

Toujours très amical, il reprit :

— Je voulais te remercier d'avoir remplacé
Hortense, je suis navré de vous avoir pris de court,
mais j'ai pu caler un rendez-vous de boulot…

— Stop ! Je n'ai pas besoin d'en savoir plus.

Il hocha la tête de l'air de celui qui a compris le message. Elle s'éloigna et attrapa une bouteille d'eau, sans ajouter un mot.

— J'ai une petite question à te poser, risqua Aymeric.

Elle fronça les sourcils, suspicieuse.

— Je t'écoute…

— Crois-tu que, jeudi soir, Stéphane aurait une table pour nous tous ? Depuis le temps qu'on n'a pas dîné ensemble ! C'est moi qui invite !

Il avait trouvé le moyen de se faire pardonner, et c'était une très bonne idée, du moins l'espérais-je. Bertille sourit, plus pour elle-même qu'à notre adresse. Elle me lança un regard où je perçus comme de l'incompréhension. Quel message essayait-elle de me faire passer ?

— Ça devrait pouvoir se faire…

— Je préviens Sandro, ajoutai-je.

Aymeric m'encouragea d'un clin d'œil rassurant.

— Hortense, m'interpella-t-elle, radoucie. Tu devrais y aller, les filles sont déjà aux vestiaires.

— Tu as raison.

Je fis un signe de tête à Aymeric pour qu'il me suive, il s'exécuta.

— Merci d'être rentrée, me souffla-t-elle à l'instant où je sortais du bureau.

Je la regardai par-dessus mon épaule et lui fis un grand sourire.

— C'est la moindre des choses.

— À jeudi, lui dit Aymeric.

Dans le couloir, il enroula son bras autour de ma taille.

— On s'en est bien sortis, tu ne trouves pas ? chuchota-t-il, fier de lui.

Je déposai sur ses lèvres un baiser léger.

— Merci, c'était merveilleux…

Il picora un peu les miennes.

— Je n'ai pas envie de partir.

Reste, me retins-je de lui crier. *Qu'attends-tu pour la quitter si c'est si dur d'être sans moi ?* L'espoir, toujours ce satané espoir qui me reprenait. Je me mordis la langue pour ne pas gâcher la fin de notre escapade. Ce n'était ni le lieu ni le moment d'exiger davantage. Je parvins à lui décocher un sourire malicieux.

— Il faut vraiment que j'aille travailler, elles m'attendent !

En effet, mes élèves piaillaient dans le studio. Sandro apparut comme par enchantement et donna une bourrade amicale à Aymeric.

— Si tu as deux minutes, reste donc la regarder ! Elle est divine, dans sa dernière chorégraphie !

— Arrête, lui rétorquai-je, gênée par son compliment.

— Non, mais sérieux ! Montre-lui !

Aymeric me fit sa tête de gamin capricieux à laquelle il m'était impossible de résister. Au diable, la fatigue ! Sandro me le paierait.

— OK ! Profite du spectacle ! Mais laissez-moi bosser.

Un dernier baiser, une dernière pression de sa main autour de ma taille, un dernier regard amoureux et je m'échappai. Au moins, je savais qu'Aymeric ne risquait pas de se faire agresser verbalement, avec

Sandro. Au contraire, ils riaient et blaguaient tous les deux. Mes grandes s'étaient échauffées en m'attendant, elles me sautèrent dessus les unes après les autres pour me faire la bise.

— Est-ce que certaines se sentent prêtes à me suivre au moins sur le début de l'enchaînement ? Je sais que nous avons commencé à travailler dessus il y a à peine un mois, mais on peut essayer, et je suis sûre que ça va vous motiver. Vous avez le droit de vous planter, mais l'obligation de vous amuser.

Les plus confiantes prirent place et encouragèrent les autres à tenter le coup. Et la musique commença. J'adorais qu'Aymeric me regarde, j'aimais lorsqu'il posait ses yeux sur mon corps en mouvement, je savais que je n'en devenais que plus sensuelle, la fatigue et la douleur s'envolaient. Les filles m'épatèrent, je nous observais dans le miroir, j'aimais l'image de groupe qu'il me renvoyait. Elles souriaient, prenaient du plaisir comme je le souhaitais. Quel bonheur d'assister à cela ! Quel accomplissement !

— Continuez sans moi, leur demandai-je après qu'elles eurent formé une belle ligne derrière moi. Je vous regarde.

Je surveillai leurs bras, leurs mains, leurs jambes, le rythme qu'elles y mettaient, la grâce indispensable malgré le côté hyper énergique de l'enchaînement. Les faiblesses et les points forts de chacune me permirent de déterminer avec plus de précision les rôles qu'elles pourraient prendre ainsi que ce que nous aurions à travailler les prochaines semaines. Je croisai le regard d'Aymeric, il était captivé, hochant la tête aux commentaires que lui faisait Sandro sans me quitter des yeux. Que pouvaient-ils bien se raconter ? Mes élèves se mirent en retrait au moment où nous devions exécuter des sauts qu'elles ne maîtrisaient pas encore. Elles me laissèrent enchaîner les pirouettes, qui me firent grimacer – ma cheville, toujours ma cheville –, puis reformèrent le cercle pour le dernier mouvement.

— Vous êtes géniales ! les félicitai-je, fière d'elles. Allez, deux minutes de pause et on reprend.

J'attrapai sur la barre une serviette et m'épongeai le visage, exténuée. Je sentis le regard d'Aymeric sur moi, je levai les yeux. Il mima un « Je t'aime » qui me coupa la respiration. *Espoir…* Puis il me fit signe qu'il devait partir, il posa deux doigts sur sa bouche, m'envoya un baiser, je soufflai « À jeudi », et il disparut.

4

J'arrivai au restaurant en compagnie de Sandro, Aymeric et son sempiternel contretemps nous rejoindraient. Bertille encaissait des clients derrière le comptoir. Dès qu'elle le pouvait, elle donnait un coup de main en salle. Elle était autant dans son élément derrière son bar que dans un studio de danse. Stéphane avait repris le resto depuis trois ans. Il rêvait d'avoir son affaire et avait attendu que l'école tourne à plein régime pour se mettre à son compte. Ils avaient englouti toutes leurs économies dans l'achat du pas-de-porte et surtout dans les travaux. C'était un bouge quand ils l'avaient visité. Combien de larmes Bertille, désespérée par l'entreprise de son mari, avait-elle versées sur nos épaules, à Sandro et moi ! À force de travail et de persévérance, Stéphane en avait fait un lieu magnifique, chaleureux, à son image. Un bistrot, un vrai de vrai, avec ses carreaux de ciment au sol, son carrelage blanc de métro dans la cuisine, du bois, du rouge, du zinc, une cuisine ouverte sur la salle, un billot de boucher. J'étais toujours émerveillée par le bruit des casseroles en cuivre dès qu'on entrait chez lui. Stéphane assumait son côté titi parisien, amoureux d'une cuisine de terroir simple et de produits de qualité.

Levant le nez de sa caisse, Bertille nous offrit un sourire radieux. Au moins, elle était heureuse de nous voir, les choses revenaient progressivement à la normale entre nous. Pourtant, j'avais bien conscience que nous ne pourrions elle et moi faire l'impasse sur une conversation franche. Nous avions un abcès à crever. Au sujet d'Aymeric, bien évidemment. Mais au sujet de l'école, également. Elle m'envoyait de plus en plus de petites piques sur mon prétendu manque d'implication. Je devais prendre mon courage à deux mains et lui faire part de mes réserves sur ses projets, tout en la rassurant sur ma motivation. Enfin… cette discussion n'aurait pas lieu ce soir. Sandro et moi nous hissâmes sur des tabourets au comptoir tandis qu'elle nous servait un petit ballon de blanc. Elle appela son mari qui leva la tête de son piano et nous fit de grands signes joyeux de la main. Il aboya des ordres derrière lui et nous rejoignit. Il claqua une bise à Sandro puis j'eus droit au même sort.

— Bah, Hortense, tu es toute seule ? s'étonna-t-il.

— Il ne va pas tarder à arriver.

On trinqua, tous visiblement ravis à l'idée de cette soirée.

— Tiens, quand on parle du loup, marmonna Bertille.

Effectivement, Aymeric faisait son entrée. À son air préoccupé, je l'interrogeai du regard, mais il me fit comprendre que tout allait bien. Il échangea des poignées de main avec les garçons et se pencha par-dessus le comptoir pour faire une bise à Bertille. Puis il m'embrassa sans retenue. Le restaurant de Stéphane était le seul lieu public dans Paris où il ne craignait pas que l'on nous voie.

— Tu te fais rare, ces temps-ci ! lui lança Stéphane. Tu as beaucoup de boulot ?

Aymeric ne s'étonnait plus des questions complètement à côté de la plaque du mari de Bertille, qui avait la fâcheuse tendance d'oublier notre situation.

— Ce n'est pas évident, se contenta de lui répondre Aymeric.

Sandro rit dans sa barbe, Bertille soupira, exaspérée.

— En tout cas, je suis ravi de vous faire à manger ce soir !

Il jeta un coup d'œil en cuisine et fronça les sourcils.

— Bon, j'y retourne. Chérie, je vous rejoins plus tard.

Il nous laissa en sifflotant et on l'entendit reprendre la main sur ses fourneaux : « Bah, alors, les gars, je vous laisse deux minutes et c'est le foutoir ! » Le regard rempli d'amour et de tendresse que Bertille lui lança me toucha. Sentant la caresse d'Aymeric dans mon dos, je levai les yeux vers lui, il me sourit.

— Ça va ?

— Oui, je suis heureuse qu'on soit ici, ce soir. Et toi ?

— Ça roule, ne t'en fais pas.

Bertille nous fit signe de la suivre. Verre à la main, on slaloma entre les tables pour prendre possession de la nôtre. En attendant d'être servis, Aymeric lui demanda des nouvelles de leurs enfants. À mon grand étonnement, elle lui répondit gentiment, puis avec de plus en plus d'entrain. Au fond, c'était le seul sujet sur lequel ils parlaient le même langage. Aymeric réagissait au quart de tour aux problèmes des devoirs, des inscriptions au collège, des gardes du soir, bref à tout ce qui touchait à la vie de famille, qu'il connaissait et qu'il vivait dans son *autre* vie. C'était très étrange de me sentir exclue, de ne pas être en phase avec eux et d'avoir conscience que rien ne changerait jamais. Bertille, sans lui poser de questions directes sur ses propres enfants, le relançait sur le sujet. Elle était assez subtile pour éviter de mettre les pieds dans le plat. Pourquoi faisait-elle ça ? Cherchait-elle à me faire passer un message ? Elle se fatiguait inutilement. Je savais qu'elle avait une famille, un mari, des enfants et qu'Aymeric avait une femme et des enfants. En les écoutant d'une oreille, tout en discutant de futilités avec Sandro, je prenais conscience d'une chose : Bertille tolérait ma situation, mais ne la cautionnait pas, elle ne l'avait d'ailleurs certainement jamais cautionnée.

Jamais elle n'était allée à la confrontation directe avec moi, jusqu'à ces derniers jours. Je réalisais que, depuis trois ans, elle se retenait, elle prenait sur elle, me laissant même entendre qu'elle aimait bien Aymeric. Je me souvenais à quel point elle était restée de marbre lorsque je lui avais tout expliqué. J'avais été aveugle, à moins que j'aie préféré fermer les yeux, pour me protéger, pour ne pas voir la vérité. Vérité qui aujourd'hui me paraissait limpide. Comment elle, femme mariée, mère de famille, raide comme la justice, pouvait-elle accepter que je sois la maîtresse d'un homme marié ? Elle devait en permanence se mettre à la place de la femme d'Aymeric ; à l'instant même où elle parlait avec lui, elle devait se demander où *elle* était, ce qu'*elle* savait, elle devait ressentir sa douleur à *elle*, et en aucun cas la mienne. Sa façon de s'adresser à lui n'était qu'une politesse de façade. En réalité, elle ne le supportait pas, elle le détestait, elle n'avait que mépris pour lui. Plus encore à cet instant où il mettait spontanément sa main sur ma cuisse en me couvant des yeux : elle le fusilla du regard. Aymeric ne s'en rendit pas compte, il ne la connaissait pas comme moi je la connaissais. La colère m'étouffa ; qui était-elle pour juger ? Elle qui avait eu la chance de rencontrer à vingt-cinq ans un homme gentil, attentionné, et de ne plus avoir à se poser de questions ensuite. Elle croyait peut-être que j'avais choisi de tomber amoureuse d'un homme qui n'était certes pas libre, mais qui m'aimait ? Bertille était adulée par son mari et ses fils, elle n'était jamais seule. Je me doutais bien que la vie ne devait pas être facile tous les jours pour elle, pour autant cela ne lui donnait aucun droit de porter un jugement sur moi. Penser que j'étais une salope égoïste briseuse de famille, qui plus est stupide d'espérer qu'un jour il quitte sa femme pour moi, était d'une banalité confondante. Pourquoi se réveiller aujourd'hui en manifestant si vivement son désaccord ? Pourquoi ne l'avait-elle pas fait plus tôt ? Pourquoi remuer le couteau dans la plaie ? Me mettre le nez dans la merde ? Bien sûr, je savais que ma vie n'était pas enviable, qu'elle était limite minable et sale. Mais c'était ma vie.

J'étais fatiguée. C'était Cathie qui, depuis le début, jouait le rôle de confidente dans cette histoire ; je n'avais jamais senti d'intérêt particulier de la part de Bertille. Certainement aussi parce que je connaissais trop ses avis tranchés, ses jugements sans concession. Mais ce soir, quelque chose ne collait pas : autant les regards de Bertille se faisaient assassins lorsqu'ils se braquaient sur Aymeric, autant lorsqu'ils m'étaient adressés, ils ne trahissaient que la tristesse.

— Et voilà, messieurs-dames ! claironna Stéphane.

Il nous servit nos assiettes et s'installa avec nous. Aymeric se pencha vers moi.

— Tu as l'air dans tes pensées. Tu ne me caches rien ?

Je me lovai contre son épaule un bref instant, il embrassa mes cheveux.

— Non, tout va bien… je réfléchissais, c'est tout.

— À quoi ?

À mon grand soulagement, je n'eus pas la possibilité de lui répondre : Sandro aborda le sujet de l'été.

— Bon, Hortense, ce n'est pas parce qu'on fait les stages d'été à Paname qu'on ne va pas se faire une petite virée dans le Sud ?

— C'est vrai ! enchaîna Bertille, toute joyeuse. On a besoin de soleil !

Je me retins de sauter au cou de Sandro pour avoir allégé l'atmosphère. Sans s'en rendre compte, il avait un don pour désamorcer les conflits sous-jacents. Les sourires fleurirent sur tous les visages, y compris celui d'Aymeric puisqu'il pourrait descendre deux jours, comme chaque année.

— J'y serai tout le mois d'août ! Stéphane, tu fermes quand, ici ? On se calera en fonction de toi pour que je garde vos chambres libres.

Parler de la Bastide me fit oublier le reste, d'autant plus que Stéphane avait ouvert une nouvelle bouteille de vin. Bertille semblait avoir oublié ses griefs et faisait des plans sur la comète, en imaginant qui nous rejoindrait pour faire la fête. De là, le dîner prit une tournure que je n'espérais plus. Tout le monde se parlait dans un joyeux brouhaha, se coupant la parole, se charriant, Bertille alla jusqu'à raconter des blagues à Aymeric. À croire qu'elle en avait oublié ses préjugés. Je finis même par me persuader que j'avais été parano, et je savourais, rassurée, chaque instant de ce dîner. On riait, trinquait à chaque verre toutes les deux. Stéphane et Aymeric parlèrent boulot avec entrain, ils étaient intarissables. Sandro faisait l'imbécile en nous racontant ses histoires de cœur abracadabrantesques, à pleurer de rire. Tous les clients se retournèrent quand le pâtissier du restaurant nous servit nos desserts : cinq merveilleuses pavlovas, « en l'honneur des danseuses », nous annonça-t-il. Ce à quoi Sandro, en se levant, répliqua qu'il y avait aussi un danseur, avant d'exécuter trois mouvements de samba. On applaudit, on brailla, Stéphane félicita son employé et notre artiste du soir, et partit chercher une bouteille de rhum arrangé derrière le comptoir pour le digestif. Tout était rentré dans l'ordre et je passais la magnifique soirée dont je rêvais avec mes amis et l'homme que j'aimais, ne manquaient que Cathie et Mathieu pour que mon bonheur soit absolu. Je me raccrochai à ces instants qui étaient ma bouée de sauvetage pour croire que la vie que je menais en valait la peine, pour me bercer de l'illusion d'être comblée. Aymeric et moi nous cherchâmes du regard au même instant.

— Merci d'avoir eu cette idée, lui murmurai-je.

— Je t'en prie, je passe un moment magnifique, vivre des choses normales ensemble me fait du bien.

On refréna l'envie de s'embrasser. Une décharge de désir nous traversa. Il ricana dans sa barbe, puis réintégra la conversation.

— Je reviens, lui susurrai-je à l'oreille.

Il caressa une nouvelle fois ma cuisse avant de me laisser m'échapper. Depuis l'escalier, je le regardai, soudainement mal à l'aise. *Tu te trompes, Aymeric, ce n'est pas la vie normale. Ce soir, après m'avoir fait l'amour, tu prendras un quart d'heure pour dessoûler, tu te mettras du parfum, et tu retourneras dormir contre le corps de ta femme pendant que moi, je dormirai dans les effluves de nos ébats.* Je m'engageai dans les marches sans le quitter des yeux.

Je sus aussitôt que c'était une erreur. Mes escarpins vertigineux dérapèrent et je me vis glisser, comme extérieure à mon corps. J'eus beau tenter de me rattraper, mes mains ne trouvèrent rien à quoi se raccrocher, rien sinon l'air. La chute parut durer une éternité. Quand elle prit fin, mon calvaire continua, je sentis que ma cheville – cette satanée cheville fragile depuis des semaines – se retournait, se tordait, en prenant un angle absolument anormal. Elle ne résista pas. Je m'en voulus instantanément d'avoir repoussé la prise de rendez-vous chez le kiné. Je crus entendre un crac, comme un déchirement de tissu, mon cri de douleur. Je terminai ma chute sur le coccyx, ma tête allant taper contre le mur. Je restai là un temps qui me sembla infini dans la même position, une main collée sur la marche supérieure et l'autre au mur. Au loin, il y eut le raclement des chaises sur le carrelage, et les voix affolées de tout le monde. Je levai le visage et réalisai que j'avais dévalé la quasi-totalité de l'escalier. La confusion la plus totale semblait régner au-dessus de moi, j'étais sonnée, mais je distinguai mes amis et Aymeric qui se précipitaient vers moi, ainsi que la pâleur et le visage tétanisé de Stéphane resté au rez-de-chaussée. Sandro arriva le premier et jura dans sa langue maternelle tout en m'enjambant. Bertille, barrant le passage à Aymeric, se plaça sur la marche au-dessus et passa délicatement la main sur mon front.

— Hortense, tu m'entends ? Dis-nous quelque chose...

Je tremblais de tous mes membres et hoquetais, les yeux débordant de larmes.

— J'ai mal, parvins-je à articuler. Ma... ma cheville...

Son regard se braqua sur ma jambe tordue.

— Merde... Stéphane ! hurla-t-elle. Va préparer de la glace ! Aymeric, remonte avec lui et installe une chaise dans un coin calme de la cuisine !

— Mais...

— Ne discute pas.

Il hésita quelques secondes avant de s'exécuter, il semblait complètement perdu, ne sachant que faire ni où se mettre. Je sentis que Sandro me retirait mes chaussures, je grimaçai et fermai les yeux de toutes mes forces. *Tenir le coup. Ne pas pleurer.*

— Hortense, tu ne peux pas rester là. Il faut remonter. On va t'aider à te lever.

— Je ne sais pas si je vais réussir à tenir debout… J'ai eu si peur…

Ma cheville avait déjà doublé de volume, la peau rougissait… Et cette douleur… Mes larmes coulaient sur mes joues sans que je puisse les retenir. Bertille mit ses mains autour de mon visage pour m'éviter de sombrer.

— Regarde-moi, m'encouragea-t-elle doucement.

Je lui obéis. Son regard m'enveloppait, pour me rassurer, m'apaiser. Je m'y accrochai comme à une bouée.

— C'est fini. On est là. Tu ne peux quand même pas rester dans l'escalier des chiottes et, là-haut, il y a Aymeric qui t'attend. On va t'emmener à l'hosto…

— Surtout pas ! m'étranglai-je.

Hors de question d'angoisser tout le monde ni d'imposer une telle charge à Aymeric. Je secouai frénétiquement la tête de droite à gauche, malgré la douleur qui me martelait les tempes.

— Ça va aller, je vous le promets !

Bertille fit claquer sa langue contre son palais, signe chez elle de la plus complète exaspération. Elle avait dû saisir les raisons de mon refus. Mais mon affolement la fit céder :

— Sérieusement, tu n'es pas raisonnable. Mais OK, si c'est ce que tu veux… Tu as mal autre part ?

— Non, ça va… juste aux fesses, un peu aux bras et à la tête. Je ne me suis pas ratée !

Elle palpa mon crâne et trouva l'endroit où je m'étais cognée.

— Tu as une belle bosse. Allez, ne traînons pas là.

Sandro glissa ses mains sous mes bras et me hissa. Machinalement, je posai mon pied blessé sur le sol. J'étouffai mon cri dans son épaule.

— Je n'y arriverai pas. Je ne peux pas marcher.

— Je vais te porter sur mon dos.

Il ne pouvait pas me prendre dans ses bras. Étant donné l'étroitesse de l'escalier, il n'y avait pas d'autre solution. Il se tourna, je passai les bras autour de son cou. Il me souleva comme une plume, en prenant bien garde à ne pas heurter ma jambe. Bertille ouvrit la marche. Je ne vis rien de la montée ni de la traversée du restaurant. La douleur me faisait tourner la tête. Je n'ouvris les yeux qu'en arrivant dans les cuisines. Stéphane vint à notre rencontre et nous guida, affolé, jusqu'à un coin en me fuyant du regard ; Aymeric me fixa désarmé, c'était bien la première fois que je le voyais perdre ses moyens et être complètement dépassé par les événements. Il fallait que je le rassure. Mais j'étais rongée par la douleur, incapable de réfléchir. Sandro m'installa précautionneusement sur une chaise. Aymeric s'approcha de moi.

— Hortense, mais… enfin, comment as-tu fait ton compte ?

Je m'attendais à tout sauf à ce genre de question.

— Aymeric, tu crois vraiment que c'est le moment ? le coupa Bertille. Tiens-lui la jambe. Elle ne doit pas poser le pied par terre.

Il s'accroupit et prit délicatement mon mollet entre ses mains, il osait à peine me toucher.

— Je ne sais pas trop… Je n'ai pas fait exprès.

— Je m'en doute, souffla-t-il. Pardon… je…

— Pousse-toi, lui ordonna Bertille sans ménagement.

Sandro prit le relais, Aymeric se releva et resta tout près de moi, il me caressait doucement les cheveux, m'apaisant de ses gestes tendres. Je croisai le regard inquiet de Sandro, Bertille lui tendit la glace.

— Ça va te faire du bien, me dit-elle.

— Je sais, mais…

La morsure du froid me coupa la respiration. Il fallait résorber l'hématome et éviter que la cheville gonfle trop. La douleur était intolérable, elle brûlait, elle m'élançait comme si on m'enfonçait des lames de rasoir sous la peau. Les larmes remontèrent immédiatement, j'enfouis mon visage contre Aymeric.

— Hortense, je suis désolé, tout est ma faute, m'annonça Stéphane.

Son improbable réaction me fit momentanément oublier la torture endurée, je sortis le visage de ma cachette et le cherchai des yeux ; il s'était mis à l'écart, se rongeant les ongles.

— Bien sûr que non, qu'est-ce que tu racontes ?

— Depuis le temps que je dois mettre une rambarde dans cet escalier casse-gueule ! Fallait bien que ça arrive un jour. Je suis tellement désolé… merde ! Fait chier !

Bertille alla directement vers son mari, qui tournait en rond, se faisant mille reproches, elle lui caressa doucement le bras.

— Stéphane, arrête, c'est moi qui n'ai pas fait attention, dis-je. Va donc me chercher ton rhum arrangé, tout ira mieux !

Bertille m'envoya un regard de gratitude.

— Et puis, c'est trois fois rien, continuai-je sur ma lancée, parvenant presque à en rire. Demain, je cours comme un cabri !

Personne autour de moi n'en crut un mot. Personne à part Aymeric qui me sourit, apparemment rassuré. Depuis que nous nous connaissions, je faisais en sorte de dissimuler mes coups de fatigue, et je ne m'étais jamais blessée sérieusement. Bien sûr, j'avais quelques tiraillements à droite à gauche de temps à autre, mais rien de cette ampleur, ou qui risquait de m'imposer l'immobilité la plus totale. Ma respiration s'emballa, la peur se distillait dans mes veines comme un poison. Je sentais au plus profond de moi que c'était grave. Je n'avais pas simplement trébuché dans l'escalier. Il y aurait des conséquences.

— Merveilleux ! s'exclama Aymeric. Une bonne nuit de sommeil te fera du bien. Je te ramène à l'appart.

Je crus que Bertille allait le trucider sur place ; Sandro ne put cacher sa stupéfaction, sans pour autant me lâcher.

— Merci de jouer au taxi, grogna-t-elle en faisant quelques pas vers nous. Tu peux rester avec elle, cette nuit ?

Il pâlit et se mit à bafouiller. Dernière pierre à l'édifice pour m'achever.

— Bertille, s'il te plaît, la suppliai-je. Il n'y est pour rien, ne lui tombe pas dessus, pas maintenant.

Elle ignora ma remarque et poursuivit :

— Non parce que tu comprends, on ne peut pas la laisser toute seule, il faut l'aider à se mettre au lit, à mettre de la glace sur sa cheville et il faut aussi surveiller l'hématome… Tu sais, Hortense est danseuse, sa cheville, au-delà de lui permettre d'exercer sa passion, c'est son outil de travail… Donc, Aymeric, je répète ma question : cette nuit, tu peux t'occuper d'elle, oui ou non ?

— Mais… elle vient de dire que ce n'était pas si grave…

— Parce que tu la crois, en plus ? Évidemment, toi, ça ne doit pas te sembler grave, mais tu ne vois pas qu'elle souffre le martyre, qu'elle est totalement flippée ? Tu la connais, voyons, elle ne veut pas nous inquiéter, elle est comme ça, Hortense, au cas où tu ne serais pas au courant.

Il se tourna vers moi en quête de confirmation, je piquai du nez. Bertille avait raison. Et oui, j'avais atrocement besoin de lui cette nuit. Il s'accroupit à ma hauteur et posa sa main sur ma joue.

— Je… Tu sais que je voudrais rester pour m'occuper de toi… mais… je ne peux pas. Il est déjà tard en plus… Je suis désolé. Je vais te ramener… mais… mais…

Bienvenue dans la réalité. S'il se creusait un peu la tête, il pourrait trouver une solution pour rester. Juste une fois. Je ne demandais pas grand-chose, juste qu'une fois il invente un plus gros mensonge pour s'occuper de moi. Mais c'était un effort surhumain, à première vue. Je ravalai mes larmes et mon chagrin. Je me penchai vers lui et posai mes lèvres sur les siennes.

— Je sais, tu dois rentrer chez toi, on ne peut rien y faire, lui répondis-je. Je vais me débrouiller… et je te promets, ce n'est pas grave.

— On est là, nous, m'interrompit Sandro. Bertille, tu montes en voiture avec eux ?

— Bien sûr.

— Moi, je vous suis en scoot'.

J'aurais voulu avoir la force de les soulager, de leur dire que j'allais gérer toute seule, mais le courage me faisait défaut, je ne voulais ni ne pouvais rester en tête à tête avec moi-même. Aymeric cherchait par-dessus tout à accrocher mon regard, son désarroi m'était insupportable. Évidemment qu'il n'avait pas le choix, qu'il devait me laisser, mais j'avais tellement besoin qu'il me prenne contre lui, qu'il me serre, qu'il me dise que tout allait s'arranger.

— Dis-moi ce que je peux faire ? me demanda-t-il.

— M'aider à me mettre debout, lui répondis-je plus sèchement que je ne l'aurais souhaité.

Le trajet du retour fut mon chemin de croix. Je serrai les dents pour m'empêcher de geindre à chaque secousse, accélération, freinage. Dans le rétroviseur, je croisai à de multiples reprises le regard inquiet d'Aymeric que mes pauvres demi-sourires ne suffisaient pas à rassurer. Bertille ouvrit immédiatement la porte, je me traînai sur la banquette en prenant bien garde à ce que mon pied ne touche rien, mon coccyx déjà endolori était lui aussi mis à rude épreuve. Toujours aussi gauche, Aymeric lui demanda l'autorisation de m'aider à sortir de la voiture ; plus en forme, j'aurais pu en rire – jaune. Jamais je ne l'avais vu si penaud. Il me tendit les bras, je m'y accrochai, il me porta comme une mariée jusqu'à la porte cochère que

Sandro ouvrit, je me blottis dans son cou, il me murmurait « Pardon » à chacun de ses pas.

— Pose-moi, lui ordonnai-je au pied de l'escalier.

— Mais pourquoi ?

— S'il te plaît…

Il s'exécuta, je restai en équilibre sur ma jambe valide, maintenue par sa main autour de ma taille.

— Rentre, on va se débrouiller. Comme tu me l'as dit, il est tard et, de toute façon, tu ne peux pas rester… Autant que tu y ailles.

— Je suis…

— Chut… tu me l'as déjà dit. Embrasse-moi et file.

— On y va, nous interrompit Bertille. Il ne faut pas que tu restes debout trop longtemps.

— Tu as raison.

Aymeric, le visage crispé, se pencha et pressa douloureusement ses lèvres sur les miennes.

— Je t'appelle demain.

Il passa le relais à Sandro, qui me souleva dans ses bras.

— Dis donc, t'as forcé sur le chocolat !

J'éclatai de rire. Heureusement qu'il était là pour détendre l'atmosphère.

— C'est parti ! nous annonça-t-il.

Je jetai un dernier regard à Aymeric, il recula dans la cour sans nous quitter des yeux. Que pouvait-il bien se dire en me voyant souffrante dans d'autres bras que les siens ? Arriverait-il à dormir cette nuit ? Chercherait-il du réconfort dans ses bras à *elle* ? *Ne pas y penser.* Emportée par Sandro, Bertille en tête, je le perdis de vue. Un silence oppressant s'abattit sur nous. Sandro se concentrait pour ne rater aucune marche et ne pas réitérer mon exploit. Un seul blessé pour la soirée suffisait. J'aurais voulu lui faciliter l'ascension. Impossible. La douleur me rendait nauséeuse, me broyait le cœur et me menait aux portes de l'évanouissement. Je voulais arrêter d'avoir mal et, pourtant, je sentais que ce n'était que le début.

Nous fûmes accueillis par les lumières douces de mon appartement ; être dans mon cocon m'apaisa, un peu du moins. Bertille avait installé mes oreillers et des coussins supplémentaires sur mon lit. Sandro m'y déposa avec précaution avant de se laisser tomber dans un fauteuil, épuisé par l'effort fourni. Bertille me tendit immédiatement un grand verre d'eau avec un antidouleur.

— Tu as des poches de glace dans ton congélo, je vais t'en remettre une. De quoi d'autre as-tu besoin ? me demanda-t-elle.

— Merci… Comment dire ?… Je voudrais aller aux toilettes.

Ils me fixèrent tous les deux éberlués, puis se laissèrent aller à rire. L'espace d'un instant, la tension insupportable disparut. Pour un peu, on aurait presque pu croire que tout allait s'arranger.

Une demi-heure plus tard, j'étais installée pour la nuit, le pied surélevé, avec une belle réserve de glace. Je prenais sur moi pour ne pas leur montrer à quel point je souffrais.

— Rentrez chez vous, vous êtes crevés, je vais m'en sortir toute seule. Promis !

— Moi, je reste, et n'essaie même pas de négocier, me répondit Sandro. Mais toi, Bertille, va te coucher et retrouver Stéphane et les garçons.

Je lui confirmai du regard qu'elle pouvait y aller. Elle appela un taxi et vint s'asseoir à côté de moi.

— Hortense, j'ai cédé pour l'hosto, mais crois-moi, je le regrette. Il faut que tu voies un médecin à tout prix demain matin.

— Je verrai.

— Ne déconne pas ! Tu as vu ta cheville ? Tu cherches quoi ? À aggraver les choses ? Ne compte pas sur moi pour te laisser faire ! J'appelle Auguste à la première heure pour qu'il t'envoie chez le sien. C'est non négociable.

— Elle a raison, renchérit Sandro. Quand je vois la gueule du truc, je suis sûr et certain que tu t'es au minimum déchiré un ligament.

À la mine de Bertille, je sus qu'elle était du même avis. Nous étions trois, dans ce cas. Et encore, ils ignoraient que j'avais eu des signaux d'alerte depuis de nombreuses semaines. Je luttai contre la crise d'angoisse, l'affolement me gagnait, sans que je puisse le combattre. Je m'efforçai de canaliser les battements de mon cœur. Je ne devais sous aucun prétexte leur montrer à quel point j'avais peur.

— Attendons d'avoir l'avis du médecin avant de paniquer, OK ?

Elle se leva et m'embrassa affectueusement.

— Merci, Bertille.

Elle ouvrit la bouche pour parler, mais se ravisa. J'avais une vague idée du sujet qu'elle avait failli aborder. Heureusement, elle avait décidé de m'épargner. Pour ce soir.

— Remercie Stéphane pour moi, et surtout dis-lui bien d'arrêter de s'en vouloir. C'est ma faute, je suis tombée toute seule.

Elle me sourit, fit une bise à Sandro et partit rejoindre sa famille.

Dès que Sandro disparut dans la salle de bains, non sans grimacer, je m'allongeai plus confortablement. Je m'abîmai quelques minutes dans la contemplation du plafond, j'étais épuisée, j'avais mal partout, même aux dents à force de les serrer pour dissimuler ma souffrance. Pourtant je savais que le sommeil ne viendrait pas facilement. Aymeric avait oublié de m'envoyer son traditionnel SMS. Jusqu'au bout, cette soirée serait étrange. Après tout, tant pis, la frustration de ne pas pouvoir lui répondre aurait été trop grande ; j'aurais tellement aimé lui parler de ma terreur incontrôlable, de la peur panique qui m'avait assaillie à l'idée de ce qui m'attendait avec ma cheville, j'aurais tellement voulu pleurer toutes les larmes de mon corps dans ses bras pour me soulager, m'abrutir et dormir contre lui. J'avais besoin de lui. Il n'était pas là.

Mon corps était mon meilleur allié, celui en qui j'avais toute confiance, il ne m'avait jamais fait défaut. Je l'entretenais, j'en prenais soin, il était mon outil de travail comme l'avait expliqué Bertille à Aymeric, mais bien plus, mon corps, c'était moi. Depuis toute petite, il me servait à être heureuse, il était mon arme de défense contre la tristesse, me permettant d'exister, de m'exprimer. Il m'avait aidée à surmonter la perte de mes parents, je m'étais raccrochée à lui pour tenir debout, pour expulser mon chagrin, pour conserver de la force. Qu'il me lâche, qu'il me montre qu'il avait lui aussi des faiblesses était de l'ordre de l'inconcevable. Je craignais d'être sur le point de me perdre. Avoir été ballottée, portée depuis plus de deux heures m'était insupportable. La dépendance m'horrifiait. Je n'avais pas eu le choix ce soir, vu l'état de ma jambe, mais j'avais le sentiment d'être devenue une chose, on avait parlé de moi comme si je n'avais pas été là, je n'avais pas eu mon mot à dire. Mes amis étaient adorables, je savais qu'ils ne s'occupaient pas de moi contraints et forcés, mais je refusais d'être un poids mort. Qu'ils doivent me surveiller, me veiller comme une malade, une impotente, j'en deviendrais folle. Peu importait ce qui me tomberait dessus après avoir vu le médecin, je me débrouillerais sans aide, sans leur demander quoi que ce soit.

— Tu as eu des nouvelles d'Aymeric ?

Je sursautai ; totalement perdue dans mes – sombres – pensées, je n'avais même pas remarqué que Sandro était sorti de la salle de bains.

— Non.

Il s'approcha de mon lit, une nouvelle poche de glace à la main.

— Tu permets que je soulève la couette ?

— Ne fais pas l'idiot, je vais rire et, du coup, je vais avoir mal.

— OK, je me tiens bien.

Son air très concentré, trop concentré pour lui, m'interpella. Il n'en pensait pas moins que Bertille.

Aymeric venait de perdre ses bons points même auprès de Sandro. Et il aurait du mal à les récupérer. Je n'avais aucun intérêt à polémiquer sur le sujet, j'étais déjà suffisamment abattue.

— Maintenant essaie de dormir, m'ordonna-t-il. Je vais m'allonger sur ton canapé, appelle-moi si ça ne va pas.

— C'est comment ? lui demandai-je en désignant de la tête ma cheville.

— Pas beau à voir.

5

Sandro me réveilla le lendemain matin. Auguste venait me chercher dans une heure. Il n'y avait aucune amélioration en vue et, pour couronner le tout, mes bras et mes cuisses étaient auréolés de bleus tous plus spectaculaires les uns que les autres. J'étais si fatiguée ; je n'avais fermé l'œil qu'au petit matin, torturée par la douleur et l'inquiétude.

Auguste nous attendait sur le trottoir à côté d'un taxi. Il vint à notre rencontre, canne à la main – canne qui ne lui était d'aucune utilité mais qui contribuait à renforcer ses airs de dandy. En réalité il avait conservé cette habitude de l'époque où il enseignait encore. Ce vieil homme, dont la coquetterie était légendaire, savait toujours mettre en valeur sa grâce et sa silhouette longiligne. Je me ratatinai légèrement devant ses gros yeux. Dieu sait qu'il nous avait toujours dit de faire attention et d'éviter les « cabrioles », que ce soit au travail ou dans notre vie privée. Il me décortiqua de la tête aux pieds, le résultat ne devait pas être reluisant, il prit un air mi-affligé mi-amusé. Sans faire plus de cas de moi, il s'adressa à Sandro :

— Tu m'aides à la mettre dans la voiture et ensuite tu files à l'école. Je vous tiens au courant.

C'était bien parce que c'était Auguste que je ne piquai pas de crise ; encore cette impression d'être mise sur la touche et incapable. Je broyai le bras de Sandro qui étouffa un rire. Il m'aida à me glisser sur la banquette arrière en me gratifiant d'un clin d'œil encourageant et claqua la portière. À travers la vitre, je le vis rire avec Auguste, puis celui-ci prit place à l'avant. J'avais définitivement l'impression d'être une sale gamine désobéissante qu'on aurait mise au coin.

« Je te conseille de dormir un peu » furent les seuls mots qu'il m'adressa.

Ensuite plus rien. Il était fou de rage. Ma bêtise et ma maladresse l'exaspéraient. La façon dont il tapotait le pommeau de sa canne était suffisamment éloquente. S'il avait pu m'en mettre un coup, il l'aurait fait pour son plus grand soulagement. Son énervement ne l'empêcha pas d'engager une conversation des plus courtoises avec le chauffeur, en m'ignorant royalement. Je savais pertinemment où il m'emmenait. Sandro et Bertille y avaient déjà eu droit, j'y avais toujours échappé. À se demander comment ! Il fallait croire que, jusqu'à la veille, j'avais trouvé le moyen d'éviter le pire ou de rester discrète lorsque je me blessais. Auguste avait ses habitudes dans une vieille clinique privée au fin fond de la banlieue ouest ; aux dires des autres, elle était nichée au milieu d'un parc et n'était pas de la plus grande fraîcheur. Comme je n'avais pas le choix, je me laissai aller et finis même par somnoler.

La portière s'ouvrit sur un infirmier qui me tendait la main pour m'aider à m'extirper de la voiture. Sitôt que je fus à l'air libre, il mit sous mon nez un fauteuil roulant. Je lançai un regard courroucé à Auguste qui me répondit par un sourire en coin sadique, il se payait ma tête tout en me réprimandant pour mon inattention. J'obéis et m'écroulai dans la voiturette, en ronchonnant.

— Je te retrouve tout à l'heure, après ta radio.

Il prit la tête du cortège en sifflotant. L'infirmier poussa le fauteuil à sa suite. Auguste fut accueilli par un vieil homme aux cheveux blancs hirsutes : si c'était ça son super médecin, j'étais tombée chez un savant fou ! Ils échangèrent effusions et accolades, sans me prêter la moindre attention. Autant l'extérieur de la clinique m'avait paru vétuste, autant l'intérieur était flambant neuf, d'une modernité médicale impressionnante. À mon grand étonnement, on ne me fit pas qu'une radio de la cheville droite, mais la gauche y passa aussi, sans oublier les bras et mes hanches. J'avais l'impression d'être un rat de laboratoire. Lorsque le radiologue estima que j'avais pris la dose maximale de rayons, il demanda à l'infirmier de me pousser jusqu'au bureau du *professeur*. À aucun moment, on ne me donna d'information sur l'état de ma jambe. J'étais au bord de l'implosion. En même temps, avais-je vraiment mon mot à dire ? De la pointe de la technologie moderne, je basculai au siècle dernier, en pénétrant dans le bureau du savant fou où Auguste m'attendait. La pièce, en plus de puer l'eau de Cologne bon marché, baignait dans son jus.

Rien n'avait dû changer – ni être changé – depuis une bonne quarantaine d'années. Le professeur ne laissa pas le temps à mon chauffeur de refermer la porte derrière nous ; il se leva, récupéra les radios posées sur mes genoux et le congédia.

Après avoir déposé le dossier sur son bureau, il conduisit le fauteuil jusqu'au banc d'auscultation, lequel ne tenait encore debout que par miracle. Tapotant de sa main fripée le vieux cuir craquelé – le drap stérile à usage unique devait être en option –, il me fit signe d'y grimper, reléguant le fauteuil dans un coin. Je pouvais apercevoir ses vêtements sous sa blouse ; il semblait aussi coquet qu'Auguste, à condition d'apprécier les pantalons de velours, les gilets de laine et les nœuds papillons. Je m'allongeai. Toujours sans m'adresser le moindre mot, il observa de longues minutes ma cheville en grognant, marmonnant dans sa barbe, émettant même parfois des borborygmes. Il vérifia ensuite l'autre, en la bougeant, la pliant dans tous les sens, il alla jusqu'à soulever ma jambe et s'assurer de sa souplesse. Je me retenais de lui balancer que je savais faire le grand écart, mais que là, à froid et courbaturée après ma chute, il m'en demandait un peu trop. Puis il revint à ma blessure, sans jamais cesser ses bruits de gorge et de bouche, qui n'étaient pas loin de me donner la nausée. Il la palpa légèrement, je serrai les dents. Je lançai des regards interrogateurs à Auguste, qui me fit signe de laisser faire. Où étais-je tombée ? Sandro et Bertille auraient pu me prévenir ! Le savant fou partit fouiller dans un placard d'où il ressortit une paire de béquilles qu'il me tendit. En continuant à parler tout seul, il rejoignit son bureau et alluma son appareil pour lire mes radios – l'engin datait de Mathusalem. Je me débrouillai comme je pus pour avancer avec les béquilles, remarquant malgré tout qu'il observait ma façon de me déplacer. J'étais rincée lorsque je réussis enfin à rejoindre le fauteuil à côté de celui d'Auguste. Son ami muet, mais néanmoins médecin, étudiait mes clichés avec attention ; je préférais ne pas regarder à quoi ressemblait mon articulation.

— Eh bien, jeune fille, vous ne faites pas les choses à moitié, finit-il par lâcher d'un ton bourru.

Je relevai la tête. Assis derrière son bureau, il me fixait par-dessus ses lunettes, avec un air réprobateur. Malgré sa bonhomie comique, il me terrifiait, ou plutôt son futur diagnostic m'horrifiait. J'avais froid, j'avais mal, je tremblais. Si j'avais lâché le peu de contrôle qu'il me restait sur moi-même, mes mains auraient été prises de convulsions. Ma vie dans quelques secondes allait être remise en cause. Tout volerait peut-être en éclats. Comment avais-je pu être si inconséquente ? Ne pas faire attention à moi ?

— C'est si grave que ça ? lui demandai-je d'une voix chevrotante.

Auguste posa une main sur les miennes, crispées sur mes genoux. Mes craintes se confirmaient.

— Dernièrement, vous avez ressenti des faiblesses ?

Je piquai du nez.

— Répondez-moi, m'encouragea-t-il doucement. Ce n'est pas un interrogatoire, j'ai simplement besoin de savoir.

Je soupirai, fatiguée de lutter. Au point où j'en étais, je ne pouvais plus mentir.

— Depuis deux mois, peut-être un peu plus, ma cheville m'élance régulièrement et, au moment des sauts, particulièrement quand je retombe, je sens comme un pincement, elle me tient moins bien qu'avant. Elle est fragile… Ah, j'oubliais, en début de semaine, je me la suis tordue en glissant dans une flaque d'eau.

— Et bien sûr, vous n'avez pas consulté, n'êtes pas allée voir un kiné ? Aller aux urgences cette nuit, je n'en parle même pas !

J'acquiesçai. Il donna un coup de poing sur la table, lança une œillade exaspérée à Auguste puis me gratifia de la même.

— Vous êtes tous pareils, les danseurs : vous avez mal, vous n'écoutez pas votre corps… à croire que vous aimez souffrir ! Je vais vous dire une chose, ça fait deux mois que vous enchaînez les petites entorses ! Vous allez me dire « Même pas mal » ! Quand comprendrez-vous que pour continuer à danser, il faut savoir faire des pauses et prendre soin de soi ?

Sans que je m'y attende, il explosa plus fort encore et je me recroquevillai sur ma chaise.

— Quarante ans que j'assiste à ce genre de comportements totalement irresponsables ! J'en viens à me dire que vous le faites exprès, comme s'il fallait avoir mal pour danser ! Foutaises ! Vous êtes de fieffés imbéciles ! Mais vous ! Vous ! C'est le pompon ! Je me demande même si vous méritez qu'on vous remette sur pied, si c'est pour adopter une attitude suicidaire sitôt guérie !

Ses attaques, remarques, remontrances résonnaient étrangement en moi, ouvraient douloureusement une plaie, une plaie que je refusais de voir, encore moins d'analyser. Je ne voulais pas en entendre plus, il fallait que le couperet tombe.

— J'ai quoi, à la fin ? Une bonne entorse, ce n'est quand même pas si grave.

Il éclata de rire – un rire acerbe – et me fusilla du regard.

— Sur le papier, je vous l'accorde, une entorse, comme toutes celles que vous avez eues ces derniers temps, n'est pas si grave. Vous auriez dû les traiter à leur juste valeur ! Ça vous aurait peut-être évité de finir dans un tel état ! À partir d'aujourd'hui, on est sur du lourd. Du très lourd ! Vous avez déchiré deux ligaments, vous êtes à un stade 2+. Il y a trois stades, ma chère petite, ça vous donne une idée de la gravité ! Alors il va falloir être sérieuse, pour une fois. Parce que si vous continuez à vous comporter ainsi, vous finirez par souffrir d'instabilité chronique. Et c'est l'opération assurée !

Muette, j'étais muette. Ma respiration se coupa. Opération. Immobilisation peut-être définitive. Arrêt de la danse. Que serais-je sans *elle* ? Rien. Personne. Le sol s'ouvrait sous mes pieds et je tombais, je tombais de plus en plus bas, dans un trou noir, sans issue possible. Ma vue se troubla.

— Je vous en bouche un coin ! Vous êtes arrêtée pour deux mois et demi, vous porterez jour et nuit une attelle les six prochaines semaines, marcherez avec des béquilles et ferez des séances de rééducation à gogo, cela vous fera le plus grand bien en plus de vous donner une bonne leçon.

Je devais blêmir à vue d'œil, j'avais envie de vomir, de me frapper. Tout était ma faute. Je venais de me saborder. De me détruire. Toute seule. Sans l'aide de personne.

— Allez, ne traînons pas ! Il faut mettre l'attelle pour vous soulager.

La douleur diminua en intensité à l'instant où ma cheville fut contenue et soutenue. On me fournit des béquilles et le savant fou, dont je ne connaissais toujours pas le nom, nous escorta jusqu'au taxi qui nous attendait.

— Jeune fille, je vous fais confiance, soyez raisonnable. Mettez votre mari à contribution pour les enfants ! Il ne va pas en mourir !

D'où sortait-il, celui-là ? Bien sûr, pour lui, mon âge signifiait automatiquement mariage et vie de famille. Sans le savoir, le savant fou venait de m'achever. Comme si je n'étais pas suffisamment à terre. J'allais devoir me débrouiller seule, sans attendre d'aide. Quant à Aymeric, il avait sa propre famille dont s'occuper. Moi, je passais après.

— D'accord, merci, me contentai-je de lui répondre sombrement.

Je laissai Auguste le saluer et montai à l'arrière de la voiture. Puisqu'il connaissait si bien les danseurs, il ne s'offusquerait pas de mon impolitesse ni de mon mutisme. Enfermée derrière les murs de la clinique, je n'avais pas réalisé que nous y avions passé la journée. Aymeric avait essayé de m'appeler sans discontinuer depuis des heures. J'espérais qu'il réessaierait encore une fois avant de rentrer chez lui. Cette fois, Auguste s'installa à côté de moi. La punition prenait fin. J'en avais assez pris plein la figure. Les premiers kilomètres se firent dans un silence de cathédrale, je fixais la route à travers la vitre. Pour m'empêcher de penser, de me projeter dans les prochaines semaines et de me préparer aux conséquences terrifiantes de mon immobilisation, je décidai d'ouvrir la bouche :

— Vous le connaissez depuis longtemps ?

— Des dizaines et des dizaines d'années. Il a sauvé mon genou et m'a permis de continuer à danser jusqu'à un âge avancé.

— C'est vraiment un bon, alors ? me moquai-je gentiment.

Il rit.

— Je sais que c'est difficile à croire, mais oui, c'est un des meilleurs.

— Non, ce n'est pas si difficile à croire… Il est simplement original.

— Tu sais ce qu'il te reste à faire ?

Je levai les yeux au ciel pour me retenir de pleurer, avant de l'affronter. Son visage était empreint d'une grande douceur.

— Écoute-le, ne fais pas de bêtises.

Je trouvai le moyen de lâcher un rire – amer.

— Je ne vois pas ce que je peux faire d'autre.

— Tu m'as très bien compris, ne tire pas sur la corde. Prends ton temps… ne gâche pas tout. Quelques semaines dans ta vie, ce n'est pas grand-chose. Le sacrifice en vaut la peine.

— Je sais…

— Tu es une merveilleuse danseuse, tu es une enseignante reconnue, adorée par ses élèves. Si tu es sage, si tu prends enfin soin de toi et de ton corps, bientôt, on en parlera comme d'un mauvais souvenir, rien de plus.

— Comptez sur moi, je vais être raisonnable.

Mes paroles étaient sincères, je ne jouais pas la comédie. Je venais de me prendre une claque d'une violence inouïe. Au-delà de la douleur physique, je ressentais comme une déchirure dans mon cœur. De toute ma vie, jamais je n'avais imaginé que je ne pourrais plus danser. Inconcevable. Me retirer la danse, c'était me retirer de moi-même. Aspirer de mon corps ma substance, la raison même de mon existence. Sans la danse, j'étais une coquille vide. La situation était limpide. Je refusais de mettre en péril mon équilibre, ma vie entière. La question ne se posait même pas. J'étais responsable de mon état, mais j'allais être responsable de ma guérison. De là à dire que ce serait facile, c'était un autre problème, je n'aurais qu'à prendre sur moi et donner l'illusion que je tenais le coup, pour ne tracasser personne. Mon portable vibra, SMS d'Aymeric : « Où es-tu ? Réponds-moi. » Moi : « Je suis avec Auguste dans un taxi, on sort de chez le médecin, je devrais être chez moi dans une demi-heure. On s'appelle ? » Réponse : « Non, je passe. » Savoir que j'allais le voir, même brièvement, desserra l'étau qui me broyait le cœur. J'avais besoin d'une bouffée de lui, de la chaleur de ses bras pour croire que tout se passerait bien les prochaines semaines, qu'il n'y aurait bientôt plus de séquelles. Je sentis le regard d'Auguste sur moi, je l'affrontai. Il me sourit, encourageant.

— Si tu as besoin de moi, n'hésite pas.

— Non, ça ira… Oh si ! J'ai bien un service à vous demander.

— Je t'écoute.

— Pouvez-vous prévenir Sandro et Bertille pour moi ?

— Je comptais passer à l'école pour leur expliquer où tu en es.

— Merci beaucoup. Dites-leur que je les appellerai dans le week-end et de ne surtout pas se tracasser, ils vont avoir bien assez à faire.

— Tu ne veux vraiment pas déranger.

— Je fais ce que je peux.

Il attrapa ma main, le regard dans le vague. La pression qu'il exerçait sur ma peau était presque celle d'un père avec sa fille. Ou peut-être d'un grand-père bienveillant et inquiet.

— Hortense, profite de ce temps pour faire le point…

— Que voulez-vous dire ?

— Tu sembles ailleurs depuis un moment… Pour tout dire, je ne te reconnais plus… Quand je passe à l'école, je t'observe, on dirait un fantôme qui erre dans les couloirs, un peu perdu. Tu es détachée de tout… comme si tu ne savais plus où aller… Tu as perdu ta flamme…

J'eus subitement envie de me jeter dans ses bras pour pleurer, me laisser aller, qu'il me console de ce mal-être. Je n'en fis rien.

Je réussis sans trop d'encombre à passer la porte cochère, mais j'eus une suée en me retrouvant en bas de l'escalier. À quoi avais-je pensé en prenant un sixième sans ascenseur ! Pour entretenir mes muscles et ma ligne… *Brillante idée…* Je pris une profonde inspiration et attaquai mon ascension à cloche-pied en m'aidant de mes béquilles. Je respirais comme si j'étais en pleine séance de sport, je prenais mon temps, rien ne pressait ; en serrant les dents, je tenais à distance la douleur dans mes bras, ma jambe valide, ma tête. Le sang pulsait dans ma tempe, la sueur perlait sur mon front. Arrivée au troisième étage, je m'accordai une brève pause, en m'adossant au mur, les yeux fermés. J'entendis des pas dans l'escalier, je soupirai de lassitude, je n'avais aucune envie de croiser des voisins, de leur expliquer, je souhaitais simplement qu'on me fiche la paix.

— Hortense ?

Mon visage s'éclaira d'un sourire : Aymeric.

— Oh… merde, souffla-t-il.

Il grimpa jusqu'à moi. Je me sentais comateuse, presque dans un autre monde, sans doute au bord de l'évanouissement.

— Hé… je ne pensais pas que tu viendrais si tôt.

Sans délicatesse, il saisit mon visage. Son examen rituel ne le détendit pas. Bien au contraire, il semblait de plus en plus soucieux. Je ne devais pas être très belle à voir.

— Dans quel état es-tu ?… Et tu pleures, c'est si rare que tu pleures…

Je ne m'en étais même pas rendu compte. Son inquiétude me donna une décharge électrique et m'empêcha de sombrer.

— C'est la fatigue, ne t'en fais pas. Tu sais, c'est trois fois rien. Une méchante entorse, c'est tout.

— Je vais te porter jusque là-haut.

Il commençait déjà à m'attraper par la taille, mais je le repoussai.

— Non, tu ne peux pas.

— Pourquoi ? Tu ne m'en crois pas capable ?

Je venais de vexer le macho en lui. Son attitude m'affligea.

— Tu vas me soutenir, porter mes béquilles et je m'en sortirai très bien.

De mauvaise grâce, il obtempéra, attrapa mes cannes, et je passai mon bras autour de son cou. On n'échangea plus un mot. Je claudiquai jusqu'à mon lit et m'assis enfin. Après les larmes, j'éclatai nerveusement de rire.

— Je n'ai pas intérêt à oublier le pain !

Aymeric, lui, ne riait pas. Son visage dur était comme figé dans le marbre. Il se mit à tourner en rond, un vrai lion en cage.

— Qu'y a-t-il ?

— Je n'aime pas te voir comme ça, me rétorqua-t-il sèchement.

Je nageais en plein délire : il m'agressait. Je me braquai immédiatement, n'ayant aucune patience.

— Moi non plus, figure-toi ! lui répondis-je tout aussi hargneuse.

— Ça me rend dingue de te voir dans un tel état !

Je n'arrivais pas à saisir le pourquoi du comment de sa colère. À croire que c'était lui qui était en nage, éreinté, avec une jambe dans le sac, et qu'il en voulait à la terre entière.

— Est-ce que je peux te demander un service ?

— Quoi ?

— Pourrais-tu me servir un grand verre d'eau, s'il te plaît ?

Excédé, il balança sa veste sur un fauteuil et fit ce que je lui demandais. Il m'arracha quasiment des mains le verre vide et repartit vers la cuisine sans réussir à dissimuler son exaspération. Il n'était même pas capable de faire semblant, un tout petit effort pour moi, pour me soutenir.

— Combien de temps vas-tu garder ce machin-là ?

— Je ne sais pas exactement, mais je suis arrêtée deux mois et demi.

Il se retourna brusquement et franchit la distance qui nous séparait.

— Autant ? Mais pourquoi ?

— C'est plus raisonnable.

Il afficha une moue ironique.

— Toi qui disais que ce n'était pas grave…

— C'est pourtant la vérité, je te le jure. Tous les danseurs se blessent, je ne suis pas une exception à la règle…

— Mais c'est qui, ce médecin ? Tu l'as trouvé où ?

J'étais exténuée et je devais tout justifier. Je soupirai de lassitude. Quelque chose me disait que je n'avais aucun intérêt, si je voulais la paix, à lui décrire avec exactitude qui était le savant fou.

— L'orthopédiste d'Auguste est un bon…

— Qu'en sais-tu ? Tu l'avais déjà vu avant ?

— Je le sais, un point c'est tout ! Écoute, j'y ai passé la journée. Mon corps tout entier a été décortiqué.

— Et alors ? Le diagnostic ?

— Je te l'ai dit, j'ai une entorse à un stade très avancé. Il préfère prendre toutes les précautions pour que j'évite l'opération.

— L'opération ! Il ne manquait plus que ça !

Il recommença à faire les cent pas nerveusement.

— Comment vas-tu faire ? L'école ? Nous ? Et tes journées ? Tu vas faire quoi ?

Je n'en pouvais plus, j'étais à fleur de peau, il enfonçait le clou, il me mettait à terre.

— Stop ! criai-je.

Il s'arrêta net et me fixa, visiblement sidéré par ma réaction. La sienne était disproportionnée, pour ne pas dire surréaliste. J'allais me réveiller de ce cauchemar dans lequel Aymeric me hurlait dessus. C'est moi qui aurais dû être une vraie boule de nerfs. Pas lui. Qui plus est une boule de nerfs en colère après moi. Pour me donner un peu de tonus, je passai mes mains sur mon visage et tirai mes cheveux en arrière. Puis je plantai mes yeux, certainement explosés, dans les siens. Je le coupai avant même qu'il ouvre la bouche.

— Tais-toi, Aymeric ! Ne dis plus un mot. Tu n'as pas à m'engueuler comme une gamine ! Ce que je vais faire les prochains jours ? J'y penserai lundi. Je suis tombée il y a à peine vingt-quatre heures, je viens de rentrer de la clinique. Je suis épuisée, j'ai à peine fermé l'œil de la nuit, j'ai mal, et je vais avoir mal pendant encore un bon moment. C'est contraignant, je te l'accorde. Mais là, tu aggraves les choses. Je ne comprends pas pourquoi tu t'en prends à moi ! Tu crois que j'ai fait exprès de me casser la gueule ?

— Ça va être l'enfer ! cracha-t-il.

— L'enfer pour qui ?

On s'affronta du regard. Pour la première fois de notre histoire, je le détestais. J'aurais voulu avoir la force de le mettre dehors, mais j'étais en position de faiblesse sur mon lit et lui me dominait de toute sa taille, fort, puissant, écrasant. Son téléphone sonna et brisa le silence. Visiblement agacé, il s'éloigna de moi et le récupéra dans la poche de sa veste. Avant de décrocher, il me fit signe de ne pas faire de bruit. Son culot me sidéra, en plus de me faire horriblement mal.

— Euh… où je suis ?

Je voyais bien qu'il moulinait dans sa tête ; il prévoyait toujours tout, nos rendez-vous étaient toujours programmés, codifiés. Ce soir, il avait agi sur un coup de tête en venant me voir. J'aurais voulu hurler, dire que j'étais là, que j'existais. Son flottement ne dura pas longtemps ; la voix beaucoup plus douce, il se reprit avec toute la maîtrise que je lui connaissais.

— En rendez-vous extérieur… Non, je ne repasse pas au bureau après… OK, je t'appelle dès que je suis en voiture, je n'en ai plus pour longtemps.

Il raccrocha.

— Je dois partir.

— Je ne suis pas sourde.

Il leva les yeux au ciel et remit sa veste. Puis il revint devant moi et soupira, contrarié.

— Bon…

— Merci de ta visite. Ne te mets pas en retard pour moi. Passe un bon week-end.

Il déposa un baiser sur mon front.

— Si tu crois que c'est facile pour moi, souffla-t-il.

Son aplomb, son manque de soutien, son égocentrisme me tétanisèrent. Avant de refermer la porte derrière lui, il me lança un regard sombre qui me glaça le sang.

— À lundi.

Je l'entendis dévaler l'escalier à toute vitesse. Je me laissai aller en arrière et, en m'aidant de ma jambe valide, je me pelotonnai, la tête enfouie dans l'oreiller. Aymeric n'était pas lui-même, je ne pouvais pas imaginer le contraire. Que lui avait-il pris ? Notre escapade en amoureux ne datait pourtant que de quelques jours. J'avais l'impression de ne plus avoir affaire au même homme. Je ne comprenais pas sa dureté. À demi-mot, il me tenait pour responsable de la situation. C'était la première fois en trois ans que j'avais désespérément besoin de son soutien, aussi minime soit-il, j'aurais voulu qu'il soit là pour moi, et il en était incapable. Ce petit incident me démontrait que je ne pouvais rien attendre de lui et, mon Dieu ! ce que j'avais mal ! Plus encore qu'à cause de ma cheville dont je me moquais, au bout du compte. Les limites de notre couple me saisirent comme jamais. En étions-nous un, d'ailleurs ? La solitude me coupa la respiration. Mon regard qui errait dans le vide tomba sur la photo de mes parents sur la table de nuit. Leurs visages qui souriaient à l'objectif nouèrent ma gorge, ils me manquaient chaque jour, aujourd'hui davantage encore ; les larmes, de vraies larmes de chagrin et de trouille, lourdes, de celles qui sillonnent les joues, qui laissent des traces, les premières véritablement libératrices, montèrent sans que je puisse lutter. J'aurais donné tout ce que je possédais pour être encore une petite fille, le genou sanguinolent après une chute dans la cour de la Bastide, avec des gravillons coincés dans la plaie. Je voulais ressentir cette sensation-là. Maman m'aurait assise, en sanglots, sur une chaise de la cuisine avant de revenir avec du coton et du Mercurochrome, j'aurais crié de ma voix d'enfant « Non, maman, ça va piquer », papa nous aurait rejointes clarinette à la main et il aurait joué, maman l'aurait laissé faire quelques minutes avant de l'enguirlander, « Chéri, arrête, elle va se remettre à danser », et c'est exactement ce que j'aurais fait, j'aurais sauté de ma chaise et dansé autour de la table comme la princesse que je rêvais d'être, sans même me rendre compte que maman avait eu le temps de soigner mon genou. J'aurais voulu être à la maison avec eux, parce que, le soir après ma chute, maman m'aurait bordée et je me serais mussée dans les couvertures de mon lit. Ils m'auraient soignée, ils m'auraient mis un pansement sur le cœur. Mais pour tout baume, je n'avais que leur souvenir. Insuffisant pour oublier que je ne danserais plus avant des semaines, pour oublier que j'avais peur qu'un lien de l'amour dont la nature m'échappait totalement ne se soit brisé entre Aymeric et moi.

*
* *

Sandro et Bertille débarquèrent le dimanche soir, les bras chargés de courses, de petits plats préparés par Stéphane et d'une bonne bouteille de rouge. Ils me forcèrent à rester assise et préparèrent le dîner. Au fond de moi, j'étais ravie de les voir et de m'installer à table avec eux, ils me sortiraient de mes idées noires, même si j'allais devoir la jouer fine pour qu'ils ne se rendent compte de rien. Durant le dîner, je les fis rire en leur racontant mon expérience du savant fou, chacun y allant ensuite de la sienne. Au bout d'un moment, je remarquai que Bertille m'observait.

— Quoi ?

— Tu as des nouvelles d'Aymeric ?

— Euh… pas depuis sa visite de vendredi soir.

J'avais espéré un signe de sa part, un petit message, mais rien ; silence radio. Évidemment, il ne m'appelait jamais le week-end, mais vu la scène qu'il m'avait faite et les circonstances, j'avais attendu qu'il se manifeste.

— Il vient demain soir ? s'inquiéta Sandro.

— Oui !

Je souris de toutes mes dents, peut-être un peu trop d'ailleurs, vu la tête de Bertille, sceptique.

— Tout va pour le mieux dans le meilleur des mondes donc, commenta-t-elle, peu convaincue.

Avec Sandro, ils échangèrent un regard et devinrent brusquement plus sérieux. Je me doutais du prochain sujet de conversation.

— On doit te parler de quelque chose…

— Je sais, vous voulez me parler de l'école.

Bertille tourna un visage triste dans ma direction.

— Tu as tout compris, souffla Sandro, tout aussi dépité.

Ces dernières vingt-quatre heures, je n'avais pas arrêté d'y penser, je savais qu'ils n'avaient pas le choix, mais se l'entendre dire était autrement plus violent que de le penser. L'école tournait à plein régime dix mois sur douze, nous approchions de la fin de l'année et donc du spectacle et des inscriptions. Ils ne pouvaient pas à eux deux pallier mon absence. Un inconnu allait prendre ma place auprès de mes élèves, prendre possession de mon vestiaire, occuper l'espace que je laissais vacant, reprendre ou non les chorégraphies que j'avais préparées et je n'aurais pas mon mot à dire. Une autre conséquence. Je m'étais blessée par négligence, je devais me mettre en retrait, consciente que personne n'était irremplaçable. Que pouvais-je faire d'autre que d'assumer mon erreur et de les encourager ? Je les rassurai d'emblée :

— C'est normal. Je ferais la même chose à votre place.

Leurs épaules s'affaissèrent de soulagement.

— Vous avez des pistes ? Des idées ?

— On a demandé à Auguste de se renseigner pour nous. Tu as des exigences particulières ?

On dressa dans les grandes lignes le portrait du candidat idéal, j'essayai d'être méthodique, réfléchie et de mettre mon ego de côté.

— J'espère que vous ne serez pas trop longs à trouver. Tenez-moi au courant.

— On veut que tu viennes aux entretiens, ça nous semble indispensable.

Bertille avait déjà pensé à tout.

— Je ne sais pas… c'est vous qui allez passer les deux prochains mois avec ce prof.

— Peut-être, mais ce sont tes cours et tes élèves.

— On verra, soupirai-je.

Le silence s'abattit sur nous quelques minutes, je m'avachis dans le fond du canapé, le regard dans le vide, m'autorisant un coup de moins bien. Sans chercher à masquer ma tristesse. Je pouvais me le permettre. Pour ça, en tout cas.

— Ça va passer vite, m'encouragea Bertille.

— J'espère. Je m'en veux tellement de ne pas avoir fait attention. Je mets tout le monde dans la panade.

— Hé ! Ne t'en fais pas pour nous, on va s'en sortir.

Tant mieux pour vous. C'est tout ce que je souhaite. Mais moi, comment je fais pour m'en sortir ?

Je les raccompagnai jusqu'à la porte d'entrée malgré leurs protestations. Sandro me fit un câlin, Bertille me serra contre elle aussi. Puis elle planta ses yeux dans les miens.

— L'ambiance va être bizarre sans toi.

— Vous allez être bien occupés, vous n'aurez pas le temps de vous ennuyer de moi !

— Tu viendras nous voir quand même de temps en temps ?

Je ne sais pas si j'aurai la force de voir l'école fonctionner sans moi. Alors, non, rien ne dit que je viendrai.

— Évidemment ! Comptez sur moi pour venir vous mettre des coups de béquille si ça ne tourne pas bien !

Je réussis à les faire rire. J'eus droit à une dernière bise et ils partirent. Je laissai tout en plan, et me couchai directement.

6

Le lundi après-midi, j'appelai Cathie pour la prévenir. J'avais besoin d'entendre sa voix douce et ras-
surante. Je ne pouvais parler qu'avec elle.

— Tu ne devrais pas être en cours, à cette
heure-ci ? remarqua-t-elle sans préambule.

Touché…

Sans m'interrompre, elle m'écouta lui expliquer
mes dernières aventures. Elle resta silencieuse de
longs instants après que je me fus tue.

— Ma pauvre, comment tiens-tu le choc ? Tu dois
être sens dessus dessous, finit-elle par me dire doucement.

— Un peu, je ne vais pas te le cacher.

— Veux-tu que je monte te voir ? Mathieu peut
gérer quelques jours sans moi.

Sa proposition était tentante, mais je ne pouvais
décemment pas lui demander d'abandonner mari et
enfant pour venir jouer les infirmières avec moi, surtout pour une « simple » entorse. À quarante ans, je
pouvais m'occuper de moi-même…

— Non ! Je vais parfaitement m'en sortir. Ne t'inquiète pas. Je parais déprimée, mais c'est juste parce que c'est le premier jour. Demain, tout ira mieux !

— Ouais… Aymeric va pouvoir un peu s'occuper de toi, au moins ?

Au ton de sa voix, je la sentis plus que sceptique. Comment lui expliquer, sans l'inquiéter ou l'énerver, que sa façon d'être aux petits soins avec moi consistait à me convoquer par SMS au restaurant ce soir ?

— Bien sûr, on se voit tout à l'heure !

Le serveur de notre restaurant habituel se précipita vers moi.

— Que vous est-il arrivé ? Je peux vous aider ?

— Merci, vous êtes gentil. Je vais me débrouiller. Servez-moi donc un verre, j'ai besoin d'un remontant ! lui demandai-je, un sourire crispé aux lèvres.

La descente de mon escalier avait aspiré toute mon énergie, tant je m'étais concentrée pour ne pas me casser la figure. Je n'avais pas été loin de la faire sur les fesses, seule la dignité m'en avait empêchée. J'allais devoir réduire mes déplacements au minimum et, même si l'envie me prenait de rendre une petite visite à l'école, je devrais m'en priver, à moins de vouloir m'engager dans un périlleux parcours du combattant. Mais ce soir, il fallait aussi ajouter la douleur lancinante dans ma cheville. J'avais désobéi. Retirer l'attelle et contorsionner ma jambe pour enfiler un slim n'avait pas été une bonne idée. Mon petit doigt m'avait soufflé que le pantalon de yoga ne serait pas du goût d'Aymeric.

— J'étais retenu au boulot, se contenta de me dire Aymeric lorsqu'il débarqua deux verres de vin plus tard.

Il s'assit et attrapa la carte. Avant de se plonger dedans, il me lança un coup d'œil et sourit, manifestement satisfait.

— Tu as l'air en forme !

Moins de trois minutes plus tard, il hélait le serveur pour la commande.

— Je me suis dit que sortir te ferait du bien, j'imagine que tu n'as pas mis le nez dehors du week-end.

— C'est vrai. Merci d'y avoir pensé.

Durant le dîner, j'eus l'impression de retrouver celui qui m'avait conquise. Il était volubile, souriant, charmant et séduit. Je m'amusai de ses yeux qui ne pouvaient s'empêcher de loucher dans mon décolleté, tout comme de ses caresses pressantes sur ma main. En somme, il faisait comme si de rien n'était. Si je m'étais attendue à des excuses pour son comportement de l'autre soir, j'en étais pour mes frais. Mais je le connaissais : trop fier pour demander pardon.

Pendant le trajet jusque chez moi, il posa régulièrement sa main sur ma cuisse en me souriant. Sa tendresse me faisait du bien, me rassurait. J'en oubliais peu à peu mon ressentiment. Peut-être était-ce lui qui avait raison ? Il ne servait à rien de revenir sur notre dispute ; quant à mon état, je lui avais assez répété que ce n'était pas grave, j'aurais été ridicule aujourd'hui de lui demander de me mettre sous cloche en attendant une amélioration.

— Il était temps, tentai-je de blaguer une fois dans mon appartement.

Aymeric abandonna dans un coin mes béquilles pendant que je me débarrassais de mon cuir et de mon sac. Quand, m'appuyant sur le dossier du canapé pour épargner ma cheville, je me tournai vers lui, je lui découvris un regard vide que je ne lui connaissais pas.

— Tu viens ? dis-je en lui tendant la main.

Je crus percevoir un air blasé, mais je chassai très vite cette impression. Je le connaissais pourtant plus entreprenant. Il s'approcha et, dès qu'il fut suffisamment près, je m'accrochai à sa taille en glissant mes mains sous sa veste. Je caressai son dos ; sa chaleur, son parfum me donnèrent envie de lui, je voulais sentir sa peau contre la mienne. Je l'embrassai en me collant davantage à lui. Il me répondit sans grand entrain. Il passa sa main dans mes cheveux et éloigna sa bouche de la mienne.

— Hortense, tu tiens à peine debout.

Il me lâcha et mit une distance entre nous qui me fit froid dans le dos. Il ne voulait pas de moi et ne prit pas de gants pour me le faire comprendre.

— Soyons raisonnables.

Raisonnables ? Aymeric, tu n'es pas une brute. Que te prend-il ?

En trois ans, nous pouvions compter sur les doigts de la main le nombre de fois où nous n'avions pas fait l'amour. Brusquement, je me sentis laide, incapable d'éveiller le moindre désir en lui, diminuée, moins que rien. Je fis appel à toutes mes facultés de dissimulation pour ne pas lui montrer à quel point son rejet me blessait.

— Je vais te laisser te reposer.

— Comme tu veux.

Pour bien m'achever, il m'embrassa sur le front.

— À jeudi, dors bien.

Il m'envoya un baiser du bout des doigts et partit en claquant la porte. La graine du doute traçait son sillon, faisant écho au malaise ressenti quelques jours plus tôt. Aymeric avait changé. J'avais l'impression qu'il se désintéressait de moi simplement à cause d'une petite blessure sans importance. Non. Impossible. Il m'aimait, il me le répétait à longueur de temps. Mais comment me défaire de ce sentiment, alors qu'en plus il ne m'était d'aucun soutien ?

Le jeudi matin, je montai dans un taxi pour me rendre à l'école. Auguste avait été d'une efficacité redoutable dans sa présélection. Nous avions la journée devant nous, avec Sandro et Bertille, pour trouver le remplaçant idéal. Durant le trajet, je m'entraînai à feindre la bonne humeur. Je n'avais pas le droit de plomber l'atmosphère, j'étais déjà bien assez responsable de la situation. Sans élèves, l'école était particulièrement calme et silencieuse, le couloir désert. J'étais soulagée de ne pas assister à son effervescence sans y participer. Le joyeux brouhaha, la cacophonie des filles m'auraient étrangement agressée alors que je vivais en ermite depuis quelques jours. Au loin, j'entendis les voix de Sandro et Bertille dans un des studios. Je me dirigeai vers eux sans rien voir. *Reste concentrée. Ne regarde rien pour ne pas flancher. J'ai une mission à accomplir aujourd'hui. Pourquoi ce couloir est-il aussi long ? Ne pense pas à avant, quand*

123

*tu le traversais en sautillant. Reste concentrée. Enfin,
j'y suis...*

— Coucou !

Ils étaient en train d'installer une table et des chaises
dans un coin.

— Hé ! Salut !

Je les rejoignis, pas très assurée sur mes béquilles
qui glissaient légèrement sur le parquet. Ils m'em-
brassèrent et Sandro m'aida à m'asseoir, avec mille
précautions. Il était adorable de faire autant attention à moi, mais j'eus à nouveau l'impression d'être
impotente.

— Comment te sens-tu ? me demanda Bertille.

— Bien ! Comme me l'a dit le kiné hier, j'offre une
pause à mon corps !

— Oh, je sens que ça te plaît, se moqua-t-elle.

Je ris de bon cœur, parce que, effectivement, la
veille, j'avais failli sauter à la gorge du kiné après sa
remarque. Ce qu'il ne savait pas et ne saurait jamais,
c'était que j'avais bien l'intention de faire des exercices supplémentaires avec ma jambe valide, mes bras
et mes abdos, pour compenser ses massages à la noix.
Hors de question de me ramollir. Et cette dépense
d'énergie m'aiderait à décharger mes nerfs et la tension.

— Café ? me proposa Sandro.

— Oui, merci. Je peux faire quelque chose ? Je ne
vais pas rester les fesses vissées sur une chaise pendant que vous vous activez !

— T'inquiète, on le prend avec toi.

Sandro disparut cinq minutes et revint avec nos
cafés. Il me tendit un grand sac plastique qu'il avait

fait apparaître comme par magie. Mes élèves, depuis qu'elles avaient appris lundi que j'étais blessée, s'étaient débrouillées pour venir déposer des lettres, des cartes postales, des dessins pour les plus petites, et même des tablettes de Galak – elles savaient que c'était mon péché mignon.

— Elles sont adorables… Elles vont bien ? demandai-je, émue aux larmes.

— Elles pètent toutes le feu, mais tu vas leur manquer… Si tu avais vu la crise que tes ados nous ont piquée quand elles ont appris la nouvelle ! On a failli devenir sourds !

Je les fuis du regard, soudainement démoralisée, incapable de lutter contre mon chagrin, et le manque de mes minettes.

— Ça va aller, Hortense, me dit doucement Bertille pour me réconforter. Je suis désolée, mais on doit se mettre au travail.

— Tu as raison, je prendrai le temps de découvrir leurs cadeaux plus tard.

Je respirai un grand coup pour me reprendre.

— Bon, on voudrait te parler d'un truc auquel on a pensé, m'annonça Bertille.

À partir de là, je l'écoutai m'expliquer qu'avec Sandro ils s'étaient dit que c'était peut-être l'occasion de recruter quelqu'un dans l'optique de l'agrandissement de l'école. Je ne dis pas un mot, la machine s'était mise en route sans que je puisse rien faire.

— On voudrait ton avis, finit par me demander Sandro.

Je pris sur moi.

— Vous avez certainement raison… À se demander pourquoi nous n'y avons pas pensé plus tôt ! Il faut en profiter… Et on ne sait jamais, si je n'étais pas complètement rétablie pour les stages d'été, vous auriez quelqu'un sous la main…

Ils semblèrent complètement déroutés par cette dernière phrase. Moi-même, j'avais du mal à y croire.

— Comment ça ? vociféra Sandro. Tu es censée reprendre dans un peu plus de deux mois ! Cet été, tu seras en pleine forme.

— Et si ce n'était pas le cas ? Soyons prévoyants.

La journée passa à la vitesse de la lumière, les candidats se succédèrent sans que nous trouvions la perle rare ; il nous manquait toujours le supplément d'âme pour qu'on se sente en confiance avec une personne en particulier, ne serait-ce que pour mon remplacement. L'agacement de Bertille était de plus en plus palpable. Il ne nous restait plus qu'une personne à voir.

— Je ne pensais pas que ce serait si difficile à trouver ! s'énervait-elle.

Sans nous l'avouer, nous avions perdu notre belle confiance. Une jeune femme pénétra dans le studio.

— Excusez-moi pour le retard, je suis Fiona.

Nos trois têtes se tournèrent vers la dernière candidate. Elle était débraillée, en nage, absolument pas apprêtée pour nous épater. Mais elle dégageait une fraîcheur et une spontanéité qui me plurent immédiatement. Même Bertille parut soudain plus détendue. Elle se présenta. Ce fut drôle, elle partait dans tous les sens, était débordante d'idées, elle assumait son jeune âge – vingt-cinq ans – tout en ayant un réel désir de progresser encore. Son regard neuf et son dynamisme firent mouche auprès de mes partenaires qui entamèrent une vraie conversation avec elle. Je me mis en retrait, les observant depuis ma bulle, traversée par une impression de décalage. Cette charmante Fiona était la postulante idéale pour me remplacer et nous rejoindre au sein de l'école. Ses aptitudes de danseuse confirmèrent que c'était en tout point la candidate que nous recherchions. L'émotion qu'elle dégageait était saisissante et me toucha profondément. Son talent était certes responsable de mon émoi, mais j'avais tellement envie d'être à sa place. Lorsqu'elle s'arrêta, elle nous fit un grand sourire et se contenta d'un « Voilà ». Puis elle partit attendre notre verdict dans le couloir en se battant avec ses sacs. Je me penchai sur la table, échangeai un regard avec Bertille, qui se fendit d'un rare sourire en coin.

— Sandro, rattrape-la, on la tient, notre prof, lui ordonnai-je.

Quinze secondes plus tard, il revenait en tenant par la taille la fameuse Fiona, qui arborait une mine de petite fille le matin de Noël. Sandro et moi laissâmes Bertille lui présenter les modalités de l'embauche, parler salaire, puis elle me donna la parole.

— Vous êtes prête ? demandai-je à Fiona.

Elle se dandinait de joie sur place. Je lui fis un topo sur ma manière de travailler ainsi qu'un portrait global de chacun de mes groupes. Elle était attentive, concentrée et sérieuse. Elle rebondissait avec pertinence sur ce que je lui expliquais.

— Je vous fais confiance, Fiona, vous allez bien vous occuper de mes minettes. N'oubliez pas mes petits chouchous du jeudi, ils sont très importants. N'hésitez pas à m'appeler si vous avez des questions.

— Merci, Hortense…

Bertille reprit la main pour régler les premiers problèmes de planning et Fiona nous quitta en nous remerciant avec effusion pour notre confiance. Elle me plaisait. Indéniablement, j'étais tombée moi aussi sous son charme. Bertille et Sandro avaient la bonne partenaire pour les prochains mois.

— On ne pouvait pas rêver mieux, annonça Bertille. Ça va faire du bien, ce sang neuf ! C'est marrant, elle me fait penser à toi lorsqu'on s'est rencontrés…

De retour chez moi, je m'écroulai de fatigue sur mon lit, le moral en berne, malgré la satisfaction d'avoir trouvé la bonne personne. L'école changeait. J'avais feint l'enthousiasme, mais prendre le risque de briser ce qui fonctionnait parfaitement jusque-là m'angoissait de plus en plus. Les nouvelles ambitions de Bertille s'expliquaient par son envie de se consacrer à l'école, les jumeaux étaient ados et avaient moins besoin d'elle, l'affaire de Stéphane tournait, et elle souhaitait s'accomplir davantage encore en tant que femme. C'était normal. Nous avions toutes les deux presque quarante ans, mais le constat était assez simple : nous n'en étions pas au même point, elle et moi ne vivions pas la même crise de la quarantaine. Que devais-je faire ? Comment combattre cette mélancolie qui me gagnait, cette impression de stagnation ? Étendue sur mon lit, je me sentais à bout aussi bien physiquement que moralement. Comment allais-je maintenant m'occuper l'esprit et trouver la motivation nécessaire pour me rétablir alors que je n'étais pas sûre de trouver ma place dans cette nouvelle école ? Étais-je capable de m'y investir ? En avais-je envie ? L'appel d'Aymeric mit fin à mes ruminations.

— Salut, soufflai-je. Ça va ?

— Oui, oui, je voulais simplement te prévenir que l'on changeait de resto, ce soir, j'ai réservé dans un nouvel endroit sympa, discret, tranquille. Je me suis dit que ça te ferait plaisir.

J'eus un pincement au cœur avec les *discret* et *tranquille*.

— C'est marrant que tu veuilles changer, mais…

— Mais quoi ?

Repasser par l'épreuve de l'escalier de mon immeuble était plus que je ne pouvais endurer, mais je sentis en le lui expliquant que je le contrariais.

— Comment peux-tu être claquée ? me rétorqua-t-il. Tu ne fais rien de tes journées !

Le souffle coupé par son agressivité et son manque de considération, je fermai les yeux de toutes mes forces.

— C'est sûr qu'en ce moment, comparé à toi, je ne me tue pas à la tâche ! lui balançai-je avec ironie.

Il laissa planer le silence quelques secondes avant de soupirer profondément.

— Très bien, faisons comme tu veux.

— À tout à l'heure.

Je raccrochai, tremblante. Il me fallut quelques minutes pour me ressaisir. Que nous arrivait-il, à la fin ? L'angoisse me prit à nouveau à la gorge, mais je ne voulais pas y croire. Je devais tout faire pour que la soirée se passe au mieux. En traînant la jambe, je fis un peu de rangement autour de moi, puis je dénichai une robe légère qui me permettrait de rester pieds nus, mais je ne voyais que mon attelle, appendice qui défigurait mon corps. Ensuite, je me préparai avec le même soin que d'habitude, selon ses préférences.

Je repris espoir lorsque je le vis franchir le seuil de mon appartement avec une brassée de roses.

— Pardon, j'ai été un vrai goujat avec toi.

Je ne lui répondis pas, j'attrapai le bouquet et me blottis dans ses bras. J'avais beau lui en vouloir, en attendre davantage de lui, je voulais simplement le retrouver. Qu'on reprenne notre vie là où elle s'était arrêtée au moment de ma chute. Il me souleva dans ses bras et se dirigea vers le canapé.

— Je me trompe ou tu m'as dit que tu étais fatiguée ? Ne reste pas debout.

Il me déposa, puis se pencha au-dessus de moi pour me faire un baiser léger. Je n'eus pas le temps de l'attirer qu'il s'éloignait déjà.

— Bon choix pour le repas, commenta-t-il en découvrant sur la table basse le plateau du japonais que j'avais fait livrer un peu plus tôt.

Après un dîner silencieux, j'étendis mes jambes sur le canapé et me collai contre lui. Il me caressa distraitement l'épaule.

— Tu ne veux pas savoir pourquoi j'ai eu la flemme de sortir ce soir ? Ça ne t'intéresse peut-être pas…

— Si, si, bien sûr ! Je t'écoute.

— Je suis allée à l'école aujourd'hui.

— Ah bon ! Tu reprends le boulot ? me demanda-t-il, soudain très joyeux.

— Tu es bête ou quoi ? lui répliquai-je en lui lançant un regard noir. Comment voudrais-tu que je reprenne la danse ? Non, j'y suis allée pour mon remplacement, justement…

— Ah… et alors ?

Pour la première fois, il parut intéressé par ce que je lui racontais de l'agrandissement de l'école et de Fiona. À ma mine certainement dépitée, il me demanda :

— Tu n'as pas l'air enchanté ?

— Je ne sais pas trop…

Je me redressai pour lui faire face, il affichait une moue dubitative.

— Qu'est-ce qu'il y a ?

— Tu as intérêt à te ressaisir, me sermonna-t-il. C'est une bonne chose de voir plus grand, il faut prendre le train en marche… Tu as perdu ta niaque, tu ne danses plus…

— C'est provisoire… Tu as l'air de l'oublier.

— Oui, c'est vrai… Excuse-moi, mais quand je te vois si mal en point, je m'inquiète pour toi, c'est tout.

Il cherchait quoi ? À me mettre la tête sous l'eau ? À me miner davantage encore ? Indifférent à mon malaise, il jeta un coup d'œil à sa montre. Je me figeai, n'osant croire à ce qu'il allait m'annoncer.

— Hortense, il va falloir que j'y aille.

Je me mordis la langue pour m'empêcher de lui rétorquer « Non ! Pas déjà ! ». Il se leva du canapé, sans un geste tendre pour moi, et alla boire un grand verre d'eau.

— J'ai pris beaucoup de retard au boulot depuis une dizaine de jours, se justifia-t-il.

— Ah…

— Il faut que je rentre travailler à la maison.

La maison… Jamais il n'employait cette expression pour parler de chez lui. Je la pris en pleine figure, je ne l'avais pas vue venir, cette claque, cette gifle cinglante. Mes poings se serrèrent si fort que mes ongles s'enfoncèrent dans ma peau. Aymeric ne se rendit compte de rien, occupé à remettre sa veste et sortir ses clés de voiture de sa poche. Il était déjà prêt à partir, pas de passage par la case salle de bains, il ne m'avait pas touchée, il m'avait à peine embrassée, il ne risquait pas de conserver sur son corps un quelconque vestige de nos étreintes. Si ce n'était le cheveu qu'il venait de trouver sur son épaule et qu'il dégagea d'une pichenette comme une vulgaire poussière sale.

— Je comprends, réussis-je à souffler.

En prenant appui sur mes mains, je parvins à me mettre debout. Il s'approcha de moi, sourire satisfait aux lèvres, et m'attrapa par la taille.

— Merci, me dit-il.

« Merci de quoi ? » eus-je envie de lui cracher. Merci pour le dîner ? Merci de ne pas piquer une crise ? Merci de le laisser rentrer à *la maison* l'esprit tranquille ? Il caressa ma joue et m'embrassa du bout des lèvres. Où étaient passés nos baisers passionnés, fougueux, dévorants, brûlants ?

— Bonne nuit, murmura-t-il. À lundi, je m'occupe de la réservation.

Nous retournerions donc au restaurant, selon son bon vouloir. Encore un baiser distrait et il me lâcha. Il franchit le seuil sans se retourner. Bras ballants, je restai stoïque, pour ne pas dire abasourdie, durant de longues secondes. Et la rage me saisit ; j'eus envie de tout casser, de hurler au point d'alerter les voisins, au point de me briser les cordes vocales, je voulais frapper, démolir, détruire tout ce qu'il y avait autour de moi. Je voulais crier ma solitude, ma douleur. J'aurais voulu danser pour exprimer tout ce qui me déchirait de l'intérieur. Pour vomir ce qui me rongeait, pour vomir mes regrets. Pourquoi ne pouvais-je pas revenir en arrière ? Non pas pour éviter la chute, mais pour ne jamais céder à Aymeric, ne jamais tomber amoureuse de lui, ne jamais lui laisser ma vie entre les mains, ne jamais rien lui sacrifier. Qu'était-il en train de me faire ? Il m'abandonnait, il me laissait sur le bord de la route parce que je n'étais plus comme il le voulait. Je sentais que je devenais un boulet, un truc dont il n'arrivait pas à se défaire. M'aurait-il prise pour son jouet ? Il était capricieux comme un enfant. Je n'avais plus de piles, alors il se désintéressait de moi. M'aimait-il vraiment ? Ou m'aimait-il uniquement pour ce que je représentais ? N'étais-je pour lui qu'une professeur de danse à sa disposition parce que la vie à *la maison* n'était ni drôle ni sexy ?

Je passai les jours suivants enfermée chez moi, rideaux tirés, annulant même mes rendez-vous chez le kiné – pour ce à quoi il me servait –, je ne voulais voir personne. J'envoyai des SMS à Cathie pour ne pas lui mettre la puce à l'oreille, ayant bien senti que, lors de notre dernier appel, elle se doutait de quelque chose, ni risquer de la voir débarquer, ce dont elle aurait été capable. Je tournais en rond, en ruminant, en me refaisant le film de notre histoire. Mes craintes se confirmaient ; hormis notre difficulté à nous voir et l'impossibilité de vivre notre histoire au grand jour, pour la première fois nous avions un souci – minime, mais qui suffisait à bouleverser la routine de notre couple illégitime. Et Aymeric n'assumait pas, n'étant pas à même de faire face à la situation. Il était incapable de me soutenir le moins du monde ni de prendre soin de moi. À croire que je l'ennuyais. J'avais l'impression de devenir folle, de mener une existence vaine, d'étouffer. Lorsqu'un nouvel accès de rage me faisait suffoquer, j'attrapais mon téléphone, prête à l'appeler, pour exiger des explications, exiger qu'il vienne sur-le-champ. Mes automatismes de maîtresse éperdument amoureuse reprenaient alors le dessus, il fallait le protéger, encore et encore, le protéger *lui*. Faire attention à lui. Ne pas le mettre en danger. Lui permettre d'assumer ses responsabilités auprès de sa famille. Moi ? Eh bien moi, je passais encore et toujours après. Il m'en donna une nouvelle fois la preuve le lundi par un simple message : « Je suis retenu au boulot, on ne peut pas se voir ce soir, je t'embrasse. A. »

Le jeudi matin, j'ouvris les yeux, anxieuse, j'avais horriblement mal dormi, mon sommeil avait été agité de mauvais rêves dont je ne me souvenais pas, mais qui me laissaient un goût amer. Je découvris un message d'Aymeric qui me donnait rendez-vous *sans faute* à notre restaurant habituel à 20 h 30. *De mieux en mieux.*

Un peu plus tard, je buvais un café assise dans le fauteuil devant la fenêtre, en fixant le zinc des toits parisiens, dévorée par la crainte de ce que me réservait la soirée à venir. Un fossé encore plus grand ? Des silences ? Des reproches ? De l'indifférence ? Une nouvelle humiliation ? Mon téléphone se manifesta. Avait-il des regrets ou bien mieux à faire ? Je fus soulagée de découvrir une photo du jardin de la Bastide envoyée par Cathie. Le lilas était en fleur, les fruitiers aussi. Sans le savoir, elle venait de m'envoyer une petite bouffée d'oxygène. Sans réfléchir, je l'appelai.

— Je savais que tu ne résisterais pas au lilas !

Sa remarque me fit rire, elle me connaissait si bien.

— Comment vas-tu, ma Cathie ?

— Tout va bien chez nous, tout va toujours bien, tu sais. Mais toi ?

Je me traitai de tous les noms à cause de ma fichue spontanéité. J'allais devoir lui mentir et je ne le supportais pas.

— C'est dur de respecter les consignes... Et la Bastide ?

— Rien à signaler. Je suis passée ce matin pour ouvrir, il fait tellement beau. La saison a commencé ! Peut-on s'y installer pour le week-end ?

— Combien de fois va-t-il falloir que je te le dise ! Tu sais très bien que la maison est à vous quand vous voulez.

— Merci, je le sais, mais j'ai du mal à y être sans toi.

— Comment vont Mathieu et Max ?

— En pleine forme…

Je l'écoutai d'une oreille me donner des nouvelles de sa petite famille, non pas que je m'en désintéresse, bien au contraire, ils me manquaient énormément, mais je sentais comme un appel contre lequel je ne pouvais pas lutter.

— Si je descendais, tu en dirais quoi ? la coupai-je.

Elle laissa filer quelques secondes, puis :

— Tu es sérieuse ?!

— Je n'en sais rien, je viens tout juste d'y penser. Je serais mieux chez nous qu'enfermée dans mon quarante mètres carrés jusqu'à la fin de mon arrêt. Je crève d'ennui, je vais devenir dingue si je ne prends pas l'air !

— Ce n'est pas moi qui dirai le contraire ! Allez, viens !

Je me retenais de rire, tant l'excitation prenait le dessus.

— Tu arrives quand ? s'enthousiasma Cathie.

— Aucune idée… Je vais regarder les horaires de train et j'ai deux-trois trucs à régler avant de partir.

— J'ai bien fait de passer à la Bastide ! Je vais en profiter pour préparer ta chambre.

— Non ! Je le ferai en arrivant. Laisse-moi ce plaisir.

— Bien sûr, mais je suis si heureuse à l'idée de t'avoir avec nous !

— Moi aussi.

Un ange passa.

— Hortense ?

— Quoi ?

— Tu viens vraiment ?

Je pris deux secondes de réflexion.

— Je crois bien ! Je t'embrasse.

On raccrocha. Je tremblais comme une feuille d'excitation et d'angoisse mêlées. Je n'en revenais pas. Il avait suffi d'un coup de fil pour que j'envoie tout valser, pour que je pense à moi. Je voulais déjà avoir fait ma valise, être dans le train, être là-bas… là-bas, chez moi. Depuis le début, le manque de mes parents m'avait saisie ; je ne les ferais pas revenir en allant à la Bastide, mais je serais auprès d'eux. Je devais faire le point sur ma vie, l'état des lieux, et surtout m'éloigner d'Aymeric, même si l'idée d'être loin de lui me terrifiait. En revanche, je ne pouvais pas partir sans repasser par l'école.

*
* *

À 13 heures, j'arrivai à l'école pour déjeuner avec tout le monde. À entendre la voix de Sandro et la musique de Bertille, chacun dans son studio, la jalousie me tordit le ventre. Trop préoccupée par l'attitude d'Aymeric, j'avais occulté le manque. Mais il était là, bien là, vissé au corps, la danse, me déployer en rythme, m'exprimer par mes gestes, mes enchaînements, sentir mes muscles sous tension, enseigner mon art, voir mes élèves évoluer, prendre du plaisir. En un claquement de doigts, on me l'avait retiré, j'étais vide. En pénétrant dans le bureau, j'eus un mouvement de recul, ma remplaçante y était. Et elle y avait désormais toute sa place. Bientôt, elle ne serait plus ma remplaçante mais bien ma partenaire.

— Bonjour, Fiona, lui dis-je doucement.

Elle leva le visage du planning qu'elle était en train d'étudier et ouvrit les yeux en grand.

— Hortense !

Elle bondit de sa chaise, toute guillerette.

— Venez vous asseoir ! Ne vous fatiguez pas.

— Merci, ça va et je veux aller jeter un coup d'œil à leurs cours.

— Je comprends !

Je posai mon sac, mon blouson et abandonnai mes béquilles. J'en avais besoin, mais je ne les supportais déjà plus et surtout je ne voulais pas traverser l'école avec, je me sentais bien assez diminuée. Je mettais les risques de côté… Avant de quitter la pièce, je me tournai vers elle.

— Vous me donnerez des nouvelles de mes élèves pendant le déjeuner ?

— Avec plaisir !

Je suivis le couloir en regardant les photos accrochées aux murs – souvenirs des spectacles des cinq dernières années, des heures de gloire d'Auguste – puis je fis un crochet par le vestiaire et m'assis sur un banc. Hier encore, c'était mon quotidien, un peu comme une annexe de mon appartement. Les participants aux cours du matin étaient des adultes, aussi ce n'était pas le foutoir. Pourtant, des affaires d'ados – des justaucorps, des chaussons, des jambières – traînaient çà et là. Quand allais-je les revêtir à mon tour, participer à nouveau à l'agitation de l'école ? Je réalisai que, même pour le spectacle de fin d'année, je serais en retrait, j'avais perdu la main. L'impression d'avoir pris la bonne décision en m'éloignant de tout cela se renforça, je n'avais aucun intérêt pour le masochisme. Peut-être m'en désintéressais-je aussi ?

Quelques minutes plus tard, j'entrai dans le studio de Bertille. Je me glissai discrètement dans un coin ; elle était concentrée, mais elle me repéra et eut un petit sourire discret. Il y avait bien longtemps que je n'avais plus pris le temps de l'admirer. Sa grâce et sa délicatesse m'hypnotisèrent. Elle invita ses élèves à entamer leurs étirements avant de se diriger vers moi.

— Viens avec nous, cela va te faire du bien.

— Non, je ne vais pas perturber…

— Nous avons une invitée d'honneur, mesdames.

Toutes les danseuses se tournèrent vers nous, elles me connaissaient et m'envoyèrent des signes encourageants de la main.

— Ne te fais pas prier !

— OK !

Je m'allongeai et, durant de longues secondes, je restai sans bouger, les mains le long du corps, paumes vers le sol, parcourue par la chair de poule. Du plaisir à l'état pur. Je m'imaginai le bruit mat des pieds qui retombent au sol après un saut. J'aurais donné n'importe quoi pour être à la barre, lever les jambes l'une après l'autre et les tendre, les malmener avant de me lancer dans une pirouette et renouer avec cette sensation d'apesanteur lorsque je ne touchais plus terre. Mes poings se serrèrent, mon visage se crispa. Les mains de Bertille se posèrent sur moi et, sans dire un mot, elle me guida dans mes mouvements ; la sensation était magique, des nœuds se dénouaient, mes muscles se détendaient. Mon corps se laissait aller alors même qu'il reprenait de la consistance grâce au travail délicat de Bertille. Elle donna rendez-vous à ses élèves la semaine suivante sans cesser de s'occuper de moi.

— C'est sympa d'être venue nous voir, me dit-elle, une fois le studio vide. Comment vas-tu ?

— Plutôt bien…

— Tu as une petite mine, quand même.

— Je ne sors pas beaucoup de chez moi.

— Tu manques d'UV ! Et le moral ?

— Je gère…

— Tu fais la fière…

Je redressai le visage vers elle, sa perspicacité était vive.

— Pourquoi tu n'es pas venue avec moi ? brailla Sandro en nous interrompant. Cet après-midi, je te kidnappe !

— Je ne crois pas ! lui répondis-je en riant de soulagement.

Le déjeuner fut naturellement joyeux. Je pris le parti de faire comme si la présence de Fiona n'avait rien d'étrange, et n'entachait pas notre complicité. Bizarrement, je ne ressentais aucune rivalité, j'avais presque l'impression d'être face à une extension de moi-même en plus motivée – j'avais eu cette fougue à une époque – ou bien qu'elle avait toujours été parmi nous. Son regard neuf et extérieur nous apportait de la fraîcheur et des idées qui ne nous auraient même pas effleuré l'esprit. Malgré le coup de vieux indéniable que cela donnait, embaucher des jeunes avait du bon ! La question de la rentrée de septembre fut abordée, ils projetaient de réhabiliter d'anciens studios au fond de la cour de l'immeuble qui dataient de l'époque hyperactive d'Auguste et que nous n'avions encore jamais utilisés. Pas besoin. Subitement, je repensai à la mise en garde d'Aymeric. Si je continuais à me lamenter sur mon sort et me mettre en retrait, finirais-je sur le carreau ? Était-ce raisonnable de partir ? Je chassai très vite cette idée, il me rendait parano. Comment avait-il pu devenir nocif à ce point ? Fiona nous quitta au moment du café, des élèves l'attendaient. Je lui demandai de leur passer le bonjour, en déclinant sa proposition de me joindre à elle. Je n'avais pas le courage de les voir.

— Elle est vraiment bien, dis-je à mes deux amis une fois qu'elle fut partie.

Bertille mit les pieds dans le plat :

— Bon, maintenant, arrête de tourner autour du pot, tu as quelque chose à nous dire, sinon tu ne serais pas venue ! Tu fais style je vais bien, tout le monde est gentil, tout le monde est beau, mais je n'y crois pas une seule seconde.

Je leur offris un maigre sourire.

— Ce n'est pas facile. Le temps me semble long… Du coup, je descendrais bien passer quelque temps dans le Sud. J'ai besoin de soleil. Mais je veux être certaine que cela ne vous dérange pas.

— Bien sûr que non ! me répondit-elle.

— Tu aurais tort de ne pas en profiter, enchaîna Sandro. À ta place, j'y serais déjà depuis longtemps !

— Tu penses y rester jusqu'à la fin de ton arrêt ? s'enquit Bertille.

— Peut-être.

Sans me laisser le temps de ruminer sur la facilité avec laquelle ils me laissaient partir, elle enchaîna :

— Aymeric en dit quoi ?

Bien malgré moi, je sentis mon visage se fermer.

— Hortense ? s'inquiéta Sandro.

— Il ne le sait pas encore… je le lui annonce ce soir. Je verrai bien ce qu'il en dit, finis-je en haussant les épaules, apparemment indifférente.

— Tout va bien avec lui ? me demanda Bertille, dont l'ironie était palpable.

Je la sentais prête à mordre, prête à cracher ce qu'elle avait sur le cœur, et la dernière chose que je souhaitais aujourd'hui était une prise de bec dont elle sortirait à raison victorieuse.

— Pourquoi voudrais-tu que ça n'aille pas ?

Elle secoua la tête, plus affligée que jamais.

— Je ne sais pas qui tu cherches à convaincre, mais ne te fatigue pas avec moi, son sort est déjà réglé et depuis un bout de temps.

— J'en ai bien conscience, lui répondis-je du tac au tac.

On se défia du regard.

— Vous êtes chiantes, les gonzesses, à vous prendre la tête ! nous interrompit Sandro.

Je réussis à rire et jetai un coup d'œil à ma montre.

— Vous allez être en retard ! Filez vous préparer ! C'est moi qui régale, ce midi.

Je me levai et boitai jusqu'au comptoir pour payer l'addition.

— Tu nous rejoins à l'école ? me proposa Sandro.

— Non, je vais rentrer.

Il me prit dans ses bras et me serra fort.

— Amuse-toi bien ! Et reviens-nous en forme !

— Compte sur moi.

142

Ensuite, ce fut au tour de Bertille.

— On ne peut pas être d'accord sur tout.

C'est sûr...

— J'ai bien compris dernièrement que tu avais un problème avec Aymeric. Ce que je ne comprends pas, c'est pourquoi tu as attendu si longtemps avant de me faire part de tes réserves...

— Tu es sourde et aveugle dès qu'il est question de lui... Fais simplement attention à toi. Tu as raison de prendre le large, prends-le autant que tu veux. L'école t'attendra.

Je l'attrapai contre moi et l'embrassai.

— Je t'appelle bientôt.

— Tu as intérêt.

Ils partirent tous les deux, retrouver l'école, retrouver leurs élèves. Et je m'effaçai, volontairement.

*
* *

J'avais conscience de ne pas être raisonnable. Je cherchais à me faire du mal, tout en me mettant en danger de manière inconsidérée, mais je voulais des preuves et surtout je voulais le faire souffrir, distiller un venin. Alors, après m'être coiffée et maquillée avec soin, j'enfilai ma robe dos-nu, attrapai mes sandales à talons et avalai la dose maximale d'antidouleur. Puis, sans l'aide de mes béquilles, je claquai la porte de mon appartement pieds nus, avec mon attelle en place, pour épargner encore un peu ma cheville. Je descendis prudemment l'escalier et boitillai jusqu'au taxi.

Je ne retirai mon attelle que devant le restaurant, la cachai dans mon immense sac à main et attachai mes sandales au mépris du danger. Dès le premier pas, j'étouffai un gémissement de douleur. La colère et la détermination m'aidèrent à faire le deuxième. Je fus accueillie par notre serveur :

— Vous allez beaucoup mieux, merveilleux ! Et figurez-vous que j'ai une surprise !

— Quoi donc ?

— Il est déjà là, il vous attend.

Je restai bête quelques instants. En avance ? Cela ne lui arrivait jamais. Je me ressaisis très vite, sachant qu'il me voyait depuis notre place habituelle.

— Merci ! Je vais le rejoindre, pas besoin de m'accompagner.

Souriante, je pris la direction de notre alcôve, mettant tout en œuvre pour marcher le plus normalement possible, ce qui se révélait bien plus ardu que je ne l'avais imaginé. Pourtant, j'y parvins. Mais je me sentais si ridicule. Je tombais vraiment bas, je ne respectais même plus mon corps. Pourquoi avais-je fait une telle connerie ? Je croisai le regard pénétrant d'Aymeric. Je crus y apercevoir un éclair de désir. À mon approche, il se leva, vérifia autour de lui que personne de sa connaissance ne le regardait et fit deux pas vers moi. Lorsque nos corps se frôlèrent, il se pencha et effleura mon cou de ses lèvres. Je ne pus m'empêcher de m'agripper quelques instants à lui. Ma faiblesse me gifla. J'eus brusquement envie de pleurer et me dégageai pour m'asseoir. Ma cheville allait pouvoir se reposer.

— Hortense, que t'arrive-t-il ? murmura-t-il, inquiet.

144

— Rien, lui répondis-je en plongeant le nez dans la carte. Tu m'as manqué, c'est tout.

Je sentais son regard inquisiteur sur moi.

— Ça te réussit de sortir de chez toi, j'ai l'impression de te retrouver. Tu vas tellement mieux, c'est incroyable ! Il y a quinze jours, tu n'arrivais pas à marcher !

Il croyait que le jouet avait rechargé ses piles. Mais non, il se trompait, je n'allais pas mieux et j'aurais aimé qu'il m'engueule en me disant que je n'avais pas besoin de mettre ma santé en danger pour lui. Il n'y pensait même pas. Je devais être indestructible, belle, sensuelle, en permanence disponible pour lui. Souhaitant jouer jusqu'au bout le rôle que je m'étais donné pour la soirée, je lui décochai un sourire enjôleur.

— Je devrais t'écouter plus souvent. Tu as toujours raison.

Il rit, satisfait. Le serveur prit notre commande sans qu'Aymeric ne cesse de me dévorer des yeux. Il avait envie de moi, j'aurais pu croire que mon pouvoir sur lui était intact. La possessivité avec laquelle il caressait ma main était pleine de désir, pourtant, par moments, son regard se voilait, il devenait soucieux. Il me faisait peur. Qu'avait-il à me dire ? Il me lança un sourire contrit.

— Je… je tenais à m'excuser pour l'autre soir, je ne pouvais vraiment pas me libérer.

Il secoua la tête, apparemment dépité, et poursuivit :

— Ça m'emmerde, je te jure… Je suis navré, mais on ne pourra pas se voir pendant dix jours. Je suis en déplacement la semaine prochaine, et après c'est le week-end de Pâques, lundi, c'est férié.

Ah ! les jours fériés, on laisse sa maîtresse se reposer...

— Pas de problème, je ne te fais aucun reproche.

Interloqué, il fronça les sourcils. Il ne s'y attendait pas, à celle-là.

— Ça tombe plutôt bien, en réalité, lui répondis-je, volontairement détachée.

— Pourquoi ?

— Je descends quelque temps à la Bastide.

Il lâcha ma main et se cala au fond de la banquette.

— Tu pars longtemps ?

Une légère panique perçait dans sa voix.

— Je ne sais pas trop encore... Je n'en peux plus d'être enfermée chez moi à ne rien faire. Je serai mieux là-bas pour la fin de mon arrêt.

Il pâlissait à vue d'œil, je lui faisais du mal. Exactement ce que je souhaitais. L'appâter de tous mes attraits pour les lui retirer juste après.

— La fin de ton arrêt ? Tu pars peut-être pour deux mois ?

— Oui ! Ça va être génial, je vais pouvoir en profiter.

Il s'accouda à la table et se prit la tête entre les mains.

— Quand as-tu pris cette décision ? demanda-t-il dans un souffle.

— Ce matin.

L'arrivée de nos plats nous interrompit. Il se redressa, le visage fermé, et but une gorgée de vin.

— Tu as raison de partir, lâcha-t-il après quelques bouchées en me regardant droit dans les yeux. Il faut que je me consacre au boulot et un peu plus au reste… Je néglige tout en ce moment.

La fin du dîner se fit dans le silence, chacun enfermé dans des pensées qui ne devaient pas être très positives. Il souffrait, j'y prenais du plaisir. Lui en réponse, comme pour se venger, me balançait son *reste*, sachant pertinemment qu'il n'y avait pas pire pour moi. Pourquoi étions-nous en train de nous faire du mal ? À quoi bon, au final ?

Lorsqu'un peu plus tard il trouva une place en bas de chez moi, nous n'avions pas échangé beaucoup plus que des banalités. Il coupa le moteur, c'était l'instant de vérité.

— Tu es pressé de rentrer ou tu montes ?

En guise de réponse, il ouvrit sa portière. Pour ce soir, j'étais responsable, mais notre histoire devenait sale, laide. Au pied de l'escalier, je retirai mes sandales, ma cheville me faisait atrocement souffrir ; je ne pouvais plus le cacher. Il passa son bras autour de ma taille.

— Appuie-toi sur moi.

Lorsque je refermai la porte de mon appartement derrière nous, je n'allumai pas la lumière. Il se colla à mon dos et me serra fort, enfouissant sa tête dans mon cou. Je m'accrochai à ses bras qui m'enserraient.

— Tu pars quand ? murmura-t-il.

— Demain matin, répondis-je tout aussi bas.

147

C'était sorti tout seul. Il fallait que je parte vite, le plus vite possible. Il me serra encore plus fort, à m'en faire mal. Ses lèvres se pressèrent dans ma nuque, il me mordilla légèrement la peau, je gémis. Je le connaissais assez pour savoir qu'il était en train d'essayer de me faire changer d'avis en attisant mon désir. Il me retourna face à lui et enferma mon visage entre ses mains.

— N'oublie pas que je t'aime.

Avec cette déclaration, il me demandait de rester, d'être disponible pour lui. Mais je ne lui céderais pas. Parce que je savais que j'avais raison de partir. C'était une question de survie. Je l'attirai vers mon lit en l'embrassant avec toute la force de mes émotions contradictoires ; je voulais le rejeter et, pourtant, j'attendais qu'il m'aime. Il me déshabilla en prenant son temps, en effleurant ma peau, il savait si bien faire monter le désir en moi. Il me fit l'amour pour me marquer, pour que je ne l'oublie pas, pour que je l'aie dans la peau. Il avait la maîtrise de mon corps et de mon plaisir, il en jouait, en usait et en abusait ce soir. Il me montrait toute l'étendue de son pouvoir sur mes sens et sur moi. Ça me rendait folle, ça me dégoûtait de moi-même ; j'étais faible. J'abdiquais, guidée par l'espoir de son amour sincère.

Dans l'obscurité de la chambre, il détaillait mon visage, le regard triste.

— À quoi penses-tu ? chuchotai-je.

— Tu vas me manquer…

Il le pensait, je le sentais.

— Toi aussi, mais tu as l'air tellement occupé et préoccupé dernièrement que tu ne vas pas avoir le temps de t'ennuyer de moi.

— Ne dis pas de bêtises… Je ne supporte pas que tu sois loin de moi.

Il picora mes lèvres de sa bouche quelques instants, puis m'offrit un baiser qui me chavira.

— Je dois y aller.

Il se détacha de moi et alla s'enfermer dans la salle de bains. En retenant mes larmes, j'éprouvai le besoin d'enfiler des vêtements, ma nudité me dérangeait, me donnait l'impression de n'être qu'un corps pour lui. Ensuite, je me glissai sous la couette dans laquelle je m'enroulai. Mon courage vacillait, je doutais de moi-même. Qu'allait-il découler de cette séparation dont j'étais à l'origine ? N'avais-je pas complètement déliré ces derniers jours ? Si je voulais être honnête, ces dernières heures, il m'avait aimée, j'avais à nouveau eu le sentiment d'exister pour lui, je tremblais encore de la jouissance qu'il avait provoquée. N'étais-je pas en train de créer des soucis là où il n'y en avait pas ? Peut-être tendais-je le bâton pour me faire battre ? Mais ce soir, je lui avais offert la représentation de celle qu'il voulait que je sois. Et puis, il m'avait aussi parlé du *reste* qu'il négligeait. Certes, il me l'avait dit pour me blesser, mais n'y avait-il pas un fond de vérité ? Pourquoi cette inquiétude subite pour sa femme et sa famille ? Se passait-il quelque chose dans sa vie qu'il me cachait ? Je sentis sa main sur ma joue, je relevai les yeux. Il était accroupi devant moi et me souriait. Toute tristesse semblait s'être dissipée de son visage. J'eus mal, j'aurais aimé le voir rongé par le chagrin.

— Tu as raison de partir, Hortense, tu as l'air d'en avoir besoin. Reviens-moi en forme. On pourra reprendre les choses comme avant… avant ta chute.

Tu te trompes. Rien ne sera plus jamais comme avant. Tu ne t'en rends pas compte, mais tu viens d'enfoncer le clou.

— Je vais essayer, murmurai-je.

Il se pencha vers moi et j'attrapai son cou avec mes bras. Je me serrai contre lui une dernière fois.

— Je t'aime, Aymeric. Ça va être dur sans toi.

Je craquais lamentablement, je ne pouvais pas le laisser partir sans le lui dire.

— Je ne peux rien te promettre, mais j'essaierai de venir te voir.

— D'accord, soufflai-je.

Je desserrai légèrement mon étreinte, il posa son front contre le mien et déposa un petit baiser sur mes lèvres. Puis je le lâchai complètement.

— Endors-toi vite.

Il s'éloigna lentement du lit, sans me quitter des yeux. Il m'envoya un sourire et tourna les talons. Avant de disparaître, il me lança un dernier regard par-dessus son épaule.

— Je t'appelle.

Il referma la porte sans bruit.

7

— Tu peux t'arrêter ? demandai-je à Cathie lorsque sa voiture s'engouffra dans le chemin menant à la Bastide.

— Pourquoi ?

— Je veux finir à pied.

— Tu n'es pas raisonnable.

— Fais-moi confiance, j'en ai besoin.

Elle soupira, résignée, et coupa le moteur.

— Merci.

Après avoir vérifié mon attelle, je me lançai. Je fis quelques pas et offris mon visage au ciel en fermant les yeux. J'inspirai profondément. Le parfum de la nature, avec ses essences de pins, de thym sauvage et de lavande, m'insuffla l'oxygène qui me manquait depuis si longtemps. Je respirais mieux. Un sourire s'épanouit sur mes lèvres. Le grand portail en fer forgé se dressait devant moi : je le débarrassai du cadenas qui protégeait la serrure. Je poussai les portes du paradis. Leur grincement me rappela papa et son besoin maladif de mettre de l'huile pour entretenir les gonds. Instinctivement, j'ouvris en grand.

Sans me préoccuper de ma cheville, je pris l'allée bordée de cyprès et finis par couper à travers champs. Je marchais comme je le pouvais dans les herbes hautes, le printemps avait fait son œuvre, le terrain était presque en friche, avec des coquelicots par-ci par-là. Les arbres étaient en forme, la fraîcheur de l'hiver leur avait fait du bien, les amandiers étaient en fleur, les oliviers paraissaient plus forts que jamais, bien enracinés dans leur terre. Le Luberon, cette petite montagne qui était mon port d'attache, se dressait devant moi, face à la maison. Loin de nous étouffer, sa proximité nous protégeait, nous rassurait, par la douceur de ses formes que l'on pouvait qualifier de voluptueuses. J'adorais le contempler le soir au coucher du soleil, il n'en devenait que plus doux lorsqu'il se teintait de rouge orangé. Il donnait l'impression qu'on pouvait le caresser comme une peau délicate. Je me donnai une tape sur la cuisse, brusquement énervée par cette jambe qui m'empêchait de courir à travers le terrain. Et puis, je me moquai de moi-même : si je n'étais pas tombée, je n'aurais pas été arrêtée et je n'aurais pas eu besoin de fuir Aymeric et son amour défaillant, je ne serais donc pas là. L'olivier de papa et maman m'appelait, je leur envoyai un baiser par la pensée et leur promis que je viendrais les voir le lendemain. Il était temps de retrouver la maison.

Le volet de la porte d'entrée avait toujours été capricieux, je dus m'acharner en tirant dessus, il ne me résista pas longtemps. Je savais précisément où donner un coup d'épaule pour le débloquer. L'odeur de la Bastide emplit mes narines ; ce parfum de maison de campagne, l'odeur familière de renfermé, celle qui rassure, qui dit *Rien n'a bougé, rien n'a changé*, cet effluve, souvenir des jours heureux, légèrement teinté de feux de bois, réminiscence des flambées faites l'hiver précédent à Noël en compagnie de Cathie et Mathieu. Le temps d'ouvrir tous les volets du séjour, Cathie arrivait avec ma petite valise et mes béquilles à la main lorsque je ressortis sur la terrasse. Je boitai jusqu'à elle pour récupérer mes affaires.

— Merci, lui dis-je, toujours aussi souriante.

Elle m'attrapa par le bras et m'entraîna jusqu'aux grands fauteuils sur la terrasse. Je m'assis pour le plus grand soulagement de ma cheville et Cathie prit place sur l'accoudoir à côté de moi.

— Alors ? me demanda-t-elle en calant sa tête contre la mienne.

— Je me sens déjà mieux, tu ne peux pas imaginer.

— J'avais tort. Ta petite marche n'a pas eu l'air de te faire mal. Je dirais même que tu marches mieux qu'à la descente du train.

Elle avait raison ; je n'étais pas en grande forme quand je l'avais retrouvée. J'avais comaté durant les deux heures et demie de TGV, n'arrivant pas à trouver le sommeil, alors même que durant la nuit j'avais à peine fermé l'œil, trop occupée à pleurer.

— Quand vas-tu chercher Mathieu et Max ?

— Je ne vais pas tarder, mais tu es certaine que tu veux qu'on te rejoigne ce soir ?

— Vous n'allez pas changer vos habitudes pour moi. Et nous n'avons pas passé de week-end ensemble depuis trop longtemps, ma Cathie.

— Je suis bien d'accord.

Elle déposa un baiser maternel dans mes cheveux et se releva. Elle m'enveloppa d'un regard doux, qui emplit mon cœur de joie.

— Je te laisse venir, me dit-elle. Tu parleras quand tu voudras.

Sa remarque me fit éclater de rire.

— Je sais, ne t'inquiète pas, tu ne devrais pas attendre trop longtemps.

— Je file !

J'attendis que sa voiture ait disparu pour rentrer. À chaque séjour, la maison me semblait plus grande que dans mes souvenirs. À croire qu'elle grandissait avec moi, mais bien plus solidement. Je laissai les portes-fenêtres du salon et de la salle à manger grandes ouvertes. Je fis entrer la lumière dans la cuisine, maman l'avait voulue rustique, jamais elle n'avait cédé aux sirènes de la modernité, et ce pour aucune des pièces. La Bastide était ainsi. Tout y était en bois clair, patiné, dépareillé. Sur les canapés et les fauteuils, on trouvait des plaids et des coussins aux tons pastel, doux, les mêmes que ceux des rideaux aux fenêtres. Ensuite, je me rendis à l'étage, celui des chambres d'hôtes.

Mes parents, bien avant moi, avaient décidé de transformer une partie de la maison en bed and breakfast. J'avais logiquement repris le flambeau. Je me contentai d'ouvrir les volets et ne m'arrêtai que dans la pièce où Cathie et ses hommes allaient s'installer pour le week-end ; je tenais à ce que tout soit prêt pour leur arrivée. Dans le placard, j'attrapai le linge réservé à cette chambre pour faire le grand et le petit lit. De retour au rez-de-chaussée, je pris mon courage à deux mains.

Entrer dans la chambre de *papa et maman*.

Je me dirigeai vers la fenêtre pour l'ouvrir avant de me tourner vers leur nid. Rien n'avait bougé depuis leur départ. Chaque fois que je venais, j'y faisais le ménage et changeais les draps, ne prenant que les préférés de maman. Personne, sinon moi, n'avait le droit de s'en occuper et personne n'y dormait jamais. Je fis glisser ma main le long de la commode, y laissant une trace dans la poussière. Je contemplai l'un après l'autre les cadres photo où nous étions heureux tous les trois. L'un d'eux retint particulièrement mon attention. Il incarnait le véritable amour, un amour si fort que la mort ne pouvait pas le séparer, un amour qui avait vaincu les obstacles, qui avait tout enduré, le pire comme le meilleur. Que devaient-ils penser de leur fille qui vivait une histoire d'amour avec un homme ne voulant que le meilleur avec elle, parce qu'il avait déjà le meilleur comme le pire dans son *autre* vie ? Ils devaient être tristes pour moi, mais ils ne me jugeaient pas, ou plutôt ils ne m'auraient pas jugée. Pour eux, l'amour ne se jugeait pas, il se vivait, pour peu qu'il fût sincère. Il n'avait pas fallu longtemps pour qu'Aymeric vienne ternir mes retrouvailles avec la Bastide… Je caressai le boutis sur le lit et quittai la pièce. Je me sentis mieux dès que j'eus pénétré dans ma chambre. Je m'absorbai dans la vue, qui donnait sur les oliviers et la lavande. Malgré la petite fraîcheur du début de soirée, je laissai tout ouvert le temps de faire mon lit. Depuis toujours j'y dormais tellement bien, au point que j'eus presque l'envie de me coucher immédiatement.

Je fus tirée de mes rêveries par un coup de Klaxon retentissant. Je boitai jusqu'au jardin, la petite famille au grand complet débarquait.

— Marraine ! cria Max.

Je lui tendis les bras en riant. Il courut vers moi et s'accrocha d'un bond à mes jambes. Je grimaçai, réalisant que j'avais un peu trop tiré sur la corde depuis ma descente du train.

— Comment vas-tu, mon bonhomme ?

— Ça va !

— Max, laisse Hortense, il faut faire doucement, elle a un bobo à son pied, lui dit sa mère en nous rejoignant.

Je fis signe à Cathie que tout allait bien. Amusée, elle leva les yeux au ciel. Mathieu apparut à son tour, les bras chargés, comme pour un déménagement. Il fit une halte à côté de moi, je lui collai une bise sur la joue.

— Je peux entrer et déposer tout ce bazar avant de t'accueillir comme il se doit ?

— Vas-y, fais comme chez toi.

Je l'entendis râler au loin à cause du « bordel » que sa femme l'avait obligé à apporter.

— Il faut bien occuper ton fils et se nourrir, mon amour, se moqua-t-elle.

Il rit à gorge déployée de son grand rire communicatif. Puis il revint vers nous et me souleva dans ses bras. Mathieu était un colosse, bourru au premier abord, mais en réalité un gros nounours sentimental.

— Alors, on rentre au bercail ! Rien de tel qu'un séjour chez toi pour te remettre sur pied.

Il m'embrassa comme du bon pain, avec les trois bises du Sud, et me reposa délicatement sur le plancher des vaches.

— Bon, Max, tu viens avec moi. Les filles, vous mettez vos petites laines, et nous les hommes, on s'occupe du dîner et de l'apéro !

Il fit grimper son fils sur son épaule et disparut dans la maison.

— Viens t'asseoir et mettre ta cheville en l'air, exigea Cathie. Je ne savais pas que les béquilles étaient en option.

On rit toutes les deux de sa gentille remontrance.

Nous avions regardé la nuit tomber en sirotant un vin rouge du coin, fort, gorgé de soleil. Max dormait du sommeil du juste. Mathieu et Cathie me donnaient des nouvelles du village, des voisins, des anciens copains. Tout, tout le monde me semblait proche, comme si, malgré la distance du quotidien, ils faisaient partie de moi. Happée par ma vie parisienne, j'avais tendance à l'oublier, mais dès que je revenais, j'avais le droit à un rappel à l'ordre en règle, pour mon plus grand bien et mon plus grand plaisir. Ils se mirent à me charrier un peu – glaçon emmitouflé dans une couverture. Quand j'étais à la Bastide, j'avais beaucoup de mal à envisager la vie à l'intérieur. Aussi était-ce très compliqué pour moi de dire « On rentre », même si je gelais sur place. Eux, bien qu'habitués aux températures clémentes de la région, étaient à l'épreuve du temps, ils encaissaient le chaud comme le froid. À croire que leurs corps se régulaient en fonction du climat.

— Tu es là pour combien de temps ? me demanda Mathieu.

— Euh…

— Mais laisse-la donc, elle vient à peine d'arriver ! l'interrompit sa femme.

— Bah, je veux savoir combien de soirées on va se taper dehors !

— Si tu as besoin d'être enfermé, je te file les clés de mon appart à Paris, lui répliquai-je en riant.

— Plutôt crever ! Comment peux-tu vivre dans une cage à poules pareille ?

Mathieu était né et mourrait ici. Dans sa campagne. C'était écrit. Il fuyait la ville, le monde, tout ce qui pouvait ressembler de près ou de loin à la foule. Il aurait pu vivre dans une cabane au fin fond des bois canadiens, il avait tout du trappeur, un peu sauvage. Même les gens du coin, qui pourtant le connaissaient, avaient parfois un peu peur de lui quand il était mal luné ! Il préférait la compagnie des arbres, même s'il les débitait en petits morceaux. Cathie était tombée « raide dingue » de lui au lycée, son expression à l'époque. Combien d'heures avais-je passées assise à côté d'elle pendant qu'elle le mangeait des yeux en soupirant de l'autre côté de la cour, sans oser s'approcher de lui ! Et puis, ils s'étaient apprivoisés, elle la jolie et frêle danseuse classique, lui le futur bûcheron amoureux des abeilles.

— Non, mais sérieux, reprit-il. Tu prends tes quartiers d'été ou tu retournes là-haut bientôt ?

— Il faudra bien que je remonte. Mais pour le moment, personne n'a besoin de moi à Paris…

Cathie fronça les sourcils.

— Tu sembles bien catégorique, souffla-t-elle.

On y était.

— On vient d'embaucher quelqu'un, l'école est en train d'évoluer.

— Et…

Je savais très bien où elle voulait en venir. *Vas-y, Hortense, dis-le.*

— Aymeric… comment dire ?…

Mathieu émit un grognement, il avait tout du grand frère protecteur avec moi. Il n'avait jamais fait une seule remarque sur Aymeric, mais ils ne venaient clairement pas de la même planète. Quant à Cathie, elle prenait sur elle.

— Il a beaucoup de choses à gérer de son côté, et…

Ils étaient curieux, sans être indiscrets, je décidai donc de leur dire la vérité, vérité édulcorée pour commencer :

— Il faut que je m'éloigne de lui, j'ai besoin d'un peu de recul. Mon entorse est un prétexte parfait ! conclus-je, faussement joyeuse et résignée.

— Combien de temps vas-tu encore attendre ? s'inquiéta Cathie d'une voix douce, dénuée du moindre soupçon d'agressivité.

J'attrapai mon verre de vin et en bus une gorgée, soudain captivée par la nuit noire.

— C'est une bonne chose que tu sois là, me dit Mathieu après quelques minutes de silence. Ce week-end, on fera le tour du jardin et de la maison ensemble.

Il en savait assez pour se faire une opinion, sans compter que ce genre de conversation le mettait mal à l'aise. Alors, pour lui, rien de mieux que de revenir à ce qu'il aimait. Il s'occupait de l'entretien du domaine durant l'année. Il avait commencé à le faire du temps de papa et maman, un prêté pour un rendu. Quand mon père s'était senti trop vieux pour tout gérer, il avait proposé à Mathieu de s'en charger en échange de l'accès et de l'utilisation du terrain et d'une dépendance. Mathieu avait sauté sur l'occasion, ils n'avaient pas les moyens d'acheter plus grand que leur maison de village. Et même s'il passait toutes ses journées dehors, il n'en avait jamais assez. La seule fois où il avait dû regretter cet accord était le jour de leur mort : c'est lui qui les avait trouvés endormis pour toujours dans leur lit. Nous n'en avions jamais parlé, mais de ce jour, nous étions devenus encore plus proches, notre amitié avait pris un tour fraternel.

— Tout va bien ?

— Mais oui, du quotidien, c'est tout, rassure-toi, je t'aurais prévenue sinon !

Je fus prise à cet instant d'une irrépressible crise de bâillements. La fatigue me tombait dessus.

— On va aller se coucher, annonça Cathie.

Quelques minutes plus tard, alors que son mari était déjà là-haut, elle me serra contre elle.

— Dors bien et on reparle de tout ça quand tu veux.

— Merci.

Elle me lâcha et prit la direction de l'étage. Sa silhouette disparut non sans qu'elle m'ait au préalable adressé un petit signe de la main. J'éteignis les dernières lumières et regagnai ma chambre. Je récupérai ma trousse de toilette dans ma valise qui traînait dans un coin de la pièce. J'avais ma garde-robe ici et je quittais toujours Paris avec le strict minimum, comme si je changeais de peau suivant l'endroit où je vivais. En me glissant sous la couette, je soupirai de bien-être. C'était bon d'être là, dans mon lit, dans ma chambre. Comme si le simple fait d'y être m'ôtait un poids des épaules. J'avais le sentiment d'être très loin de tout, d'avoir quitté Paris depuis des lustres. Tout était à distance. Étrangement, ma cheville me faisait moins souffrir ; je m'étais habituée à la douleur, mais elle avait baissé en intensité. Bien sûr, elle était protégée et elle se remettait dans son attelle depuis déjà deux semaines, mais moi, je me sentais mieux, peut-être plus apaisée, plus en sécurité depuis mon arrivée, moins en proie au doute permanent. Cathie et Mathieu avaient ce pouvoir d'apaisement. Leur simplicité, leur affection me permettaient de relâcher la pression. Et leur avoir avoué que la situation était un peu compliquée avec Aymeric m'avait soulagée. Il n'y avait qu'à eux que je pouvais me confier sans craindre de réactions extrêmes. En réalité, c'était précisément ce dont j'avais besoin : savoir que je pouvais parler et être écoutée si l'envie m'en prenait. Les paupières prêtes à se fermer, je réalisai alors que mon téléphone était resté dans le salon. Je n'y avais pas jeté un coup d'œil depuis ma descente du train ! Je le laissai là où il était.

Le week-end fusa entre rires, lectures et jeux avec Max, cuisine et bavardages de filles au soleil avec Cathie, sans oublier les tours du jardin et de la maison avec Mathieu pour faire l'état des lieux. La Bastide se portait bien, même si j'allais devoir envisager quelques travaux de rafraîchissement dans les prochains mois. Ils pourraient attendre la fin de la saison, mais pas beaucoup plus. Pour éviter toute dégradation, certains devraient être réalisés avant l'hiver. Le dimanche matin, alors qu'il finissait son petit déjeuner, Mathieu m'annonça qu'il était sérieusement temps de mettre la piscine en eau ; je n'allais pas lui dire le contraire. Les températures plus que clémentes nous permettraient de nous offrir une baignade dans les prochains jours. Entraînant son fils avec lui, il se mit au travail. Voir Cathie, qui suivait des yeux ses deux amours, me toucha droit au cœur. Elle se tourna vers moi, un sourire timide aux lèvres.

— Quoi ?

— J'ai bien vu que tu n'avais pas encore franchi la porte de la salle de danse.

— Toi, alors ! Tu es redoutable ! lui dis-je en riant.

La frustration de ne pas pouvoir l'utiliser me freinait, j'avais retardé ce moment. *Peur d'avoir trop mal...*

— Tu veux qu'on l'ouvre ensemble ? Je peux t'accompagner ?

Sa proposition me soulagea. Seule, j'aurais été incapable de me confronter aux souvenirs liés à cet endroit.

— Oh oui, ce serait super.

Combien d'heures avions-nous passées à nous entraîner toutes les deux ? On pouvait les compter en mois, et encore, si on laissait de côté celles où nous y allions juste pour nous défouler !

— Ne bouge pas, je vais chercher la clé.

Il me fallut moins de cinq minutes pour mettre la main dessus dans le buffet de la salle à manger. Quand je ressortis, Cathie me scruta d'un drôle d'air.

— Dis donc, tu ne devais pas faire des séances de kiné, toi !

— Oups…

Je ricanai, gênée. Elle me fit les gros yeux, les mêmes que ceux qu'elle réservait à son fils quand il faisait une bêtise.

— Qu'est-ce qui te prend ? Tu ne les as pas faites ?

— J'en ai fait une, et puis, j'ai arrêté…

— Pourquoi ? Tu es malade ? À quoi tu joues ? Tu ne vas pas t'en sortir si facilement, je te préviens : demain, tu auras un rendez-vous.

— Je peux me débrouiller toute seule, tu ne crois pas ?

— Tu es kiné… ? Non ! Donc, tu m'obéis, un point c'est tout ! S'il le faut, je t'emmène.

— Non, je devrais pouvoir conduire à condition que ce ne soit pas trop loin.

— Considère que le problème est réglé ! Maintenant, on y va.

Elle m'attrapa par le bras et nous entraîna le long de la maison. En marchant, j'appuyai mon visage sur son épaule, sourire aux lèvres, véritablement réconfortée pour la première fois depuis des semaines, peut-être même des mois.

— Merci, ma Cathie, merci de t'occuper de moi, lui murmurai-je d'une petite voix.

— Quelque chose me dit que je suis la première à le faire.

Je serrai plus fort son bras. Nous nous trouvions devant « ma » salle de danse. Nous marquâmes un temps d'arrêt avant d'y pénétrer.

Papa avait restauré et réaménagé une vieille dépendance en ruine, dans laquelle il avait fait installer de grandes baies vitrées tout en prenant soin de conserver la glycine centenaire qui apportait de l'ombre et de la fraîcheur en plein été. Un cadre unique pour danser face à la nature sans souffrir des grosses chaleurs. Papa avait consacré une année entière à la rénovation de l'intérieur. Le résultat était exceptionnel. Comment oublier sa fierté lorsqu'il m'y avait fait entrer la première fois ?... J'avais quinze ans, et mon père m'offrait mon rêve et son admiration. Époustouflée par son travail et la beauté de la salle, j'avais tenu à danser pour lui. Maman était bien évidemment là, elle aussi. J'avais choisi un morceau de clarinette pour m'accompagner, même si je n'avais pas l'habitude de danser sur ce genre de musique. Mais cet instrument était sa passion à lui. Alors j'avais improvisé. Ma façon de lui dire merci et surtout *Je t'aime*. J'avais compris à cet instant précis à quel point je vivais une enfance et une adolescence dorées, gâtées, et combien j'étais choyée. En dansant, je n'avais pu m'empêcher de les observer à la dérobée : maman se cramponnait au bras de papa, les larmes de joie inondant son si beau visage ; lui, les yeux brillants, était tout aussi accroché à elle. Mon Dieu, comme ils brillaient, ses yeux... J'avais été percutée par leur amour. Quand le morceau s'était achevé, j'avais couru me jeter au cou de papa et l'étreindre avec toute la force de ce qui vibrait dans mon cœur. Je lui avais murmuré « Papa, mon petit papa ».

Aussi lorsque je franchis le seuil avec Cathie qui ne me lâchait pas et que je la découvris vieillie, marbrée de fissures, la peinture s'écaillant de-ci de-là, mon cœur se serra. Papa avait continué à l'entretenir jusqu'au dernier moment. Son ultime coup de rouleau datait de l'été précédant leur disparition. Pour des raisons d'économie, on ne la chauffait pas l'hiver ; résultat, l'humidité s'était incrustée. Des araignées avaient fait leur nid dans tous les coins, de grandes toiles zébraient les baies, l'odeur de la poussière vous prenait à la gorge, mais pas la jolie poussière, plutôt la poussière de l'abandon et du laisser-aller. Délicatement, je me détachai de Cathie et avançai en passant chaque centimètre carré au peigne fin. Dans le grand miroir, malgré sa saleté, je me découvris pour la première fois avec mon attelle, ma meilleure ennemie. Le choc fut à la hauteur de l'image pitoyable qu'il me renvoya. Je flottais dans mon short et dans mon vieux pull déformé. Bien sûr mon teint était cadavérique, mais mon corps, ce corps dont j'étais si fière, l'était tout autant ; il était blanc, amaigri, vidé de toute vitalité, de toute lumière. Le délabrement de la salle était à l'image du mien. Nous n'allions pas mieux l'une que l'autre. Je caressai la barre de tout son long, dernier vestige d'une époque où tout allait bien ; je la sentis solide, prête à supporter des étirements, des heures et des heures d'entraînement, je m'y agrippai de toutes mes forces, pour y puiser un peu d'énergie. Je ne devais pas me laisser abattre.

— Il y a du boulot, ici…

— Mathieu n'y rentre pas, pour lui c'est ton domaine.

— Hé ! Ce n'est pas un reproche. Je vais devoir trouver des solutions…

Elle me rejoignit et se posta derrière moi.

— Je ne t'ai pas posé la question, parce que j'ai ma petite idée, mais… ôte-moi d'un doute, il n'y aura pas de stage cet été ?

— Non… Ça fait partie des changements à l'école. On va s'agrandir et devenir plus pro, il paraît qu'on n'a pas le choix…

Elle laissa filer quelques secondes de silence, mes paroles la laissaient sceptique, mais elle se reprit :

— Vois le bon côté des choses, tu as du temps pour remettre la salle en état !

— Tu as raison.

Je ne voulais céder ni à la tristesse ni à l'inquiétude, aussi me ressaisis-je immédiatement :

— Bon, il me reste une dernière chose à vérifier !

J'allai jusqu'au meuble de la sono, la rebranchai. Ensuite, je fouillai quelques minutes dans les tiroirs, tombai sur le disque que je cherchais – souvenir de nos années collège, *I Wanna Dance With Somebody*, Whitney Houston – et me tournai vers Cathie, radieuse. Elle secoua vigoureusement la tête de droite à gauche d'un air de dire : « Hors de question ! »

— Oh si !

— Non ! Je ne danserai pas sans toi !

Cathie ne dansait plus depuis une dizaine d'années, aussi, lorsque j'étais là, me faisais-je un devoir de la remettre en scène.

— Allez ! la suppliai-je.

Elle fronça le nez, signe qu'elle mijotait quelque chose, et s'approcha de moi.

— Tu veux que je danse ?

— Oui !

— Eh bien, va chez le kiné, finis de te réparer, et là, je danserai avec toi.

J'éclatai de rire.

— Marché conclu !

Quel bonheur de déjeuner au soleil accompagnée du chant encore timide des cigales et des rires enfantins de Max. J'étais malgré tout soucieuse ; si je mettais bout à bout les petites rénovations à envisager, le budget allait être bien plus conséquent que prévu. Soyons clair, je ne l'avais pas. J'allais devoir faire des choix, traquer l'urgence en oubliant le superflu, tout en étant consciente que le superflu de cette année serait l'urgence de l'année prochaine.

— Tu penses à l'état de la salle de danse ? me demanda Cathie qui avait dû sentir mon humeur s'assombrir.

— Pas que… L'ensemble des petits travaux va me coûter un bras.

— Je vais mettre la main à la pâte, me proposa Mathieu.

— Merci, tu es gentil, mais tu en fais déjà bien assez et vous allez être débordés dans les prochains mois tous les deux.

Pour eux, le printemps et l'été étaient toujours une période d'intense activité et même d'hyperactivité. Mathieu enchaînait les chantiers de débroussaillement

– outre que nous nous trouvions en zone à risque d'incendie, il fallait compter avec les propriétaires de résidence secondaire qui se décidaient à la dernière minute pour abattre des arbres. Quant à Cathie, elle devait récolter son miel et profiter de l'afflux de touristes pour en vendre le plus possible tout en s'occupant de Max. Le matin, elle faisait les marchés, et, l'après-midi, elle ouvrait sa petite boutique dans le village. Aussi était-il hors de question que j'empiète sur leur temps de repos en famille. Et s'ils venaient à la maison, je voulais que ce soit pour lézarder et profiter de la piscine.

— Je pense à un truc, me dit Mathieu. Tu es là pour deux mois ?

— Oui, pourquoi ?

— Ce sont les vacances de Pâques, les Parigots débarquent et après on enchaîne sur tous les ponts de mai. Pourquoi tu n'ouvrirais pas les chambres d'hôtes ? Ça te ferait une petite rentrée d'argent.

Sa proposition était loin d'être saugrenue, mais…

— Je m'y prends trop tard.

— Il y a toujours des retardataires. Tente le coup !

— Je ne suis pas certaine que ce soit une bonne idée, l'interrompit sèchement Cathie.

Ça sent le roussi…

— Pourquoi ? lui rétorqua son mari, ahuri.

— Hortense est venue là pour se reposer, réfléchis un peu.

— Arrête de jouer à la mère poule, laisse-la respirer ! Tu le fais avec tout le monde !

— Si ça te gêne, je vais arrêter de m'occuper de toi et on en reparlera !

Il bougonna et je me retins de rire. Sans Cathie, Mathieu aurait été complètement perdu, elle venait de lui clouer le bec. Elle se tourna vers moi :

— N'en fais pas trop, si tu veux reprendre la danse rapidement.

— Tu n'as pas tort, mais faire des lits, un peu de ménage et les petits déjeuners ne devrait pas me pomper trop d'énergie, si je suis raisonnable le reste du temps.

Je pensais pourtant tout le contraire, ayant le souvenir d'étés qui me laissaient exténuée.

— Je serais étonnée que les touristes se bousculent au portillon.

— C'est vrai, concéda-t-elle. Mais attends de voir un kiné avant de prendre ta décision. Je serais rassurée...

— On fait comme ça.

Un peu vexé de ne pas avoir suscité plus d'enthousiasme avec son idée et de s'être fait remettre en place par sa femme, Mathieu se leva et chiqua la fin de son verre de rosé.

— Franchement, vous pinaillez ! Je vais continuer avec la piscine, tu pourras mettre sur ton annonce qu'elle est chauffée !

Le voir partir d'un pas décidé en ronchonnant finit de nous détendre et nous piquâmes un fou rire.

Le lendemain, je ressortis de ma séance de rééducation avec le sésame pour ouvrir la Bastide aux touristes. Je verrais le kiné deux fois par semaine tant que je serais là. D'ici une quinzaine de jours, je pourrais me débarrasser totalement de mon attelle. Le kiné m'avait affirmé qu'il n'y avait aucune complication. J'étais rassurée ; j'avais vraiment été inconsciente de m'en passer pour en mettre plein la vue à Aymeric, la douleur s'était réveillée. En secret, j'avais craint jusqu'à ce rendez-vous d'avoir aggravé mon cas. En revanche, même punition qu'avec le savant fou : interdiction de pratiquer toute activité autre que la marche. Pas de course, pas de mouvement, pas de danse… si je voulais danser à nouveau. Il ne me restait plus qu'à respecter les consignes à la lettre et prendre la décision d'ouvrir ou non les chambres d'hôtes pour les prochaines semaines.

Mathieu avait appuyé précisément au bon endroit. Cette idée avait rallumé une petite flamme qui se muait en excitation depuis que j'avais le feu vert. J'allais mener ma petite barque toute seule. Et même si les rapports entre propriétaire et clients étaient très superficiels, voir de nouvelles têtes me ferait du bien. Depuis le début de mon immobilisation, l'impression d'être inutile m'oppressait ; là j'allais enfin pouvoir occuper mes journées, et pour la bonne cause en plus. Sur le petit parking, je récupérai ma voiture : ma vieille Panda turquoise et son intérieur écossais fuchsia dont Mathieu avait rebranché la batterie la veille, à la fin du week-end. Je l'avais achetée à vingt-cinq ans, avec mes derniers cachets de scène, pour la laisser ici et être autonome quand je venais voir mes parents. Elle n'avait jamais quitté la Bastide. Je ne pouvais certes pas lui demander la lune – elle ne m'assurait qu'un minimum de sécurité et dépasser les 70 km/h pouvait se révéler périlleux. Mais elle me permettait de faire des courses, d'aller d'un village à l'autre, à condition qu'ils soient proches. Je ne franchissais par exemple jamais la combe ; si l'envie me prenait de passer du côté sud du Luberon, il fallait que je trouve une bonne âme pour me conduire ou me prêter sa voiture.

Il était plus de 19 heures lorsque j'arrivai enfin à la maison. J'allais pouvoir profiter du coucher du soleil. Je mis un peu de musique – l'album *Love & Hate* de Michael Kiwanuka – et m'installai dans un grand fauteuil face à ma montagne, un verre de rosé à la main. Je bus une grande gorgée, mon téléphone posé devant moi. Je sursautai lorsqu'il sonna. Cathie.

— Coucou ! Alors le rendez-vous chez le kiné a donné quoi ?

— Tu vas être contente, ma cheville se répare tranquillement.

— Excellente nouvelle ! Tu y retournes quand ?

— Dans deux jours.

— Qu'as-tu décidé pour les chambres ?

— Je me lance ! Ce soir, je m'occupe de l'annonce et je verrai bien ce qui se passe…

— Pas d'imprudence, d'accord ! Avec Mathieu, on va en parler autour de nous. On ne sait jamais !

— Merci pour la pub.

— De rien. Dis-moi, tu passes prendre un café demain ?

J'entendis au loin un « Maman ! ».

— Qu'est-ce qu'il a encore fait ! râla-t-elle.

Ayant une image très précise de Max en train de faire une ânerie et de l'air catastrophé de sa mère, j'éclatai de rire. Elle avait certainement envie d'étriper son fils, mais elle craquerait dès qu'elle se retrouverait devant sa petite bouille de canaille.

— File retrouver Max avant qu'il te démonte la maison.

— Il m'épuise, je te jure. On se voit demain ?

— Oui, bisous.

J'avalai une gorgée de vin et repris l'observation de mon portable. Les derniers jours, je l'avais mis de côté, n'attendant rien de particulier. Pourtant, quand je l'avais récupéré ce matin-là, je n'avais pu m'empêcher d'espérer un petit signe de la part d'Aymeric. Et dire qu'il ne m'avait même pas demandé si j'étais bien arrivée ni comment j'allais ! Depuis, j'attendais.

J'avais fait ma fière tout le week-end, refusant de flancher devant mes amis. Pourtant le manque, je le ressentais dans ma chair, j'avais mal de lui, de son corps, de ses rires, de ses bouderies et caprices en tout genre, et je n'avais même pas le droit de l'appeler pour récolter une miette, une miette de lui. J'aurais tant aimé lui raconter l'état de la maison, mes projets. Être aux abois, suspendue à son appel me rendait dingue. J'avais mis volontairement de la distance entre lui et moi, parce que je sentais qu'il m'échappait, qu'il ne m'aimait pas comme il l'aurait dû, ou plutôt comme je le croyais. Mais je ne pouvais m'empêcher de l'attendre. J'étais si faible dès qu'il était question d'Aymeric… J'entendais encore résonner les paroles directes de Bertille : « Tu es sourde et aveugle. » Elle avait raison. Mais que pouvais-je y faire ?

Je me couchai vers minuit, satisfaite d'avoir mis en ligne l'annonce. La Bastide était déjà présente sur tous les sites existants, je n'avais eu qu'à actualiser les disponibilités. La seule modification portait sur la salle de danse que, vu son état de délabrement, je ne pouvais décemment pas ouvrir aux clients. Je n'avais plus qu'à attendre. J'étais sur le point de m'endormir lorsque la sonnerie de mon téléphone me fit bondir sous la couette. Surprise, je n'osais croire qu'Aymeric se manifestait enfin.

— Allô…

Je m'en voulus immédiatement pour ma petite voix, suppliante.

— Hé… comment vas-tu ?

Je me rassis dans mon lit.

— Très bien, repris-je d'une voix plus ferme. Ton déplacement se passe comme tu veux ?

Reste calme.

— J'ai couru toute la journée, je viens juste de rentrer à l'hôtel, je suis claqué. Mais ça se profile bien, je suis content.

Au son de sa voix, malgré la fatigue, je le sentais satisfait de lui.

— Tant mieux, tu dois être soulagé.

— Bon, et toi ? Tu profites du soleil ?

— Bien sûr, il fait un temps magnifique, on a même ouvert la piscine avec Mathieu.

— Très bien, c'est farniente au programme, donc.

Le reproche était perceptible.

— Convalescence, plutôt… Aujourd'hui, je suis allée chez le kiné.

— Pourquoi ?

— Je dois faire de la rééducation.

— Ah oui, c'est vrai, j'avais oublié. Tu restes jusqu'à la fin de ton arrêt, alors ?

— Oui, d'autant plus que je vais essayer de louer les chambres.

— Mais pourquoi ?

— Il y a des travaux à prévoir pour la maison, j'ai besoin d'argent pour les payer.

Je l'entendis soupirer profondément dans le combiné.

— C'est un gouffre financier, la propriété de tes parents. À terme, je ne vois pas comment tu peux assumer.

— Tu cherches à me plomber le moral ?

— Non, désolé, je comprends que tu y tiennes, mais j'ai peur que tu t'en mettes trop sur le dos, je m'inquiète pour toi. Pourquoi tu ne m'en as pas parlé avant de prendre cette décision ?

Il ne manquait pas de culot ! Il ne me laissa pas le temps de lui répondre.

— C'est comme ton départ ! s'énerva-t-il. Tu me mets devant le fait accompli.

Qu'est-ce qui lui prend ? Il est fou, ma parole !

— Attends deux petites minutes… Tu te moques de moi ?

— Pas du tout ! Je te dis le fond de ma pensée.

— Non, mais je rêve ! Tu n'as même pas pris la peine de t'assurer que j'étais bien arrivée. Là, tu m'appelles la bouche en cœur à plus de minuit et tu me reproches de te cacher des choses ! Au cas où tu l'aurais oublié, je ne peux pas t'envoyer un SMS même codé pour te dire que j'ai besoin de te parler.

174

Les secondes qu'il laissa passer me parurent une éternité ; mais les propos qui suivirent furent pires encore.

— Écoute, Hortense, je ne t'ai pas appelée pour qu'on s'engueule. Je vais raccrocher, c'est aussi bien.

La panique me gagna, je n'avais pas attendu quatre jours pour avoir un signe de vie et que ça se finisse de cette façon.

— Attends, Aymeric... mais que se passe-t-il ?

— Je suis épuisé, de toute façon, et j'ai une grosse journée demain. Il faut que j'essaie de dormir. Je t'embrasse.

Il raccrocha. Abattue, mes yeux s'embuèrent. Soudainement frigorifiée, je me roulai en boule, comme je le faisais enfant après un cauchemar. Même échanger des banalités, nous n'y arrivions plus sans nous disputer.

Deux heures plus tard, je ne dormais toujours pas. Simplement, mes larmes s'étaient taries. La table de nuit vibra. Je me précipitai sur mon téléphone. « Je n'aime pas ce qui nous arrive. Je ne te reconnais plus depuis que tu es tombée. Tu me manques, et ça me rend con, je t'aime. A. » Comment en trois phrases pouvait-il me donner le meilleur et le pire de lui-même ? J'étais rassurée qu'il se rende compte de la fracture dans notre couple, qu'il me dise que je lui manquais et qu'il m'aimait. Mais il trouvait aussi le moyen de me faire porter le chapeau pour cette cassure, définitivement incapable de se remettre en question. Sans plus réfléchir, je l'appelai : nous ne risquions rien, il était à l'hôtel. Je tombai immédiatement sur sa messagerie. Je n'aurais plus qu'à attendre qu'il daigne me donner de ses nouvelles. Une bouffée de rage me saisit, ma patience était à bout.

Les deux jours suivants, je plongeai à corps perdu dans les préparatifs de la Bastide pour canaliser ma colère et mon chagrin. J'enchaînai les machines de linge de toilette et de lit les unes après les autres. Merci le mistral et le soleil, le meilleur sèche-linge au monde ! Entre deux séances de repos pour ma cheville, je briquai chaque chambre, chaque salle de bains méticuleusement. Je disposai des brochures touristiques dans l'entrée où j'accueillais les hôtes, et les clés dans un tiroir. Je fis l'inventaire de la vaisselle pour le petit déjeuner et allai acheter ce qui manquait. J'en profitai pour faire des courses et des réserves : si les clients pointaient le bout de leur nez, j'aurais tout en stock. J'échangeai quelques SMS avec Bertille et Sandro ; rien à signaler de ce côté. Ils se passaient très bien de moi et mes élèves étaient en forme. J'étais heureuse pour eux, mais je ne me sentais absolument pas concernée. Devant Cathie, je jouais celle qui gérait, mais je n'étais pas dupe, elle s'inquiétait pour moi.

Le jeudi en fin de journée, j'abandonnai mon ménage pour répondre au téléphone fixe de la Bastide.
— Allô !
Au loin, j'entendis mon portable sonner.
— Oui, bonsoir. Je sais que je m'y prends à la dernière minute, mais je tente le coup. Avez-vous une ou, encore mieux, deux chambres disponibles pour le week-end ?
Merci, Mathieu !

— Oui, vous tombez bien, j'ai deux chambres libres ! répondis-je.

— C'est vrai ?

Mon téléphone sonna à nouveau. Aymeric.

— Oui, oui ! Combien êtes-vous ?

— On est deux couples.

— Donc, deux chambres. Quand arrivez-vous ?

— Demain et on repart lundi.

Il sonna encore une fois.

— Très bien. Je vais prendre votre nom.

J'écoutai cette charmante jeune femme me décliner son identité, avant de lui expliquer l'itinéraire pour venir jusqu'à la Bastide, tout en tendant l'oreille. Le bip de la messagerie retentit. Il ne rappellerait plus.

— Je vous dis à demain, bonne soirée et bonne route !

Je raccrochai pour aller écouter le message d'Aymeric. Je traînai les pieds, la peur au ventre. « C'est moi... j'avais envie d'entendre ta voix. On ne pourra pas se parler avant un bout de temps, je quitte le bureau pour récupérer ma femme et mes filles, on part en vacances avec des amis. » Les larmes me montèrent aux yeux, je n'étais même pas au courant qu'il prenait des congés. « Amuse-toi bien avec tes touristes. Je t'embrasse. » Le manque le rendait non seulement con, mais aussi méchant. La joie de recevoir mes premiers hôtes perdit brusquement de sa saveur.

8

Le lendemain, Cathie me livra son miel et ses confitures maison. Bien évidemment, je ne servais que sa production. À plusieurs reprises, les années passées, certains clients m'avaient demandé où ils pouvaient s'en procurer. Je lui avais donc proposé de me laisser un petit stock au cas où l'occasion se présenterait à nouveau, ce qui ne manquerait pas d'arriver. Nous venions de finir d'installer un petit présentoir dans l'entrée. Elle et moi échangeâmes un clin d'œil satisfait.

— Tu prends un café avant de repartir ?

— Avec plaisir !

Cinq minutes plus tard, nous étions assises dans les fauteuils de la terrasse couverte. Le soleil tapait fort et les températures grimpaient chaque jour un peu plus. Le printemps était exceptionnel.

— Tu as eu des nouvelles d'Aymeric ? me demanda-t-elle abruptement.

J'eus brusquement l'impression que tout le monde me posait cette question depuis plus de trois ans : je n'en pouvais plus.

— Il m'a laissé un message hier soir, soupirai-je.

— Et alors ?

— Il m'en veut d'être partie, enfin je crois. D'un côté, mon absence semble l'arranger, mais de l'autre, il me la fait payer…

— Comment le vis-tu ?

Cathie prenait toujours mille précautions pour faire passer un message, ou tirer les vers du nez ! Mais elle parvenait immanquablement à ses fins…

— Je n'en sais rien… je suis perdue. Il me manque, c'est certain, mais je n'arrive plus à le suivre… Tout est de plus en plus compliqué. Je ne sais plus ce qu'il attend de moi.

— Et toi ? Qu'attends-tu de lui ?

Elle m'envoya un sourire encourageant et bienveillant.

— Si seulement je le savais…

— Profite de ton séjour ici pour faire le point.

— C'est bien ce que j'ai prévu… mais je ne me fais pas tellement confiance.

— Que veux-tu dire ?

— Je suis assez faible quand je suis avec lui… alors, j'aurai beau prendre de grandes résolutions, tout risque de s'effondrer dès que je serai rentrée à Paris.

— Pour le moment tu es là… et donc tu es loin de lui !

Je soupirai, assez fataliste.

— Prête à recevoir du monde ?

La nuit tombait. Je dînais tranquillement, simplement accompagnée par la voix rocailleuse de Fil Bo

Riva. Apparemment enchantés par l'accueil que je leur avais réservé, mes hôtes du soir venaient de se mettre en route pour un restaurant que je leur avais conseillé. C'était toujours gratifiant pour la mémoire de mes parents et je tirais aussi une certaine fierté de les voir s'extasier sur leur chambre ou encore le jardin de la Bastide. Ces compliments me permettaient de garder le moral et de ne pas trop me laisser envahir par le chagrin et la nostalgie. J'avais bien conscience que ça me permettait de fuir mes vrais problèmes. Je prenais ce que j'avais sous la main pour garder la tête haute. Un rien pouvait me faire craquer. Je devais faire face. Mon portable sonna. C'était Mathieu. Que me voulait-il ? Le téléphone n'était pas trop sa tasse de thé.

— Salut ! Que se passe-t-il ?

— Je voulais savoir s'il te restait une chambre.

— Oui, bien sûr. Pourquoi ?

— Écoute, je t'amène un client.

— Génial ! Avec toi, ils tombent du ciel !

Son rire tonitruant faillit me rendre sourde.

— Pour combien de nuits ?

— Aucune idée ! Il vient de se taper un sanglier dans la combe, sa bagnole est morte pour le moment.

Tant pis pour lui, tant mieux pour moi ! J'étais heureuse pour mon tiroir-caisse, mais franchement, je plaignais cette personne. Satanée route, si dangereuse entre chien et loup quand on ne la connaissait pas.

— Vous arrivez dans combien de temps ?

— On va manger un morceau au Terrail et on arrive après. Tu veux nous rejoindre ?

Le Terrail… C'était la cantine de Mathieu ; quand c'était ouvert, il pouvait y aller matin, midi et soir, sans compter les bières avec des copains, les soirs de match. Combien de fois Cathie, gentiment moqueuse, lui avait proposé d'installer son lit là-bas ?

— Non, je suis en train de dîner et je vais préparer la chambre.

— Comme tu veux. À plus tard, alors !

J'avais proposé à mes hôtes, de retour, de se joindre à moi sur la terrasse pour une tisane. Depuis, nous discutions de la région, je leur donnais mes tuyaux et incontournables, ils n'étaient pas avares de questions.

— Oh… vous avez de la visite ! me dirent-ils brusquement.

La camionnette de Mathieu venait de se garer dans l'allée. Malgré la nuit noire, je le vis arriver accompagné par un homme à peine plus petit que lui, chargé d'un gros sac de voyage.

— Du travail, plutôt !

— On va vous laisser, dans ce cas. Merci encore.

Après les politesses d'usage et nous être souhaité bonne nuit, je rejoignis Mathieu et lui fis la bise.

— Comment vas-tu ? me demanda-t-il.

À sa mine préoccupée, je compris que Cathie avait dû cafter sur ma baisse de régime.

— Très bien ! le rassurai-je avant de me tourner vers mon nouveau client. Bienvenue à la Bastide !

— Bonsoir, me répondit-il sombrement.

— Ils sont traîtres, les sangliers, dans la combe.

— On peut le dire.

181

Il avait l'air vraiment contrarié. En même temps, on l'aurait été à moins.

— Bon, Hortense, je te laisse Élias, je rentre à la maison.

— Oui, bien sûr, embrasse Cathie et Max pour moi.

Il s'adressa à mon nouvel hôte, très en retrait.

— Je passe te prendre demain et on ira voir le garagiste dont je t'ai parlé.

— Merci. (Ils échangèrent une poignée de main.) C'est vraiment sympa ce que tu as fait !

— Normal, répondit mon ami en haussant les épaules, d'un air de dire qu'il ne voyait rien d'extraordinaire à son geste.

Du Mathieu tout craché. Je voyais la scène de là. Il avait dû passer par hasard devant la bagnole accidentée, il s'était arrêté, et, trouvant le conducteur sympathique, avait joué au bon Samaritain, allant même jusqu'à dîner avec lui, ne le lâchant pas tant qu'il ne serait pas sorti d'affaire. Sous ses airs bourrus, c'était un homme bon et généreux. Il partit en nous faisant un signe de la main.

— Mathieu m'a dit que votre voiture était en sale état ?

— J'en saurai plus demain.

Pas très causant.

— Venez, suivez-moi, je vais vous montrer votre chambre.

Il hocha la tête et m'emboîta le pas. J'attrapai la clé dans l'entrée et traversai le séjour en direction de l'escalier.

— Où alliez-vous ?

— Pas de destination précise.

Au ton de sa voix, je compris qu'il n'avait pas l'intention d'entretenir la conversation. Je fis le minimum syndical, par politesse : je n'étais pas contre abréger pour aller me coucher. J'ouvris sa chambre et m'effaçai pour le laisser entrer. Il balança son sac dans un coin et se posta face à la fenêtre.

— Vous verrez mieux demain matin.

Pas de réponse.

— À quelle heure souhaitez-vous que je vous serve votre petit déjeuner ?

— Je prendrai juste un café, me répondit-il sans se retourner.

— À partir de 8 heures, il y en aura.

Silence.

— Je vous mets la clé sur la commode. Bonne nuit.

J'entendis un vague « merci » au moment où je refermais la porte. L'avantage de ce genre de client, c'est qu'on n'était pas dérangé par le bruit.

Je me couchai et éteignis directement la lumière. Par réflexe, je vérifiai mon portable. Pas de signe de vie d'Aymeric. Je n'avais aucune idée du moment où j'aurais de ses nouvelles et, à cette pensée, la douleur me submergeait par vagues. Sans pouvoir m'en empêcher, je remettais parfois en cause ma décision d'être partie. Ne disait-on pas « Loin des yeux, loin du cœur » ? C'était d'une banalité confondante. Les faits l'attestaient d'eux-mêmes : une semaine déjà que j'avais quitté Paris, nous ne nous étions parlé qu'une seule fois depuis, et encore nous nous étions écharpés. Dire qu'il était en vacances avec sa famille ! Il ne m'en avait même pas parlé, avant mon départ. J'avais de plus en plus l'impression d'être quantité négligeable, une chose qu'on prend et qu'on jette. Un jouet... j'en revenais toujours à ce sentiment. J'étais prête à m'endormir lorsque j'entendis des pas dans l'escalier et la porte d'entrée s'ouvrir et se refermer. Je fus immédiatement éveillée. Était-ce mon nouvel hôte qui allait se dégourdir les jambes en pleine nuit ? Ce fut plus fort que moi, je restai aux aguets. Que pouvait-il fabriquer dehors ? Il rentra une bonne demi-heure plus tard. Intérieurement, je pestai après lui ; à cause de sa petite balade nocturne, je ne trouvais plus le sommeil, et je passai une bonne partie de la nuit à tourner et virer dans mon lit.

Lorsque mon réveil sonna à 6 h 45, j'étais au bout de ma vie. Et soyons honnête, me lever si tôt n'était pas dans mes habitudes. Si je voulais accueillir des hôtes correctement et ne pas me sentir comme une larve au bout de trois jours, j'allais devoir me secouer. Je m'infligeai une douche presque glacée pour tenter d'ouvrir mes yeux en grand. Je fus tout juste prête pour l'arrivée du boulanger ; l'odeur de pain et de croissant frais aiguisa mes papilles. J'avais un peu de temps pour prendre un petit déjeuner, ayant eu la bonne idée la veille de dresser les couverts du matin. Je m'en réjouis, souhaitant croquer tous les petits moments qui pouvaient me faire plaisir et oublier le reste. Je vivais en permanence l'estomac noué, tout à la fois préoccupée par les changements au sein de l'école auxquels je restais étrangère, et dévastée par la dégradation de ma relation avec Aymeric. Avaler mon café et mordre dans un croissant dégoulinant de beurre dans le jardin de la Bastide pouvait paraître futile, mais cela valait tous les antidépresseurs du monde. À 7 h 30, les yeux encore pleins de sommeil, avachie sur l'évier, je comatais en me berçant du bruit du café qui coulait.

— Excusez-moi, entendis-je soudain dans mon dos.

Je reconnus la voix de mon dernier arrivé, pourtant je l'avais peu entendue la veille. J'eus envie de l'envoyer sur les roses, il m'avait déjà empêchée de dormir et voilà qu'il ruinait le seul moment de la journée où j'étais en paix. N'avais-je pas dit : à partir de 8 heures ! Je me retournai et, à la vue de sa sale gueule, je remballai illico mon agressivité.

— Bonjour, lui lançai-je d'une voix feignant l'entrain.

Secoue-toi, Hortense !

— Vous avez bien dormi ?

Question réflexe, mais très bête. Pour preuve, il se contenta d'un haussement d'épaules blasé.

— Je tenais à m'excuser pour mon impolitesse hier soir.

Au moins, je n'avais pas affaire à un rustre complet.

— Pas de problème ! Je comprends, avec ce qui vous est tombé dessus. Vous voulez votre petit déjeuner ?

— Un café, c'est tout.

Étant donné ses cernes, il aurait dû le prendre en intraveineuse. Il esquissa quelques pas dans la cuisine.

— Je peux me servir ?

— Non, c'est mon travail.

Il sembla ne plus savoir où se mettre. J'eus même le sentiment que se faire servir le mettait mal à l'aise.

185

— Installez-vous dans la salle à manger, j'arrive.

— C'est possible dehors ?

— Bien sûr.

Il me fit un petit signe entendu et disparut.

Je le retrouvai dans le salon de jardin, face au Luberon, qu'il ignorait superbement ; il tenait sa tête entre ses mains, pas loin de s'arracher les cheveux.

— Et voilà, dis-je tout doucement pour ne pas lui faire peur.

Il leva la tête, me laissant croiser son regard exténué. Il vit le pot de café.

— Merci.

— Je vous en prie. Si vous avez une petite faim, n'hésitez pas, surtout.

Il acquiesça et replongea dans ses pensées. Cet homme avait des soucis autrement plus graves qu'une voiture démolie par un sanglier.

Les deux heures suivantes, accaparée par mes autres clients qui profitèrent du buffet sans se gêner, à la limite de la bienséance, je ne vis pas le temps passer.

— Bonne journée ! me dirent-ils tous en chœur en partant vers 9 h 45 pour leurs excursions du jour.

— Merci…

Dès qu'ils eurent disparu, mon corps se relâcha. Je ris toute seule, de nervosité et de fatigue accumulées. J'avais voulu ouvrir les chambres d'hôtes, eh bien, elles étaient ouvertes, mais j'allais devoir assurer, question énergie. Avec un peu de chance, je serais tranquille jusqu'en fin d'après-midi. Aussi décidai-je d'enfin m'accorder un café et de manger le dernier croissant sauvé in extremis de la gourmandise des touristes. Je m'installai à la grande table pour ne pas trop m'approcher du protégé de Mathieu toujours assis à la place où je l'avais laissé. À quoi pouvait-il bien penser ? Je venais de m'asseoir pour offrir une pause bien méritée à ma cheville, lorsque le téléphone de la Bastide retentit.

— On m'en veut aujourd'hui ! braillai-je.

Mon client sursauta. Au point même que je me demandai si je ne l'avais pas réveillé. Je me traînai cahin-caha à l'intérieur.

— Hortense, c'est Mathieu ! J'ai essayé de t'appeler sur ton portable, tu ne répondais pas !

— Il y a un problème ?

Je m'inquiétai immédiatement. Deux fois de suite qu'il s'acharnait à me joindre, ce n'était pas normal.

— Non, rien de grave. Mais je devais passer prendre Élias ce matin…

— Qui ?

— Bah, Élias ! Le type que je t'ai amené hier.

— Et donc ? Tu vas avoir du retard, tu veux que je le prévienne ?

— En réalité, je suis bloqué. On a eu quelques merdes sur les ruches cette nuit, je suis en train de m'en occuper parce que Cathie est sur le marché.

— C'est grave ?

— Plutôt chiant.

— Bon, ne t'inquiète pas, je lui dis que tu as un empêchement.

— Tu peux lui prêter ta bagnole ?

— Pardon ?!

Il se moquait de moi. Pas ma voiture !

— Il faut qu'il aille impérativement ce matin chez le garagiste, je lui ai expliqué le trajet hier.

— Mais je ne vais pas lui filer ma Panda, quand même !

— Oh, écoute, Hortense, tu ne vas pas faire ta Parisienne méfiante, ça te va très mal ! J'ai passé la soirée avec ce mec, tu peux lui faire confiance, et puis, qui voudrait te piquer ton tas de ferraille ?

Sa blague le fit rire. Moi, pas du tout.

— Je te laisse !

Et il raccrocha. J'avais le sentiment d'être tombée dans une mauvaise comédie ! *Merci, Mathieu*. Mais si je voulais être honnête, il m'avait vexée en me traitant de Parisienne méfiante. Je me sermonnai et partis rejoindre le Élias en question. Il buvait un fond de café froid en fumant une cigarette. Il dut sentir que quelqu'un s'approchait, il bondit de sa place, sur le qui-vive.

— Tenez, pour votre mégot, lui dis-je en déposant sur la table basse un cendrier attrapé en chemin. Il faut se méfier des incendies.

— Je sais, oui.

Il sortit de la poche de son jean un cendrier de poche. Épatée, je souris.

— Vous êtes prévoyant.

— C'est normal.

Je pris deux secondes pour l'observer. En dépit de sa silhouette élancée, il faisait maladif, peut-être parce qu'il se tenait voûté et que son visage était émacié et blafard. Quant à ses yeux, leur blanc avait disparu au profit du rouge, et il était difficile de déterminer la couleur de ses iris.

— Vous aviez quelque chose à me dire ?

— Euh… oui, excusez-moi. Je viens d'avoir Mathieu au téléphone, celui qui vous…

— Oui, je sais… Et…

— Il est désolé, il est retenu et ne va pas pouvoir vous véhiculer.

— Oh…

Visiblement ennuyé, il passa la main dans ses cheveux châtain foncé, déjà embroussaillés.

— J'imagine qu'y aller à pied n'est pas envisageable.

Je laissai échapper un petit rire que je réprimai, ne voulant pas paraître moqueuse.

— Non, en effet, mais ne vous inquiétez pas, vous allez prendre ma voiture.

Il sembla recevoir une décharge d'adrénaline qui le sortit totalement de sa torpeur.

— Hors de question !

— Pourquoi ?

— Vous allez en avoir besoin.

— Non, pas aujourd'hui. Écoutez, si vous voulez récupérer rapidement la vôtre, vous n'avez pas trop le choix.

Il souffla bruyamment, au comble de l'embarras.

— Je suis gêné, franchement.

En plein dans le mille !

— Ne soyez pas idiot, puisque je vous dis que ça ne m'embête pas. Allez chercher vos papiers et je vous donne les clés.

Je ne lui laissai pas le temps de me dire non ou de tergiverser et pris la direction de la maison. Je trouvai mon trousseau dans mon sac et attendis qu'il redescende de sa chambre. Il arriva deux minutes plus tard, portefeuille à la main.

— Elle vous attend, vous ne pouvez pas la rater. Elle est un peu vieille, alors… ne la poussez pas trop. J'en aurai encore besoin.

— Compris, je fais en sorte de ne pas me taper un sanglier.

— Faites attention aux biches aussi, lui rétorquai-je, pince-sans-rire.

Il esquissa un minuscule sourire.

— Je fais au plus vite, Hortense.

— Ne vous tracassez pas. Dites bien que vous venez de la part de Mathieu, cela devrait avoir son petit effet. Bon courage.

Je perçus dans son regard une étrange émotion, comme s'il n'en revenait pas qu'on puisse lui rendre service. Cet homme était sacrément abîmé. Je m'en voulus d'avoir hésité à lui prêter ma voiture, j'aurais pourtant dû savoir que lorsque Mathieu faisait confiance à quelqu'un, on pouvait y aller les yeux fermés. Il ne me mettrait jamais en danger ni ne me ferait prendre de risques.

— Merci beaucoup, chuchota-t-il.

Il s'éclipsa en deux secondes. Sa faculté à apparaître et disparaître comme par enchantement m'épatait. Je ne pus m'empêcher de tendre l'oreille, ne pouvant décemment pas aller le surveiller. Il démarra ma Panda en douceur et quitta tranquillement la Bastide.

Je reçus plusieurs appels pour des réservations qui m'enchantèrent. Entre-temps, je me lançai dans une opération de tri. Je voulais profiter d'être là durant une longue période pour faire du rangement et changer des petites choses à droite à gauche. Non pas que je veuille faire la révolution à la Bastide, mais l'idée de devoir engager des travaux sous peu m'avait permis de réaliser que je pouvais aujourd'hui m'approprier davantage la maison. Mes parents étaient partis depuis plus de quatre ans ; j'étais bien sûr chez moi dans cette maison, pourtant je m'y étais toujours davantage sentie chez eux. J'éprouvais pour la première fois le besoin d'avoir ici un environnement qui me ressemblât un peu plus, où leur empreinte aurait été moins présente. J'avais du travail ; cela ne se ferait pas en un jour, ni sans larmes ni regrets, mais j'en avais besoin, pour aller de l'avant, me retrouver en quelque sorte. Je réalisais à présent que je m'étais un peu perdue ces derniers temps. Je ne donnais pas raison à Aymeric qui disait ne pas me reconnaître, je comprenais que le mal devait être plus profond. Comme si je me mentais à moi-même depuis trop longtemps.

Vers 15 heures, je reconnus le moteur de ma Panda. Je ne pus m'empêcher d'être soulagée. Il me la ramenait et elle roulait encore. J'espérais qu'il en savait un peu plus sur l'état de sa voiture. Pour lui, tout d'abord – je n'étais pas égocentrique à ce point –, mais aussi pour moi : j'avais besoin de savoir combien de temps je devais lui bloquer sa chambre. Je l'accueillis sur la terrasse, il marchait vers la maison, la tête basse, un gros sac à dos sur l'épaule.

— Alors, quelles sont les nouvelles ?

— Moins pire que j'imaginais. Il y a juste le radiateur à changer et de la tôle à remettre en place. Grâce à votre ami, les réparations vont être express. Vous aviez raison, rien que son prénom a suffi à les bouger.

J'éclatai de rire ! Mathieu avait dû les appeler avec sa grosse voix pour exiger qu'ils bossent au plus vite.

— Tant mieux pour vous ! Vous la récupérez quand ?

— Mercredi, si tout va bien. Je peux garder la chambre jusqu'à jeudi matin ou elle est déjà réservée ?

— Non, c'est bon. Vous pouvez rester.

— Merci.

Il me tendit les clés que j'attrapai comme si c'était mon bien le plus précieux. Ma Panda et moi... *Ridicule, je suis ridicule.*

— Je vous ai refait le plein.

Sa prévenance m'époustoufla.

— Oh... c'est gentil, mais il n'y avait pas besoin. Pour la peine, si vous voulez vous balader ce week-end, reprenez-la.

— Non, merci, je ne veux pas abuser. Je peux marcher.

Son ton bien que poli était sans appel.

— Si j'insiste, vous continuerez à refuser ?

Il ne réagit pas et, comme je lui barrais le passage, il me contourna pour rentrer à l'intérieur. J'entendis son pas lourd dans l'escalier. Puis plus rien. J'aurais préféré qu'il accepte mon aide, il n'allait pas rester à demeure les quatre prochains jours. Je n'avais aucune envie d'avoir quelqu'un dans les pattes, aussi discret soit-il. L'avantage des chambres d'hôtes était qu'en général la maison redevenait à moi dans la journée. Certains clients s'attardaient pour profiter de la piscine une heure ou deux, mais rarement plus. La semaine s'annonçait longue s'il ne bougeait pas de là, puisque de toute façon, à pied, il n'irait pas bien loin. Lorsqu'il redescendit de sa chambre une demi-heure plus tard, une grande bouteille d'eau à la main, j'étais sur la terrasse et décidai d'abattre ma dernière carte.

— Élias !

Il se retourna, surpris que je puisse l'interpeller de cette façon, comme si nous nous connaissions. Il fronça les sourcils, circonspect.

— Oui ?

— Un vieux vélo pour vous balader, vous l'accepteriez ? Je ne risque pas de l'utiliser, avec ma jambe ! ajoutai-je en lui montrant mon attelle.

Son regard, très sérieux, se concentra sur ma cheville.

— Qu'avez-vous ?

— Une belle entorse.

Il amorça un pas dans ma direction et stoppa aussitôt son élan. Il sembla ailleurs l'espace de quelques secondes, il ferma les yeux. Passant la main sur son visage pour reprendre ses esprits, il me fit à nouveau face, il était revenu sur terre, mais plus sombre encore. À n'y rien comprendre !

— Alors, insistai-je, qu'en dites-vous ?

— Pourquoi pas ?

Quel enthousiasme !

Je lui fis signe de me suivre vers le garage. En pénétrant dans le domaine de papa, je lui montrai le coin des vélos.

— Vous avez l'embarras du choix et, pour les pneus, je vous laisse voir dans quel état ils sont. Vous trouverez des pompes et des rustines si besoin. N'hésitez pas à fouiller.

Je lui donnai la clé.

— J'ai un double, lui précisai-je. Faites juste attention à bien refermer le soir, on n'est jamais à l'abri d'un visiteur. Bonne fin de journée.

J'étais presque dehors lorsqu'il me retint.

— Hortense ?

Je le regardai par-dessus mon épaule, je retrouvai cette même expression de gratitude douloureuse.

— Merci beaucoup. Bonne soirée.

Les deux jours suivants, je fus bien occupée. Non par le fameux Élias qui se transforma en véritable courant d'air. C'était bien simple, sitôt la dernière goutte de son café avalée, il partait sac au dos et ne réapparaissait que tard le soir, après la nuit tombée. En revanche, entre les allers-retours des autres, le ménage, les petits déjeuners, les conseils touristiques, je n'avais pas trop le temps de penser – ce qui me convenait. De penser à Aymeric qui me manquait, qui me torturait, qui était peut-être en train de quitter ma vie, de me laisser de côté ; des images de lui en vacances avec sa famille sans visage me pourchassaient dès que je baissais la garde. J'avais mal, alors que j'étais seule dans ma grande maison pleine d'inconnus venus fêter Pâques dans la douceur provençale. Je fus terrassée, pis que par un coup de poing, quand la maman de la petite famille fraîchement arrivée vint me trouver le samedi soir. J'étais sur la terrasse, enroulée dans ma couverture, en train de noyer ma solitude dans un verre de vin.

— Il vous manque quelque chose ? lui répondis-je, déjà prête à me lever.

— Non, pas du tout, tout est parfait. Je voulais juste vous demander si vous nous autoriseriez à faire une chasse aux œufs avec nos garçons, demain ?

Attendrie, je lui souris.

— Bien sûr, faites-vous plaisir, ce n'est pas l'espace qui manque.

Je dormis très mal. Je ne fus pas la seule d'ailleurs, Élias sortit encore une fois un long moment en pleine nuit.

Je reçus le coup de grâce le lendemain en voyant les deux petits garçons courir comme des fous dans le jardin de la Bastide, fouiller sous les lavandes, au pied des arbres à la recherche de leurs chocolats. La réalité me rattrapa. Toutes les personnes de mon entourage – hormis Sandro, qui n'était pas franchement une référence – avaient leur famille, leur propre famille à eux, pas simplement celle des amis qu'on se choisit ; ils avaient tous construit un foyer, Aymeric le premier. Il ne serait jamais seul. Quand bien même sa femme viendrait à découvrir notre liaison, déciderait de le quitter, il aurait toujours ses filles. Et moi, je n'aurais pas d'enfant. Jamais. J'étais à la veille de mes quarante ans, j'avais laissé passer ma chance. Jamais je ne verrais mes propres enfants courir dans le jardin de leurs grands-parents disparus, ni sauter dans leur piscine. J'avais refusé de voir le temps passer, le temps filer, le temps m'échapper, et j'en étais là aujourd'hui. Je ne serais jamais qu'une marraine, sans famille à moi. Je me sentais pathétique d'en être arrivée là.

Le lendemain, je refusai de repasser la même journée que la veille à broyer du noir. Aussi, dès que j'eus un moment de répit une fois la maison vide le matin, j'appelai Cathie pour les inviter à déjeuner à la Bastide.

La petite famille débarqua à midi : Max, lunettes de plongée sur le nez, Cathie avec un clafoutis aux cerises dans les mains et Mathieu une caisse de rosé sous le bras. Cette journée avec eux me réjouissait et allait me changer les idées, surtout que Cathie et moi avions scellé un pacte : pas de questions sur Aymeric tant que je n'abordais pas le sujet – ce que je n'avais absolument pas l'intention de faire. Contrairement à la veille, je me sentais en forme. Ces quelques heures de repos et de légèreté avec eux, chapeau de paille sur la tête, me donneraient une bouffée d'oxygène. Je me disais que j'avais au moins cette chance de les avoir, eux. Ils étaient mon socle, ma base, mon port d'attache. Cette journée aurait le goût des vacances. Comme prévu, la Bastide était vide, le fameux Élias était parti aux aurores et tout portait à croire qu'il ne reviendrait que tard le soir, ou en fin de journée. Donc, pas de travail aujourd'hui.

Le déjeuner se déroula sous le signe de la bonne humeur et des rires. Mathieu s'occupa des grillades, que l'on dégusta avec une tomate mozzarella, des pommes de terre à la braise – merci à papa d'avoir eu la bonne idée de faire un barbecue en pierres sèches pour éviter les incendies –, le tout arrosé de vin. La délicieuse et légère ébriété qui s'était emparée de moi me faisait du bien et m'aidait à mieux respirer. Max engloutit à toute vitesse son dessert pour pouvoir retourner à l'eau le plus vite possible. Je ris des tentatives désespérées de Cathie pour le faire patienter le temps de la digestion. Après des négociations perdues d'avance, elle finit par céder.

— Tu n'as aucune autorité sur ton fils ! se moqua Mathieu.

— C'est vrai que toi, tu en as beaucoup, il te mène par le bout du nez.

Je ris encore plus.

— Tu te marres, mais dis donc, toi, quand est-ce que tu vas à la flotte ? me demanda Mathieu avec un air sadique aux lèvres.

Depuis mon arrivée, je n'avais pas mis un pied dans l'eau ; pas envie, pas l'état d'esprit. Mais d'une manière générale, quand des hôtes étaient présents à la maison, je n'utilisais pas la piscine, elle leur était réservée. Mathieu ignorait que j'avais décidé d'y remédier. Avec lui de toute façon, j'étais cuite. Ou je prenais la décision seule, comme une grande, ou il se chargerait de moi ; étant donné sa force, je ne résisterais pas longtemps. Mon cas était donc réglé. Pour me donner un peu de courage, j'avalai une gorgée de rosé. Je me levai, retirai ma robe, sous laquelle j'avais enfilé mon maillot le matin, ainsi que mon attelle. Voir la peau nue de ma cheville me procura une étrange sensation. J'aurais dû me sentir libérée, pourtant, une légère panique s'empara de moi ; mon pied était seul, sans soutien, sans barrière de protection. Je fus sauvée de mes ruminations par Mathieu qui bondit de sa chaise et se martela le poitrail en poussant un cri de bête féroce. Oubliant à nouveau ma cheville, je détalai en trottinant comme je pouvais – merci, le vin, de me faire faire n'importe quoi – et plongeai la tête la première dans la piscine. La baignade me dégrisa un peu, le soleil, la chaleur commençaient vraiment à me taper sur la tête. Mais surtout, l'espace de quelques secondes, grâce à l'eau, je fus en apesanteur, comme lorsque j'exécutais des sauts. Je fis une course avec Max que je perdis à cause de mon entorse, et ressortis, ragaillardie. Je revins tranquillement et fière de moi jusqu'à la table sous le parasol, remis mon chapeau de paille sur la tête et sirotai mon vin. Je croisai leur regard heureux.

— C'est agréable de te voir joyeuse, commenta Cathie. Ça te fait du bien d'être là.

— Certainement…

Je regardai au loin, soudainement moins gaie.

— Que se passe-t-il ?

Je remis mon attelle, mécaniquement. Moi qui l'avais maudite au début de ma convalescence, j'en avais désormais besoin pour me protéger de toute agression extérieure. En revanche, elle ne me protégeait pas de mes tourments. Je relevai la tête vers Cathie.

— Je prends conscience de certaines choses et c'est compliqué.

Elle soupira, exaspérée.

— Toujours rien ?

— Non… c'est férié aujourd'hui, lui rétorquai-je avec ironie.

Elle attrapa ma main et la serra. Je me perdis dans son regard enveloppant.

S'il n'y avait que ça, ma Cathie. Tu sais, je suis ter-rifiée. Imagine deux petites minutes que je ne puisse jamais plus danser... que deviendrais-je ? Toi aussi, tu y penses, je le vois dans tes yeux. Ne craque pas, Hortense ! Ne lui dis rien, ne l'inquiète pas davan-tage. Pas aujourd'hui. Pas maintenant. Alors que tu passes une magnifique journée avec les personnes qui te sont le plus chères...

— Qu'est-ce qui vous prend, toutes les deux ? Je dois être trop primaire pour comprendre de quoi vous parlez, nous interrompit Mathieu.

Je m'écroulai sur l'épaule de Cathie en riant. C'était de cette simplicité et cette spontanéité que j'avais besoin.

— J'adore ton mari !

— C'est vrai qu'il est incroyable !

— On arrête le rosé, les filles.

Sur cette sentence terrible, il nous resservit sans s'oublier au passage. Subitement, il se mit à ron-chonner en extirpant son téléphone de la poche de son bermuda.

— Qu'est-ce qu'il vient m'emmerder aujourd'hui ? râla-t-il en découvrant le nom de son interlocuteur.

— C'est qui ? lui demanda Cathie.

— Le p'tit jeune que je viens d'embaucher. Et je peux déjà te dire que ça pue !

Il s'éloigna pour prendre l'appel. En moins de deux secondes, sa voix de stentor résonna dans toute la vallée.

— Il a quoi, papa ? demanda Max, miraculeuse-ment sorti de la piscine.

— Je ne sais pas, mon cœur, retourne jouer, c'est mieux.

Il fila aussi sec. Cathie ne semblait pas s'inquiéter outre mesure, elle le connaissait, son Mathieu. Il revint quelques minutes plus tard, balança son portable sur la table et siffla la fin de son vin.

— Alors ? l'interrogea-t-elle.

— Ce p'tit con a voulu épater les gonzesses en boîte de nuit et s'est pété le coude. Tu fais comment, toi, pour élaguer et débroussailler avec un coude dans le sac ? Bah, je vais te le dire, tu le fais pas et tu fous ton patron dans la merde ! Tu vas voir la gueule des gars demain quand je vais leur dire qu'on a une paire de bras en moins !

Il était si rare que Mathieu aligne autant de phrases d'un coup. J'avais beau n'y être pour rien, je me ratatinai au fond de ma chaise, croisant les doigts pour que l'orage passe vite.

— Tu pourrais prendre un intérimaire ? suggéra Cathie, d'une douceur et d'un calme qui m'épatèrent.

— Ils sont tous déjà pris !

— Tu vas trouver, j'en suis certaine. Réfléchis, tu ne connais pas quelqu'un qui pourrait vous filer un coup de main ?

Poings serrés sur la table, il se creusait la tête et fixait Cathie en attendant l'illumination.

— Ouais… je sais.

Sa femme rit légèrement.

— Qui est l'heureux élu ?

— Élias !

Il se redressa et bomba le torse, fier de lui.

— Le type que tu as dépanné et qui loge ici ? l'interrogea-t-elle.

Il confirma d'un signe de tête.

— Pourquoi lui ? demandai-je sans réfléchir.

— Il t'a fait des emmerdes ? me rétorqua Mathieu.

J'eus un mouvement de recul, ayant l'impression de me faire agresser.

— Dis-moi, parce que je m'en charge !

Il était déchaîné.

— Mais non ! Je l'ai à peine vu ! Déjà, je peux te dire qu'il récupère sa voiture mercredi, grâce à toi, soit dit en passant. Il part après. Et…

— Et quoi ? aboya-t-il.

— Tu ne le connais pas, tu ne sais même pas s'il peut faire le job.

— Moi, je te dis qu'il peut.

— Qui te le dit ? insista Cathie.

— Je le sens ! Ce type est un bosseur, crois-moi.

— Mais d'où vient-il ?

— Qu'est-ce que j'en sais ? Je ne suis pas du style à poser des questions.

— Pas faux !

Mathieu frappa dans ses mains, satisfait.

— Bon, Hortense, c'est réglé ! Quand il rentre ce soir, tu lui dis de m'appeler, s'il te plaît.

J'attendis le retour du futur employé de Mathieu sous la tonnelle. Dans la pénombre de la terrasse, j'aperçus sa silhouette à vélo. Il marqua un temps d'arrêt en me voyant installée dehors.

— Bonsoir, murmura-t-il.

— Bonsoir.

Il était déjà prêt à s'enfuir à l'intérieur.

— Attendez, Élias, l'interpellai-je en m'extirpant de mon fauteuil. Je dois vous parler.

Il stoppa net et attendit, la tête rentrée dans les épaules comme un enfant sur le point de se faire punir. Lui faisais-je peur ? Une première pour moi…

— Il y a un problème ? finit-il par demander.

— Non, aucun, rassurez-vous, lui répondis-je de mon ton le plus doux. Simplement, j'ai vu Mathieu aujourd'hui, il voudrait que vous l'appeliez ce soir.

Tout son corps se relâcha.

— Il n'est pas un peu tard ?

— Non, il attend votre appel. Vous avez son numéro ?

— Non, et… euh… en fait, je n'utilise quasiment jamais mon portable, il est resté au fond de ma voiture, chez le garagiste.

— Utilisez le téléphone de la maison, il est dans l'entrée, venez…

Docile, il me suivit, je lui tendis l'appareil après lui avoir donné le numéro de Mathieu. Je lui souris et ressortis. Je tendis l'oreille, strictement incapable de m'empêcher d'épier la conversation. Conversation, un bien grand mot… car il écouta plus qu'il ne parla. J'entendis « Compte sur moi ». Il me rejoignit dehors quelques minutes plus tard, fit quelques pas dans le jardin en se frottant la nuque. Il poussa un indé-chiffrable soupir et s'alluma une cigarette. Il dut se souvenir de ma présence, puisqu'il se retourna brus-quement dans ma direction.

— Vous lui enlevez une sacrée épine du pied.

— Tant mieux, si je peux lui donner un coup de main, c'est le moins que je puisse faire.

— Vous allez travailler pour lui longtemps ?

— Est-ce une façon déguisée de savoir si je reste chez vous ?

Pour qui me prenait-il ? Je n'étais pas si cupide.

— Non ! Pas du tout !

— Je reste un peu si la chambre est encore disponible…

Je crus distinguer les prémices d'un sourire, qui s'estompèrent avant même d'arriver jusqu'à ses lèvres. Je me radoucis.

— J'ai de la place, pendant un bout de temps.

— Très bien, vous me direz.

Il s'approcha de la table basse, sur laquelle reposait ma cheville, bien fatiguée après cette belle journée. Il écrasa son mégot dans le cendrier et prit la direction de la maison.

— Bonne nuit, Hortense.

9

Les séances chez le kiné continuaient à porter leurs fruits, il était ravi des progrès que je faisais. Un mois après ma chute, je retrouvais ma mobilité, avec de moins en moins de gêne et de sensation de fragilité. Plus qu'une semaine d'attelle. J'avais eu peur. Désormais, je pouvais m'autoriser à espérer. Espérer que je ne perdrais pas définitivement la danse. En revanche, pour que mes craintes s'estompent totalement, mon kiné souhaitait avoir l'avis de mon orthopédiste, aussi dus-je lui promettre de lui donner les coordonnées de la clinique du savant fou. J'allais devoir contacter Auguste et encaisser son exigence. Et qui disait Auguste, disait l'école ! De toute façon, rien ne pressait, je ferais traîner les choses en longueur. Je n'étais guère enchantée à l'idée de renouer avec ces mauvais souvenirs. Chaque fois que je repensais à cette consultation, ainsi qu'aux derniers moments passés à Paris et à l'école, j'étais prise de tremblements, saisie d'un état de détresse absolue, comme si j'étais en danger. Danger de quoi ? Je n'en avais aucune idée. Ces jours derniers, je n'avais pas eu de nouvelles de

Bertille et de Sandro, je n'en avais pas pris non plus. J'aurais dû les appeler, j'aurais dû donner signe de vie, mais je ne m'en sentais pas capable. Je les imaginais débordés, c'était l'excuse parfaite. Tout comme l'excuse des vacances pour justifier le silence radio persistant d'Aymeric depuis bientôt deux semaines.

En arrivant sur le parking de la Bastide, je découvris une voiture inconnue. Je me garai à côté pour y jeter un coup d'œil discret. Je pouvais difficilement jouer les bégueules vu l'âge de la mienne, mais celle-ci n'était pas de toute jeunesse, elle devait avoir un paquet de kilomètres au compteur. À ceci près que ma Panda et moi ne jouions pas dans la même cour. C'était une sorte de 4 × 4 bleu marine – je n'y connaissais pas grand-chose – imposant et assez poussiéreux. Cette voiture avait eu plusieurs vies, la multitude d'impacts sur la carrosserie l'attestait. Mais le bordel à l'intérieur me rendit vraiment perplexe : il y avait à boire et à manger, des sacs de voyage, des bouquins en vrac, un peu de paperasse, des cartes routières, de la nourriture, une couette et un oreiller. À se demander si ses propriétaires ne campaient pas dedans. Ils avaient décidé de faire une pause dans un vrai lit… chez moi !

J'attendais de nouveaux clients qui devaient arriver le soir même pour toute la fin de semaine. Je ne m'attardai pas plus, ne voulant pas risquer d'être prise en flagrant délit de voyeurisme. Près du garage, à ma grande surprise, je croisai Élias qui d'habitude ne rentrait jamais avant la tombée de la nuit.

— Bonjour !

— Bonjour, Hortense.

Prête à passer mon chemin, je me ravisai à la dernière minute.

— Élias, avez-vous vu arriver les propriétaires de cette voiture ?

— Oui.

— Ah ! Ils attendent dans l'entrée ? Il faut que je me dépêche.

J'avançais déjà.

— Ne vous pressez pas, c'est la mienne.

Je stoppai net et le regardai les yeux ronds. Il ne vivait quand même pas dans sa voiture ? Je ne savais rien de lui, mais cela me semblait impossible. Je me ressaisis, ayant bien conscience que je devais le dévisager comme s'il était un extraterrestre.

— Mais oui, nous sommes mercredi ! Où avais-je la tête ? Elle est donc réparée.

— Il semblerait.

— Merveilleux ! Vous êtes soulagé, j'imagine.

Il haussa les épaules, indifférent. Comme s'il était au-delà de ça. Pourtant, à son arrivée, c'était la fin du monde…

— Sinon, tout va bien ? lui demandai-je pour tenter d'amorcer la conversation.

Il détourna le visage et son regard se perdit au loin.

— Oui…

Il exhala un de ces longs soupirs dont il avait le secret avant de m'accorder à nouveau son attention. Cet homme paraissait exténué par son existence, rongé par un poids qui l'écrasait.

— Je vais vous payer maintenant, je suis déjà là depuis une semaine. Je suppose que cela peut vous arranger.

— Comme vous voulez, mais rien ne presse.

— J'insiste.

Il m'emboîta le pas jusqu'à l'entrée. Je fis le calcul et lui montrai sa note. Il fronça les sourcils.

— Il y a une erreur ? lui demandai-je, ennuyée.

— Je crois que vous vous êtes trompée, je vous dois plus. Mathieu m'avait donné le prix pour une nuit et si on multiplie…

— Il vous a donné le prix avec le petit déjeuner, l'interrompis-je. Je vous les offre.

— Je peux les payer !

Il croyait peut-être que je lui faisais la charité, il se trompait royalement.

— Je n'en doute pas. Mais vous ne m'avez pas coûté cher en croissants et en confiture… Après, si vous tenez à payer le prix d'un paquet de café, ajoutez 3,90 euros à la note ! finis-je en souriant.

Je sentais qu'il aurait aimé rire de ma blague, pourtant il en était comme empêché. La tristesse semblait toujours l'emporter chez lui.

— Merci, c'est sympa, parvint-il à dire avec effort.

— Je le fais avec plaisir. Et puis, qui sait ? Dans les années à venir, quand Mathieu vous aura libéré, peut-être aurez-vous envie de revenir ici !

Je le soupçonnais de ne jamais repasser deux fois au même endroit. Son mutisme me le confirma. Il déposa sur le comptoir un vieux portefeuille en cuir qui avait dû être noir, duquel dépassait son permis de conduire. Le carton rose était corné, déchiré par endroits. Il avait dû le décrocher jeune, j'aurais bien aimé voir à quoi il ressemblait à l'époque. L'aurais-je reconnu ? Rapidement, il abandonna le tout pour se mettre à fouiller dans les poches de son jean. Il en ressortit une boule de billets chiffonnés qu'il posa l'un après l'autre sur le comptoir. Je fus choquée par l'état de ses mains : elles étaient abîmées, la paume cloquée, et la peau de ses doigts était quasi à vif. Quant à ses bras tendus, on pouvait y voir chaque nerf, chaque veine. Je savais reconnaître des crampes. J'eus mal pour lui.

— Je crois que le compte est bon, me dit-il.

— C'est parfait, merci.

— Bonne soirée.

Il tournait déjà les talons.

— Attendez !

Il revint vers moi. De la tête, je désignai ses mains.

— Vous ne voulez pas de quoi vous soigner ? Ce doit être douloureux, j'ai ce qu'il faut dans la trousse à pharmacie. Si vous voulez continuer à travailler, vous ne pouvez pas rester dans cet état.

Il me fixa, touché, avant que son esprit, comme souvent, s'enfuie ailleurs, très loin – du moins je l'imaginais. Il esquissa une moue ironique, désabusée même, et soutint à nouveau mon regard.

— Merci, vous êtes gentille, mais je survivrai, je sais quoi faire.

Il se rua dehors, comme s'il avait le diable aux trousses. Malgré moi, je le suivis. Cet homme était si étrange. Il déployait des trésors d'ingéniosité pour éviter que quiconque ne s'approche de lui. Il fuyait toute relation, s'en tenant au strict minimum que la politesse lui imposait. À la réflexion, je ne savais même pas si Mathieu en avait appris davantage sur lui, depuis qu'il l'avait embauché. Je remarquai au sol un bout de papier plastifié qu'il avait certainement dû laisser tomber en remuant le bazar dans ses poches et son portefeuille. Je l'attrapai sans chercher à en découvrir la nature et l'appelai en courant au petit trot après lui. Il était prêt à claquer sa portière – notre ébauche de conversation avait manifestement provoqué sa fuite –, il s'extirpa de son véhicule en me voyant claudiquer dans sa direction, clairement peu enchanté par le contretemps que je lui imposais. Aussi tentai-je de le rassurer immédiatement.

— Vous avez perdu quelque chose !

Je lui tendis le papier en question et mon regard se figea, non sans avoir vu Élias blêmir. Je connaissais ce dessin d'un serpent rouge enroulé autour d'un bâton. Comme s'il faisait partie de l'inconscient collectif, j'avais l'impression de l'avoir toujours vu, sans pouvoir en déterminer l'origine. Je ne lâchai pas le petit carré de papier qu'Élias cherchait désespérément à récupérer, j'étais incapable de le lui rendre. Et mon esprit percuta enfin. Mes yeux allèrent du papier à son propriétaire.

— Vous êtes médecin ?

Il fixait douloureusement le caducée, la main tremblante, les mâchoires contractées.

— Avant, siffla-t-il entre ses dents.

— Avant quoi ?

— Peu importe…

Il tira un peu plus fort et je le lâchai enfin.

— Merci de me l'avoir rendu.

— C'est normal, mais…

Sans faire plus de cas de moi, il s'engouffra dans sa voiture, démarra en trombe après avoir rageusement balancé à l'arrière le précieux document qu'il avait mis tant d'empressement à me reprendre et disparut dans un nuage de poussière. Je regagnai la maison et m'écroulai dans le canapé du salon, remuée et interloquée par mes découvertes : Élias était médecin et vivait plus ou moins dans sa voiture. Les trente dernières minutes avaient été surréalistes. Le mystère qui entourait cet homme s'épaississait. J'avais beau tout faire pour canaliser ma curiosité, elle était trop piquée pour que je ne me raconte pas les histoires les plus invraisemblables.

La sonnerie de mon téléphone m'arracha de mes plus folles suggestions vers 21 heures. Après avoir sursauté, je bondis dessus, nourrissant l'espoir que ce soit Aymeric. Mon cœur se serra de déception et d'angoisse. Déception parce que ce n'était toujours pas lui. Angoisse parce que c'était Bertille. Je décrochai. Pas le choix.

— Salut, Hortense !

— Bonsoir, comment vas-tu ?

— Génial ! Fiona gère parfaitement, le spectacle se prépare et les stages se remplissent.

Droit au but, merci, Bertille.

— Tant mieux.

— Et toi ? C'est bien, le Sud ?

— Oui, je ne chôme pas…

— Comment ça ? me demanda-t-elle d'une voix pincée.

Mais qu'est-ce que tu viens de dire, Hortense !

— J'ai ouvert les chambres d'hôtes, la maison a besoin de travaux.

— Ah, bon, très bien…

Je bafouillai, subitement gênée par une évidence : je ne travaillais pas à l'école, pourtant je travaillais à la Bastide. Faire diversion, mais comment ?

— Comment vont les filles ? Elles dansent bien ?

— Parfaitement, mais tu leur manques… Elles réclament de tes nouvelles.

La tristesse me submergea, je ne savais plus quoi dire. Les secondes de silence s'égrainèrent.

— Comment va ta cheville ?

Question cash… Mes yeux se posèrent dessus, elle était totalement dégonflée, certes encore protégée par l'attelle, mais je remarchais plus vite, mieux et sans douleur. J'étais campée sur mes pieds, de plus en plus confiante.

— Doucement, ce n'est pas encore gagné… Je ne la sens pas encore très solide.

— Ah… merde, mais tu gères ? Tu dois avoir peur. Tu devrais peut-être en parler à Auguste pour qu'il te ramène chez son médecin.

— Je vais attendre encore un peu… mais tu sais, je suis bien suivie ici.

Petit claquage de langue exaspéré dans le combiné. Ma prétendue irresponsabilité devait lui taper sur les nerfs.

— Hortense, je suis désolée de parler de sujets qui fâchent, mais tu dois t'en douter, vu l'ampleur des demandes pour cet été, on doit prendre une décision. Si après un mois ta cheville ne va pas beaucoup mieux, je ne vois pas comment tu peux assurer les stages du mois de juillet. C'est hyper risqué de prendre un engagement si tu nous lâches. Et je ne parle même pas du danger que tu courrais en reprenant trop tôt. Tu avais toi-même évoqué cette possibilité ! Tu comprends, hein ?

Comme d'habitude, Bertille n'y allait pas par quatre chemins avec moi. Je ne lui en voulais pas. Non seulement je ne demandais pas à ce qu'on me préserve – en avais-je le droit, d'ailleurs ? –, mais j'étais soulagée qu'elle ne me demande pas de rentrer.

— Tu as certainement raison… Je suis navrée.

Ma sincérité était totale. Cependant j'étais perturbée, j'aurais aimé que ça me fasse réagir, crier au scandale ou au vol, mais rien.

— Je m'en moque de tes excuses, tu es ailleurs, Hortense. Prends le temps qu'il te faut pour régler ce que tu as à régler et je ne parle pas que de ta cheville. Ne reviens pas si c'est pour t'écrouler au bout de deux jours.

Je ne reprendrais pas ma vie avant le mois de septembre. Malgré le chagrin de délaisser davantage encore mes élèves et l'enseignement, cette idée m'apaisait, mais elle reposait sur un mensonge.

— Simplement, j'ai une faveur à te demander, enchaîna-t-elle.

— Je t'écoute.

— Fais au moins l'aller-retour pour le spectacle. Fais-le pour tes élèves. Elles travaillent dur avec Fiona pour que tu sois fière d'elles.

Je me sentis mal, j'abandonnais tout le monde. Bertille appuyait là où ça faisait mal, mais je n'y pouvais rien. Incapable de revenir en arrière. Ni même de le souhaiter.

— Bien sûr ! Je serai là, je n'imagine pas les choses autrement.

— Très bien, en attendant, sois d'attaque à la rentrée. Je te veux au top de ta forme.

— Compte sur moi. Il faut que je te laisse, j'ai des clients qui arrivent.

Mensonge éhonté… Je voulais abréger à tout prix cette conversation.

— OK ! Je t'embrasse.

— Moi aussi.

Je raccrochai sans plus attendre.

Je me couchai immédiatement. Non par fatigue, mais pour me cacher, dissimuler ma honte d'avoir menti à Bertille sur ma cheville et de laisser tout le monde sur le carreau. Je sombrai. Mon sommeil fut peuplé de cauchemars dans lesquels je cherchais à fuir ; je courais terrifiée dans un couloir sombre et sans fin, puis j'arrivais sur une scène où on me forçait à danser comme un robot, éblouie par un projecteur braqué sur moi. Je finissais par distinguer Aymeric et sa famille. Leur bonheur familial, leur amour me pétrifiaient. Sans m'accorder un regard, ils se levaient et partaient.

Je m'éveillai en sursaut, en étouffant mon cri qui l'appelait. J'étais en nage, le cœur battant, nauséeuse. J'attrapai mon réveil, il était 3 heures du matin. Je passai mes mains sur mon visage pour essuyer la sueur sur mon front et dans mes cheveux poisseux. Je mourais de chaud, pourtant je grelottais. Je m'extirpai de la couette humide et, dans l'obscurité, je me rendis dans la cuisine où j'avalai coup sur coup deux grands verres d'eau. En reprenant à regret le chemin de ma chambre, je remarquai la porte d'entrée entrouverte.

Je m'étonnai de découvrir une des lumières extérieures allumée, alors que j'avais tout éteint. Pour autant, je n'avais pas peur. Je fis quelques pas sous l'auvent et me glissai vers le salon de jardin du fond. Et j'entendis. Je massai mes tempes pour reprendre mes esprits, avant de me concentrer davantage sur le silence. C'était bien ce que je croyais. Quelqu'un pleurait. Un homme pleurait. Sans le voir dans la nuit noire, je sus que c'était Élias. Je le sentais. Ce ne pouvait être que lui. Que cachait-il de si douloureux ? Qu'était-il arrivé à ce médecin d'*avant* pour être dans un tel état ? Ses sanglots me déchirèrent le cœur. Mes soucis me parurent soudain bien futiles. Je fis un pas dans l'herbe humide, prête à le rejoindre, guidée par l'envie de le consoler, de l'aider. Mais je me ravisai, n'osant pas m'imposer. Adossée au mur de la maison, invisible dans la pénombre, je restai là quelques minutes, sans bouger, consciente de mon impuissance. Je me sentis voyeuse, violant son secret. Je rentrai sans bruit. Je ne pus m'assoupir que deux heures plus tard, après l'avoir entendu enfin rentrer dans la maison.

Lorsque mon réveil sonna le lendemain, je n'étais pas en meilleur état qu'après une nuit blanche. Tandis que je sortais de mon lit avec difficulté, je crus vaguement distinguer le moteur d'une voiture. Quand j'arrivai dans la cuisine après ma douche, l'odeur de café me chatouilla le nez. Je trouvai un mot sur le plan de travail ; je dus m'y reprendre à plusieurs reprises pour décrypter les pattes de mouche : « *Je me suis permis de fouiller dans les placards. Bonne journée, Élias.* » Aucun doute. Une authentique écriture de médecin.

Avait-il remarqué ma présence durant la nuit et préféré me fuir ce matin, avec la conscience que j'en savais un peu plus sur lui ? Peut-être trop à son goût. Je ruminai là-dessus tout le temps du petit déjeuner de mes hôtes, incapable de me l'ôter de l'esprit. Si me focaliser sur Élias était un moyen d'échapper à mes problèmes, il n'empêchait que j'avais envie de connaître les raisons de sa souffrance. Je trouvais plus confortable de me poser mille questions à son sujet que de penser à Aymeric et à ma défection de l'école. L'obsession atteignit son paroxysme lorsque je décidai de rentrer dans sa chambre. Je trouvai la bonne excuse au cas où il reviendrait par surprise. Il était là depuis une semaine, il venait de me régler et devait rester encore quelque temps : il était logique de faire le ménage et de changer draps et serviettes. Je l'aurais fait pour n'importe quel client.

Pourtant, je pénétrai à pas de loup, gênée de troubler son domaine pour satisfaire ma curiosité. Je ne fus pas surprise par l'état du lit. Tout portait à croire qu'il ne se glissait jamais entre les draps – à peine froissés –, il devait simplement s'allonger et attendre le sommeil qui ne devait guère venir, à première vue. Ses affaires s'empilaient autour de ses sacs de voyage dans un coin. Sur le bureau, je vis un cahier d'écolier avec un stylo à côté, je me forçai à les ignorer et passai dans la salle de bains où flottait un parfum boisé de gel douche. Sur le lavabo, une brosse à dents, un rasoir Bic. Comme dans la chambre, tout semblait sur le point d'être empaqueté. Élias était sur le qui-vive, en transit, prêt à partir – ou à fuir – d'une minute à l'autre alors qu'il était censé rester pour une durée indéterminée. À son contact, la chambre si chaleureuse était devenue dépouillée, désolée. Il cherchait à ne laisser aucune trace de lui ni de son passage. Élias ne voulait pas faire de bruit, pas déranger, il s'effaçait. Je n'allais pas mentir, ma curiosité était à son comble, attirée comme un aimant par ce cahier. L'envie de découvrir ce que cachait cet homme taciturne et visiblement en souffrance devenait pour moi une nécessité. Avant de quitter la pièce, je revins au bureau. Je m'assis sur la chaise et caressai de la main la couverture du cahier, un cahier de brouillon comme ceux que l'on avait à l'école primaire. Cette présence étrange et touchante de l'enfance au milieu de ce désespoir m'émut. J'avais honte de mon désir de l'ouvrir. Rien ne me disait que j'y trouverais quoi que ce soit. Un simple coup d'œil et le problème serait réglé. Ni lui ni personne n'en saurait rien. Ma seule conscience et moi. Prise d'inquiétude, je vérifiai par la fenêtre qu'aucune voiture n'était dans la cour, j'ouvris la porte en grand à l'affût du moindre bruit. Ensuite, je repris ma place et, pour dissiper mon malaise, je pris une longue inspiration avant d'ouvrir la première page. J'aurais préféré ne pas reconnaître son écriture en pattes de mouche découverte le matin même, j'aurais peut-être été arrêtée dans mon élan. Il n'en fut rien...

Je ne sais pas ce qui m'a pris d'acheter ce cahier. Jamais, gamin, je n'ai tenu de journal intime. Je trouvais ça crétin et pour les filles. Et me voilà à 42 ans en train d'écrire n'importe quoi pour combler ma solitude et me donner l'impression d'avoir un compagnon de route. Tu parles ! Je me sens encore plus minable !

Quelle connerie ! De toute façon, je n'ai même pas le courage de raconter les derniers mois. Dire que dans certains cas j'étais le premier à inciter à aller consulter un psy, aujourd'hui, je n'ose même plus dire quel était mon métier avant toute cette merde.

Je viens de passer l'appel hebdomadaire à mon frère pour lui prouver que je suis en vie. Il m'emmerde avec son obsession de vouloir à tout prix jouer au chef de famille et essayer de me ramener à une vie normale, comme il dit. C'est pourtant moi, l'aîné. Mais il se croit supérieur, il s'est toujours cru au-dessus. Il n'a jamais compris mes choix, lui le ponte en chirurgie, j'en ai bouffé de sa condescendance à l'égard de la médecine générale. Ce n'est pas un mauvais bougre, mon petit frère, il est parfois un peu bête, mais je l'aime bien. Je sais qu'il fait ce qu'il peut pour m'aider. Mais quand comprendra-t-il que je n'en veux pas de son aide ? J'ai perdu ma vie. La vie que je souhaitais. Plus rien. Pas de pardon possible pour moi. Je l'ai intégré. Qu'il s'y fasse, merde !

Je survolai les pages suivantes, de plus en plus intriguée par ma lecture ; il était sur les routes depuis des mois. Il errait aux quatre coins de la France, en enchaînant les petits boulots dans des usines, des exploitations agricoles, se faisant la plupart du temps payer de la main à la main. Il se débrouillait pour se faire loger et nourrir à peu de frais. Parfois, il dormait dans sa voiture. En tout cas, il avait renoncé à son métier. Il frappait aux portes, se faisait embaucher ou non. Et repartait au bout d'une dizaine de jours maximum. Il détaillait un quotidien de solitude, de silence et de travail pour manifestement tenter de s'épuiser, de s'abrutir et parvenir à trouver quelques heures de repos pour que son organisme ne le lâche pas. Bien qu'il parlât des personnes avec qui il travaillait avec empathie, respect et intérêt profond, il ne créait jamais de liens, du moins il n'en faisait pas mention dans son journal. Tout à coup, une date, somme toute assez symbolique, retint mon attention.

23 décembre. Appel à mon frère. On s'est engueulés. Il ne comprend pas que je refuse de venir chez lui pour les fêtes. J'en ai pris plein la gueule. Pour lui, je suis devenu fou, sauvage, irrécupérable. Je dois me remettre au travail, trouver un nouveau cabinet, reprendre la médecine. Dans sa grande générosité, il propose même de parler de moi à des confrères pour décrocher un poste. Son pauvre grand frère en perdition. Qu'il me foute la paix ! Qu'il me laisse dans ma merde, dans ma faute professionnelle ! Leur Noël de carte postale, si j'y assiste, je le dégueule. Se rappelle-t-il qu'à cause de moi, une famille ne l'aura pas son Noël de carte postale ? Moi, je n'ai pas oublié et je n'oublierai jamais que j'ai merdé, que j'ai flanché une fois… Bordel, j'en crève !

24 décembre, en guise de cadeau, je me suis payé une chambre dans un hôtel miteux de zone industrielle. Je suis tellement à la masse que je n'ai même pas retenu le nom de la ville où je suis. Pas moyen d'être logé ailleurs. Merci la trêve des confiseurs, je n'aurai rien pour m'occuper jusqu'au 3 janvier.

Aujourd'hui, j'ai erré dans les rues de la ville, en regardant les gens autour de moi faire leurs derniers achats, leurs derniers cadeaux. Après, l'animation s'est tranquillement éteinte. Je me suis retrouvé seul comme un con à observer les lumières des sapins de Noël à travers les fenêtres. L'année dernière, j'avais travaillé tard, les gastros et les premières grippes m'avaient bien occupé. Et puis, j'avais atterri chez monsieur et madame H., ce couple de petits vieux que j'aimais tant. Ils n'étaient jamais sortis de leur ferme, leurs enfants vivaient loin. Ils m'avaient proposé de rester chez eux pour le réveillon de Noël, après avoir compris que je n'avais rien de prévu. Je les entends encore me dire « Notre bon médecin ne va pas se retrouver tout seul, restez » et j'avais pris leur chaleur et leurs guirlandes défraîchies avec bonheur, j'avais accepté de prendre la place de leurs fils. Je leur avais fait plaisir et je m'étais fait plaisir. Je me souviens encore de mon réveil migraineux, la faute à la gnole de monsieur H. Pensent-ils à moi, un an plus tard ? Eux aussi m'ont tourné le dos, comme les autres.

2 janvier. Demain, je quitte cette piaule minable où je moisis depuis une semaine. Je vais remonter dans ma bagnole et m'éloigner encore un peu plus du monde. Je me dégoûte. Pour fêter la fin de la pire année de ma vie, j'ai traîné dans les bars, les bars de gare où toutes les solitudes se retrouvent pour noyer leur chagrin dans de l'alcool pas cher sur fond de mauvaise musique des années 1980. J'ai plongé dedans. J'ai bu jusqu'à plus soif pour ne pas me souvenir des réveillons des années précédentes dans mon

village, le village où j'étais malgré moi considéré comme un héros, avant de devenir celui qu'on cloue au pilori. Et j'ai eu violemment envie de tendresse, de toucher une peau, de prendre un corps. Personne n'est difficile dans ces cas-là, il suffit de croiser un regard vitreux, de faire passer le message, d'entamer le simulacre d'une conversation alcoolique pour se retrouver à baiser dans les chiottes d'un bar, contre un mur crade. J'ai vraiment touché le fond. J'en suis réduit à ce sexe sans sentiments, sans âme, sans réel désir, juste pour me soulager ou oublier le temps de quelques minutes que ma vie ne vaut plus rien. Et qui, après, m'a laissé plus désemparé que jamais. Je n'ai plus rien à attendre d'autre, plus jamais je ne veux m'investir auprès de personne, plus d'amis, plus de vie sentimentale. Seul. Je suis cette errance, dans laquelle je m'enfonce depuis que j'ai mis mes affaires dans ma bagnole et que je me suis barré, pour me perdre, pour oublier qui je suis.

Je repris ma respiration, oppressée par cette lecture. Élias restait un inconnu, pourtant j'avais accédé à ses pensées les plus intimes, ses souffrances, l'exclusion du monde qu'il s'imposait, sans en connaître les véritables raisons. Il se sentait fautif de quelque chose et il se punissait. Machinalement, je jetai un coup d'œil à ma montre. Je devais retrouver Cathie pour déjeuner. Avant de tout remettre en place, je cédai à la tentation et tournai la page suivante. À première vue, il avait arrêté d'écrire durant de longues semaines…

Me voilà coincé dans un petit village provençal. À cause du manque de sommeil, j'ai fermé les yeux deux secondes et il a fallu qu'un sanglier traverse la route. J'ai bien cru que tout allait enfin s'arrêter, que j'allais finir dans le décor et que le cycle infernal allait prendre fin. Mais non. On ne veut pas de moi là-haut. Heureusement pour elle, la bête est morte sur le coup, je n'ai pas eu à l'achever, je l'ai enviée. Mais tout ce sang, cette chair, ces viscères broyés par mon pare-chocs et cramés par le radiateur m'ont soulevé l'estomac. J'ai gerbé tout ce que j'ai pu dans le fossé. J'ai été récupéré par un grand gaillard, sympa et généreux. J'ai tout tenté pour qu'il me laisse, qu'il me foute la paix. Rien à faire. Impossible qu'il me lâche. Ce n'est pas faute de lui avoir fait comprendre que je préférais qu'il dégage. Il a joué au benêt, il s'est bien foutu de ma gueule. Mais il a réussi son coup. Me voilà dans une chambre d'hôtes tenue par une amie à lui. Il ne lui a pas vraiment laissé le choix, d'ailleurs. Elle m'a accueilli gentiment et je me suis comporté comme un rustre. Combien de temps vais-je rester ici ? Je suis si fatigué, je n'en peux plus. Et je ne vais pas dormir.

Il fallait que je referme à tout prix ce cahier. Si je continuais à le lire, il serait question de la Bastide, sa présence chez moi, sa relation avec Mathieu. Avais-je vraiment envie d'en savoir plus maintenant ?

Je passai récupérer Cathie à la boutique, et me garai place Gambetta : nous allions déjeuner au Terrail. J'avais du mal à m'extraire de ma lecture, de mes découvertes, j'avais la tête ailleurs. En marchant vers la terrasse, j'aperçus la grande carcasse de Mathieu au seuil du restaurant.

— Tiens, regarde qui est là !

Dès qu'elle vit son mari, le visage de Cathie s'illumina d'un sourire et elle l'appela de sa jolie voix douce. Il lui répondit en balançant ses gigantesques paluches en l'air. Ils étaient si complices, si amoureux, ils étaient rassurants, un amour comme le leur me rappelait celui de mes parents.

— Il est avec qui ? demanda-t-elle en se retournant vers moi.

Je jetai un nouveau coup d'œil et me liquéfiai.

— Ah… c'est Élias.

— Génial ! Je ne l'ai encore jamais rencontré.

Mathieu s'approchait de nous, sourire aux lèvres, entraînant Élias avec lui.

— Salut, Mathieu ! claironnai-je.

Il embrassa sa femme puis me fit la bise. Je croisai le regard fatigué d'Élias qui se fendit d'un signe de tête. Le rouge me monta aux joues. Je repensai à ses larmes de la nuit, à son envie d'en finir, à sa vie de médecin perdue et à mon voyeurisme.

— Bonjour, soufflai-je.

— Tu me présentes ? demanda Cathie.

Mathieu mit quelques secondes à comprendre. Bourru, il chopa Élias par le bras et le tira vers nous.

— Ah ! Ma femme, Cathie.

Elle attrapa le nouvel ami de son mari par les épaules et lui claqua les trois bises du coin.

— Je suis ravie de vous rencontrer depuis le temps que j'entends parler de vous.

Il semblait complètement dérouté par l'attitude chaleureuse et accueillante de ma meilleure amie, ne sachant visiblement pas comment réagir.

— Enchanté, finit-il par répondre.

— Vous arrivez quand on repart, constata Mathieu, déçu. C'est ballot, on aurait pu déjeuner tous les quatre.

— On trouvera bien une autre occasion ! s'enthousiasma Cathie.

Abstraction faite de mes découvertes, je n'étais pas sûre d'en avoir envie. Trop étrange ; c'était bien la première fois qu'un client côtoyait mes amis. D'habitude, c'étaient deux mondes distincts : d'un côté nous, de l'autre les touristes. À ceci près que lui n'était pas franchement en vacances.

— On file, nous ! dit Mathieu en se tapant dans les mains.

Élias s'éloignait déjà, la tête basse.

— Au revoir, dit-il à Cathie par pure politesse.

Je croisai brièvement son regard qui me parut suppliant.

— À ce soir, lui dis-je sans même m'en rendre compte.

Il partit. Je laissai mes amis discuter deux secondes en tête à tête et filai m'installer à notre table. Je m'assis face au mont Ventoux. Mathieu et Cathie échangèrent un baiser d'éternels adolescents amoureux et elle me rejoignit, radieuse.

— Qu'est-ce qu'il a l'air triste ! me dit-elle une fois assise.

— Toi aussi, tu as remarqué !

— Fais confiance à mon p'tit mari pour le dérider !

— Il t'en a parlé un peu ?

— Écoute, à part pour me dire qu'il bosse comme un âne sans broncher, ce qui plaît beaucoup à Mathieu, comme tu peux t'en douter…

— Tant mieux.

— Il attend de voir comment se finit la semaine, il compte lui demander de rester au moins jusque fin juin.

— C'est vrai ?

— Oui. Comme il s'en doutait, il ne trouve personne d'autre en intérim. Si cet Élias s'en va, ils vont vraiment être dans la merde.

Je repensai à l'impression de fuite imminente ressentie dans sa chambre, à l'habitude qu'avait ce type de disparaître au bout de quelques jours. J'aurais dû faire part de mon inquiétude à Cathie, lui expliquer ce que j'avais surpris, mais je ne me sentais pas le droit de dévoiler le jardin secret d'Élias, ni même de lui apprendre qu'il était médecin. Et puis, à vrai dire, je n'étais vraiment pas fière d'avoir fouillé dans ses affaires.

Nous venions de finir nos salades et attendions nos cafés, lorsque Cathie aborda le sujet que je souhaitais éviter à tout prix et rompit, par la même occasion, notre pacte.

— Des nouvelles d'Aymeric ?

Je piquai du nez.

— Rien. Je ne sais même pas si je lui manque…

Ma voix se brisa, les larmes me montèrent aux yeux.

— Je ne sais pas quoi te dire, Hortense… Tu ne peux pas continuer à vivre de cette façon, il va te détruire…

J'acquiesçai timidement.

— J'ai eu Bertille, aussi.

— Du nouveau de ce côté-là ?

— J'ai honte, mais je les ai plantés pour tout l'été, c'était au-dessus de mes forces. Je vais rester ici jusqu'à la rentrée.

— C'est vrai !?

— Oui, lui répondis-je en souriant.

— C'est super égoïste, mais je suis trop contente. Et ça va te remettre sur les rails…

— On verra…

En fin de journée, je reçus l'appel d'Aymeric que je n'attendais plus. Une salve de colère et de rage me saisit. Je lui en voulais. De quoi au juste ? Difficile de faire le tri. Je n'aurais pas dû décrocher, mais j'étais faible.

— Hortense…

— Salut…

— Ça fait tellement de bien de t'entendre… J'ai cru ne jamais réussir à m'échapper.

— Où es-tu ?

Pourquoi avais-je posé cette question ? Je ne voulais pas me faire davantage de films.

— Sur la côte Atlantique, tu vois, je suis sur la plage, là. Et toi ? Les affaires marchent à la Bastide ?

— Oui, plutôt bien. J'ai tout le temps un peu de monde.

Il cherchait ses mots, je le sentais.

— Tant mieux… Et ta cheville ?

— Moyen…

Un ange passa.

— Tu me manques, Hortense.

Il soupira profondément.

— Toi aussi.

— Je sais que tu dois imaginer le contraire, mais je te jure que si je ne t'ai pas donné de nouvelles plus tôt, c'est parce que je suis coincé, jamais tout seul ou alors uniquement deux secondes. Je te sens loin… J'ai tellement envie de te voir…

Mon cœur se mit à battre plus fort. Ses mots continuaient de me toucher. L'idiote que j'étais s'y raccrochait pour se rassurer. Il fallait que je croie à son amour. Croire encore en nous. Je décidai de passer sous silence mon absence de Paris durant l'été, ne voulant pas qu'on se dispute.

— Tu ne veux pas faire un saut à Paris avant la fin de ton arrêt ?

— Non, j'ai des clients…

En réalité, j'aurais très bien pu aller passer vingt-quatre heures à Paris, sachant pertinemment que Cathie me rendrait ce service, si je le lui demandais, si c'était pour mon bien. Mais l'était-ce vraiment ? Pas si sûr…

— Mais si tu veux descendre me voir…

Il y eut un nouveau blanc. Était-il capable de faire un geste pour nous sauver ? Pour me garder ?

— Oh, ça va être chaud.

J'avais sa réponse, elle faisait atrocement mal.

— Je m'en doutais, tu sais… C'est dommage…

J'entendis qu'on l'appelait à tue-tête. Il cria un « Je suis là, j'arrive ! ».

— Pardon, il faut que j'y aille. Écoute, Hortense, je… je vais voir si je peux me débrouiller. Je ne te promets rien.

Encore un appel qui lui était destiné. Cette fois-ci, c'était la voix d'une fillette qui appelait son père.

— Merde, jura-t-il entre ses dents.

— Au revoir, Aymeric.

Je raccrochai. J'aurais voulu être sourde, n'avoir jamais entendu cette petite voix pétillante, impérieuse, qui réclamait son papa. Alors, oui, il s'était mis en danger pour m'appeler, mais pour quel résultat ? Pour lui et pour moi ? Cette intrusion violente dans sa vie de famille me donnait envie de vomir. Je bouillonnais, j'avais le sentiment que j'allais exploser. Je courus vers la salle de danse, sans écouter les plaintes de ma cheville. J'y pénétrai en trombe, mis en route à plein volume la première playlist qui me tomba sous la main. Je lançai mes chaussures dans un coin et retirai mon pull. J'étouffais. Et les larmes se mêlèrent à un rire amer quand je reconnus les premières notes angoissantes d'*Ocean* de Kid Wise. Je devais évacuer, me décharger de toute cette culpabilité, de ce dégoût de moi-même, et de cet amour pour lui. Le corps raide et tendu, je me plantai devant le miroir poussiéreux. Je m'agrippai à la barre de toutes mes forces jusqu'à ce que mes jointures blanchissent. Ce trou béant dans mon ventre était de plus en plus profond, la douleur me bouffait de l'intérieur, mais je ne pouvais rien faire. Danser – mon seul exutoire – m'était encore interdit. Je ne mettrais plus en danger mon rétablissement pour

Aymeric, pour combattre le mal qu'il me faisait. Je m'écroulai par terre, sans lâcher la barre.

Je perdis la notion du temps, le morceau tournait en boucle, tandis que je restais prostrée, le corps contracté. La nuit tomba. Lorsque quelques coups retentirent sur la baie vitrée, je sursautai. Ce n'était vraiment pas le moment. En découvrant Élias, je revins sur terre et mis mes problèmes de côté. S'était-il rendu compte que j'avais fouillé dans ses affaires ? Je me relevai péniblement, grimaçai en faisant le premier pas et baissai le volume de la musique qui hurlait toujours.

— Je peux faire quelque chose pour vous ? lui demandai-je, sur la réserve.

J'avançai vers lui, en boitant légèrement ; non seulement je payais ma course rageuse, mais j'étais peut-être sur le point de payer ma curiosité plus que déplacée. Il n'avait pas l'air hostile, me rassurai-je.

— Je voulais vous demander…

Son regard s'attarda sur ma cheville, il fronça les sourcils, confirmant mon imprudence. Il avait encore des réflexes de médecin.

— Oui ? insistai-je pour détourner son attention.

Il riva ses yeux injectés de sang aux miens.

— Avez-vous dit à votre amie, la femme de Mathieu, ce que vous savez ?

Pas sûre de bien comprendre…

— Le fait que vous soyez médecin ?

Il hocha la tête, inquiet.

— Non.

— Si vous pouviez le garder pour vous…

— Pourquoi ? ne pus-je m'empêcher de lui répondre. Mathieu serait ravi d'avoir un médecin dans son équipe en cas de blessures !

— Je ne suis plus médecin ! me rétorqua-t-il en haussant le ton.

— On ne l'est pas pour toute la vie ?

Son œil se fit noir.

— N'insistez pas, je n'exerce plus !

— Expliquez-moi...

J'eus un mouvement de recul face à la dureté de son visage. Il franchit la distance qui nous séparait en quelques pas, le corps tendu, prêt à l'attaque.

— Ma vie ne vous concerne pas !

Il était hors de lui, et pourtant, il paraissait totalement perdu, effrayé par sa réaction agressive.

— Excusez-moi, Élias, je ne voulais pas... C'était déplacé.

Je ne comprenais pas pourquoi, mais je ne souhaitais pas le blesser. Il avait un côté écorché vif qui me touchait de plus en plus. Je commençais à mesurer l'intensité de sa souffrance. Il leva ses mains, les approcha de mes épaules ; je tremblais nerveusement des pieds à la tête. Il esquissa un geste rassurant, comme s'il était prêt à les toucher, mais il se ravisa, la culpabilité le fit reculer.

— Je ne veux pas vous faire de mal ni vous faire peur.

— Je sais, chuchotai-je.

— De toute façon, je ne vais pas m'attarder très longtemps.

— Vous n'allez pas continuer à aider Mathieu ?

— Il va finir par trouver quelqu'un. Et il vaut mieux que je parte…

Je réussis à capter son regard torturé. J'avais conscience d'être bourrée de préjugés, mais soudainement, j'eus ma petite idée sur une des raisons de son départ précipité. Et je devais tenter le tout pour le tout pour Mathieu.

— Ne vous méprenez pas sur mes propos, lui dis-je avec précaution. N'y voyez pas de la curiosité mal placée.

Il fut à nouveau sur la défensive.

— Si c'est le tarif de la chambre qui vous fait partir, je peux vous faire un prix.

— En quel honneur ? Je ne demande pas l'aumône !

Il fulminait à nouveau, la respiration hachée. Je devais y aller doucement et avec pédagogie. Il y avait comme une violence contenue en lui.

— Ça n'a rien à voir avec une quelconque générosité vis-à-vis de vous. Mathieu et Cathie sont mes meilleurs amis, ils sont ma famille. Je leur dois beaucoup. Mathieu a besoin de vous, et pas que pour deux ou trois jours ; restez pour la saison s'il vous le demande. Et si l'argent vous pose problème, je prends ma part.

La tension de son corps se relâcha légèrement. Je devais continuer à argumenter.

— Vous n'êtes pas un touriste, je n'ai aucune raison de vous accabler avec les prix saisonniers.

— Je ne supporte pas d'être redevable.

— Rassurez-vous, je ne le fais pas pour vous, je le fais pour mon ami.

Son regard fuyait le mien.

— Restez…

Il prit une profonde inspiration.

— Très bien, je reste encore un peu, mais je ne promets rien dans le temps.

Et il partit, sans ajouter un mot. Une larme roula sur ma joue.

Les jours suivants, j'eus l'impression qu'il me fuyait. Il disparaissait le matin après avoir avalé son café, et ne revenait que tard le soir, toujours très tard. Je me demandais même s'il n'attendait pas que les lumières de la Bastide s'éteignent pour rentrer. Où pouvait-il bien passer ses soirées ? Jusqu'à preuve du contraire, il ne connaissait personne dans le coin, à part Mathieu, Cathie et moi. S'il avait passé son temps chez mes amis, j'aurais été au courant. Chaque nuit, malgré toute la discrétion qu'il y mettait, je l'entendais sortir dans le jardin. J'avais beau avoir d'autres chats à fouetter, je n'aimais pas cette ambiance qui commençait à devenir pesante. Je ne voulais pas qu'il me craigne, je ne voulais pas avoir à me méfier de lui. Je craquai donc un matin et pénétrai à nouveau dans sa chambre. Le cahier était à la même place que la première fois et la chambre dans le même état. Elle transpirait la même détresse, la même désolation, la même tristesse. Je retrouvai la page où j'avais stoppé ma lecture et replongeai dans ses écrits :

Pour la première fois depuis que j'ai tout plaqué et que je suis devenu anonyme, quelqu'un sait qui je suis. J'ai cru m'écrouler quand elle m'a tendu mon caducée. Comment ai-je pu le perdre sous ses yeux ? Je suis vraiment au bout du rouleau. Je dors de moins en moins. Je vais finir par me donner un coup de tronçonneuse si je continue comme ça. Je devrais partir d'ici, mais je n'ai pas envie de planter ce type, Mathieu, il est vraiment bien, tellement généreux, ça fait longtemps que je n'ai pas rencontré un homme comme lui. C'est le genre de mec qui inspire tout de suite confiance, on a envie d'être son ami. Il ne m'interroge pas. Il me prend comme je suis, avec mes silences. Je bosse, il est content, il parle de lui, de sa vie de famille, il me fait rêver, mais ce n'est pas pour moi. Aujourd'hui, j'ai vu sa femme, elle m'a sauté au cou comme si nous étions amis de longue date, elle était avec Hortense, ils ont l'air inséparables, ces trois-là. Ils sont attentifs les uns aux autres. Mathieu semble très soucieux d'Hortense, il ne me pose pas de questions sur elle, mais je sens qu'il veille au grain. Il pourrait être son frère, en tout cas il semble endosser le rôle de grand frère protecteur. Il faut que je parte, que je m'éloigne de ces gens dont la gentillesse me donne presque envie de croire encore en l'humain. Mais je n'ai pas envie de le mettre dans la merde. Et puis, quelque part, je suis soulagé que quelqu'un sache, même si j'en ai chialé comme jamais. Je suis certain qu'Hortense m'a vu.

Je détachai mes yeux un instant des lignes, sentant qu'il allait parler de moi. Au point où j'en étais, autant aller au bout.

Elle sait, elle m'a interrogé, normal. À sa place, j'en aurais fait autant. Elle lutte contre sa curiosité. Mais je n'ai pas l'impression qu'elle me voie différemment. Elle est simplement prête à tout pour que je reste aider son ami, au point de se passer du prix de la chambre. Quand je pense à la somme d'argent que je lui fais perdre ! Tant pis, j'accepte sa générosité, je ne vais pas faire la fine bouche. Si elle est curieuse vis-à-vis de moi, je dois reconnaître que je me pose aussi des questions sur elle. Pourquoi a-t-elle atterri dans cette grande baraque ? Que peut faire une femme seule ici ? Elle a l'air préoccupé, triste par moments. Je ne peux pas m'empêcher de l'observer de loin, elle a souvent le regard ailleurs, perdu. Je ne saurai certainement jamais pourquoi. Je dois à tout prix rester éloigné d'elle, de ses amis.

Je refermai le cahier, plus convaincue que jamais qu'Élias pouvait à tout moment disparaître.

*
* *

Ce soir-là, après dîner, je m'installai au jardin. Il faisait très doux et j'avais envie de profiter des soirées de plus en plus longues. Je me délectais de chaque bouffée d'ici. Les lavandes fleurissaient et leur parfum arrivait jusqu'à moi par vagues reposantes. Le ciel avait sa teinte douce et chaleureuse du soir, la luminosité n'en était que plus délicate. Je me calai au fond du canapé et savourai la vue, un verre de vin à la main. Comment pouvais-je me passer de tout cela aussi longtemps dans l'année ? La réponse était évidente. Même lorsque je prenais des vacances, je les passais majoritairement à Paris, pour ne pas être trop longtemps séparée d'Aymeric. Sa présence dans ma vie avait définitivement tout conditionné. « Oh non, ne pars pas, tu vas me manquer ! » me disait-il lorsque j'évoquais la possibilité de descendre une semaine, et je lui cédais, sans doute trop facilement. J'avais toujours aimé qu'il ait ce pouvoir sur moi, cette maîtrise. J'étais réconfortée par l'idée que je n'étais pas seule et que j'existais pour lui. Les faits parlaient d'eux-mêmes, j'étais plutôt à son service. Lui ne s'était jamais gêné pour partir quand il le souhaitait ; peu importait qu'on soit séparés durant une longue période. Finalement, depuis ma décision de venir passer du temps à la Bastide, j'étais allée contre son désir ; agir ainsi était déroutant. Un peu comme si je m'étais affranchie de mes repères. Depuis l'intrusion de sa fille dans notre conversation, il n'avait donné aucun signe de vie. Une fois de plus, je patientais – par habitude –, de plus en plus triste et fataliste.

Pour ne pas me laisser noyer par le cafard, je mis le nez dans mes comptes en essayant de faire des projections sur la somme qu'allaient me rapporter les chambres d'hôtes. Je fus distraite dans mes calculs : la voiture d'Élias venait de se garer. Il fouilla le jardin du regard et me vit. À ma grande surprise, il avança vers moi. Je ne savais pas à quoi m'attendre : notre dernière entrevue n'avait pas été une franche réussite.

— Bonsoir, lui dis-je souriante.

— Bonsoir, Hortense.

Je devais prendre les choses en main ; nous n'allions pas continuer à nous regarder en chiens de faïence. Et je devais faire abstraction de mes lectures.

— Installez-vous ! Il y a de la place.

Il hésita quelques secondes avant de s'approcher.

— Merci, murmura-t-il.

Il s'assit dans un fauteuil et resta silencieux, apparemment absorbé par la vue.

— Vous voulez boire quelque chose ?

Je n'attendis même pas sa réponse.

— Ne bougez pas, j'y vais.

Je détalai comme un lapin – façon de parler ! –, ne voulant pas rater l'occasion ne serait-ce que d'une conversation courtoise. En moins de trois minutes, je fus de retour avec la bouteille ouverte un peu plus tôt dans la soirée. Je lui tendis un verre.

— Merci.

Il fit valser le vin dans le ballon, le sentit et le goûta.

— Le boulot avec Mathieu vous plaît ?

— J'y trouve mon intérêt. Au moins quand on bûcheronne, on ne pense à rien, à part éviter de se blesser.

Machinalement, il toucha sa main gauche, recouverte d'un énorme hématome légèrement sanguinolent.

— Vous avez dû être distrait, lui fis-je remarquer.

— Effectivement.

Il riva un regard implorant au mien. Je lui souris doucement pour le rassurer. Non, ça n'allait pas être l'inquisition. J'avais compris le message. Et la part voyeuse en moi se disait que je finirais peut-être par en savoir davantage si je continuais à lire son journal.

Il ne me quittait pas des yeux, empathie et douleur s'y mêlaient.

— Euh… je tenais à m'excuser pour l'autre soir. Je me suis très mal comporté avec vous… Quand je pense que je vous ai hurlé dessus… ça me dépasse.

J'étais convaincue que cette agressivité ne lui ressemblait pas.

— Ne vous en faites pas… On a tous nos coups de moins bien. C'est déjà oublié. N'en parlons plus, d'accord ?

Il acquiesça, à nouveau en proie à cette expression de gratitude intense. Qui avait pu le blesser à ce point ?

— Mais comme je ne veux pas abuser de votre hospitalité…

Je levai la main pour le faire taire.

— Ah non ! m'emportai-je. Vous n'allez pas recommencer. Le sujet est clos !

Il arbora un demi-sourire.

— Je cherche juste une façon de vous rendre la pareille.

— Pas besoin, je vous l'ai déjà dit.

— Dites-moi, je ne sais pas… Je pourrais faire quelques travaux tant que je suis là ?

En plus d'être étrange, il était sacrément têtu !

— Hors de question, vous devez vous tuer à la tâche avec Mathieu, je ne vais pas vous faire bosser le soir en prime !

— Si c'est ce que je veux…, me répondit-il d'un air déterminé et presque amusé.

— De toute façon, on ne peut pas faire de travaux pendant la saison, je ne veux pas déranger mes clients.

— Réfléchissez un peu, il n'y a vraiment rien que je puisse faire ?

Je réussis à me soustraire à son emprise et bus une gorgée de vin. Bien évidemment, je pensais à la salle de danse.

— Vous avez quelque chose en tête ? Je le lis sur votre visage.

Je ronchonnai en riant à moitié. D'abord têtu, maintenant observateur et perspicace.

— La dépendance où vous êtes passé l'autre soir.

Il fronça les sourcils, d'un air de dire qu'il ne voyait pas de quoi je parlais.

— Vous savez, quand… quand… on a trouvé un compromis pour la chambre.

Sa bouche se tordit, dessinant un petit sourire en coin, à peine perceptible.

— Drôle de façon de qualifier un compromis… mais je vous avoue que je n'ai pas fait très attention à l'endroit. Vous me montrez et je vous dis si je suis capable de m'en occuper. Ça vous va ?

— D'accord.

Il se leva, abandonnant son verre auquel il avait à peine touché, et me regarda, circonspect. Je ne bougeai pas d'un pouce.

— Je vous suis.

— Oui, bien sûr, j'arrive.

C'était étrange ; jamais je n'aurais pu imaginer qu'un autre que papa puisse rafraîchir cette pièce si chère à mon cœur. Je n'avais pas eu le temps de peser le pour et le contre, tout était allé trop vite. Pourtant, je n'avais pas à faire la fine bouche, il proposait de m'aider, je ne pouvais pas refuser. En même temps, je ne m'autoriserais pas à être sur son dos pour tout vérifier, pour surveiller, pour scruter, comme si j'avais embauché un type du métier.

Élias marchait à quelques mètres de moi, mains dans les poches.

— À quoi sert cette dépendance ? me demanda-t-il au moment où j'ouvrais la baie vitrée.

— C'est une salle de danse.

J'allumai les lumières et lui fis face. Il avança de quelques pas, observa les murs, le miroir, la barre, qu'il toucha, puis me fixa. Pour la première fois, il parut curieux.

— Vous êtes danseuse ?

— Oui, enfin… professeur de danse.

— Ici ?

— Non.

— Vous ne l'utilisez pas en ce moment à cause de votre cheville…

« Malheureusement non », eus-je envie de crier.

— Elle n'a pas été entretenue depuis plus de quatre ans, précisai-je.

— Et vous voulez refaire quoi, exactement ?

— Euh… je crois qu'elle a besoin d'un coup de rouleau, elle a souffert de l'humidité l'hiver dernier, il y a des fissures à droite à gauche sur les murs.

Il hocha la tête et jeta un coup d'œil vers le plafond.

— Et les poutres ? On les repeint ?

Papa voulait le faire, mais je trouvais trop dangereux à son âge de grimper sur une échelle aussi haute.

— Je ne sais pas.

— Vous me direz.

— Vous voulez vraiment le faire, alors ?

— Je crois que je devrais m'en sortir.

Son visage prit une expression très douce, qui contrastait avec tout ce qu'il avait pu me montrer jusque-là.

— S'il vous plaît, laissez-moi vous rendre service.

Je lui souris, touchée par sa gentillesse.

— Merci.

Il recula vers la sortie.

— Bonne nuit.

— À vous aussi.

Il était déjà prêt à disparaître.

— Élias !

Il fit volte-face.

— Mon père a tout fait ici… et si personne n'y a touché c'est parce que ma mère et lui sont morts il y a…

— … Quatre ans. Ne vous inquiétez pas, je vais faire attention.

Sous ses airs détachés et lointains, il écoutait tout, il enregistrait tout. Avais-je raison de le laisser faire ? Je n'en avais aucune idée, mais au moins, ce petit bout de soirée avait brisé la glace entre nous.

Le lendemain matin, dès que la Bastide fut vide, je fonçai immédiatement dans sa chambre, désireuse de savoir ce qu'il avait écrit à propos de la veille. J'étouffai un rire en lisant sa première phrase :

Dans quelle merde je viens de me fourrer ! Et pourtant, je suis content de lui rendre service. Mais déjà que j'étais coincé par le bûcheron, me voilà coincé par l'hôtelière. Ça m'est venu comme ça, quand je me suis retrouvé seul pendant qu'elle allait chercher son vin. J'ai eu l'impression qu'elle était montée sur ressort, elle devrait faire attention à sa cheville... Merde ! C'est plus fort que moi ! Pendant son absence, j'ai jeté un coup d'œil aux papiers sur la table basse, elle manque d'argent pour entretenir cette maison, l'endroit a dû connaître son heure de gloire, mais tout part à vau-l'eau depuis la mort de ses parents. Ça m'a donné l'idée de lui faire quelques travaux en échange de la chambre presque gratuite... On ne se refait pas...

10

— Je suis en voiture vers le bureau et je voulais absolument te parler.

Il avait fallu attendre le lundi matin pour qu'Aymeric daigne me donner des nouvelles. Je savais qu'il finirait par se manifester, mais j'avais malgré tout été étonnée de découvrir son prénom sur l'écran. Surprise ou crainte ou encore rancœur ? Aucune idée. Je n'avais pu m'empêcher de le laisser mariner. Il avait appelé cinq fois de suite avant que je décroche. Ma faiblesse avait emporté cette bataille sur moi-même.

— Je tenais à m'excuser pour l'autre jour, tu sais… quand… quand ma fille me cherchait… Je suis désolé.

— Que veux-tu que je te dise ?

Il y eut un blanc qui n'en finissait pas.

— Qu'est-ce qui nous arrive ? finit-il par lâcher d'un ton dépité.

— À toi de me le dire…

— Tu es sûre de toi ? Tu ne veux pas revenir à Paris ne serait-ce que pour quelques jours ?

— Non, et puis quoi… tu m'accorderais une soirée ? J'ai besoin de plus, Aymeric…

— Je comprends… Moi aussi, tu sais.

Il y eut un nouveau blanc, puis un bip.

— Quoi encore ? m'énervai-je.

— J'ai un double appel, il faut que je prenne, c'est ma…

— OK, c'est bon !

— Je t'embrasse…

Je raccrochai sans écouter la suite. À quoi cela me servirait-il d'entendre une fois de plus ses excuses à la noix ? À rien sinon à me faire du mal. Inutilement.

Quelques jours plus tard, je revenais d'un dîner chez Cathie et Mathieu. Cette soirée m'avait permis de mettre un peu de côté le nouveau silence radio d'Aymeric. Mais surtout les remontrances d'Auguste. Je m'étais pris par téléphone une avoinée dont je me souviendrais longtemps. Ma disparition des écrans radar l'avait fait sortir de ses gonds. Il m'accusait – certainement à juste titre – de traiter ma convalescence par-dessus la jambe, d'être irresponsable et de prendre des risques inconsidérés pour mon rétablissement. Lorsqu'il m'avait menacée de venir me chercher « par la peau des fesses » pour me remonter à Paris et me faire hospitaliser dans la clinique du savant fou, j'avais décoché la cartouche de mon kiné et proposé qu'il l'appelle lui-même pour avoir un rapport détaillé sur ma récupération. Il s'était très légèrement radouci et avait fini par raccrocher après mes promesses de repos.

De retour à la Bastide, je m'écroulai sur le volant. J'aurais pu rester à méditer encore longtemps sur l'état déplorable de ma vie sentimentale et sur la menace du débarquement d'Auguste, si je n'avais pas aperçu de la lumière dans le jardin. En arrivant sur la terrasse, je trouvai Élias installé dans le canapé, cigarette aux lèvres. En dépit de ma curiosité, j'avais réussi à ne pas retourner dans sa chambre. N'ayant aucune envie de parler, je me contentai d'un petit signe de la main, auquel il répondit, et je rentrai.

Trop énervée, les sens aux aguets, je ne trouvais pas le sommeil. Vers 1 heure du matin, j'entendis Élias monter se coucher. Je m'étais habituée à ses allées et venues nocturnes, elles ne me dérangeaient plus, elles faisaient désormais partie des bruits rassurants de la nuit. Le calme fut brisé par un crissement de pneus sur le gravier. Je soupirai d'exaspération. Qu'allait-il encore me tomber dessus ? Seule certitude, à cette heure-là, ce ne pouvait pas être Auguste. Je n'avais pas peur, je n'avais jamais eu peur toute seule à la Bastide, d'autant plus que deux des chambres étaient occupées. Une portière claqua au loin. Je n'avais plus le choix, je m'arrachai à regret de ma couette, j'étais partie pour une nuit blanche.

J'allumai la lumière extérieure et sortis sous l'auvent. La vision que j'eus de la terrasse me figea sur place : Aymeric. Il avançait vers moi, tiré à quatre épingles, sourire triomphant aux lèvres. Mon cœur battait à tout rompre. Une certaine forme de tristesse m'étreignait et m'empêchait de réagir ; alors qu'il y avait encore quelques mois, j'aurais crié de joie, bondi vers lui, pleuré de bonheur, à cet instant, j'étais incapable d'avancer, je le fixais avec le même sentiment que si je m'étais trouvée face à un étranger. Sa visite surprise me tétanisait, m'effrayait. Il accéléra le pas et, dès qu'il fut à ma hauteur, son sourire à la limite de l'arrogance s'effaça progressivement.

— Tu n'es pas contente de me voir ?

Comment pouvais-je ne pas être heureuse de sa présence ? J'avais toujours espéré qu'il me fasse une telle surprise.

— Bien sûr que si ! Je n'en reviens pas, c'est tout.

Et mon corps, qui échappait à ma volonté, agit avant que ma conscience me dicte quoi faire. Je me jetai dans ses bras et l'étreignis de toutes mes forces. Par habitude, je respirai son parfum, qui me sembla différent, je m'agrippai à lui, pour savourer le plaisir de le sentir à nouveau contre moi. Ses mains dans mon dos me parurent moins possessives qu'avant. Nos lèvres se retrouvèrent instinctivement. Pourquoi ce baiser avait-il un tel goût de chagrin ? Je me détachai de lui, il repoussa délicatement une mèche de cheveux de mon front.

— Tu m'as manqué, me dit-il.

Son ton me parut sans grande conviction et je lui répondis en ayant l'impression de mentir.

— Toi aussi.

— J'ai sauté sur l'occasion, j'ai un rendez-vous pour le boulot à Aix demain midi.

— Tu es juste là pour la nuit…

— Non, je reste avec toi demain soir aussi.

Moi qui voulais qu'il fasse des efforts, j'aurais dû être émue aux larmes. Il déposa un baiser sur mes lèvres.

— On a besoin de temps ensemble, c'est toi qui l'as dit et tu as raison.

Je lui offris un petit sourire.

— Je vais chercher mes affaires, j'arrive.

Lorsque je fus certaine qu'il ne pouvait pas m'entendre, je soupirai, soucieuse. Une appréhension dont il était difficile de définir la nature venait de s'emparer de moi. Allions-nous seulement nous retrouver ? Des images de la dernière soirée où nous nous étions tant fait souffrir m'assaillirent en rafales. Il revint avec une veste de costume sur un cintre dans une housse et un petit sac de voyage. Sans un mot, il me suivit à l'intérieur de la maison, ses yeux s'attardant dans l'entrée, sur les brochures touristiques, les clés des chambres et la production de miel et de confitures de Cathie. Ma petite affaire devait lui sembler très loin de ses préoccupations. Il ne perdit aucun de mes gestes pendant que je fermais la porte, éteignais les lumières et prenais le chemin de ma chambre.

— Je t'ai réveillée, me dit-il en remarquant mes draps défaits.

— Ne t'inquiète pas... Ça va juste piquer demain matin, j'ai du monde, je dois me lever.

Il caressa ma joue et me plaqua contre son corps en m'attrapant par la taille. Cette fois, il m'embrassa avec fougue, je ne pus cependant m'empêcher de penser qu'il se forçait. Peut-être parce que moi-même, je me forçais un peu, incapable de la moindre initiative. Il me renversa sur le lit, percevant certainement mon manque d'entrain. Il souleva mon débardeur pour me caresser les seins. J'aurais dû être ravagée par le désir qui m'étreignait chaque fois qu'il posait la main sur moi.

— J'ai envie de toi, Hortense. Ton corps me manque.

J'eus l'impression d'être extérieure à moi-même, pendant que nous faisions l'amour. Certes mes sens réagissaient, je prenais du plaisir – tout du moins c'était ce qu'il me semblait –, mais j'étais comme un automate : mes gestes, mes caresses étaient les mêmes que quelques semaines plus tôt, à ceci près qu'ils étaient dépourvus d'avidité. Et lui, son visage habituellement tendu par le désir ne me renvoyait pas ce soir la même impression, j'avais plutôt le sentiment qu'il jouait le rôle de l'amant soucieux de réussir une performance et de m'amener à la jouissance, mais sans être avec moi, sans rien partager. Comme si nous avions l'obligation de faire l'amour après de longues semaines de séparation. Une façon de se rassurer.

Après ces retrouvailles tièdes, il vint se coller à mon dos et enveloppa mon ventre de son bras. Il poussa un profond soupir. Un soupir triste. Avait-il ressenti la même chose que moi ? Cette distance incompressible entre nous ? J'avais raison depuis le début, nous avions besoin de temps ensemble et pas seulement d'une nuit… enfin, peut-être.

— Dors bien, chuchota-t-il.

Je me calai plus étroitement dans ses bras, ayant besoin de la chaleur de son étreinte, de me raccrocher à lui, à nos souvenirs. Sa respiration s'apaisa progressivement, il finit par s'endormir. Je ne réussis qu'à somnoler quelques quarts d'heure par-ci, par-là. Chaque fois, je me réveillais en sursaut et, chaque fois, en sentant le bras d'Aymeric sur moi, je me disais qu'il n'aurait pas dû être là.

Mon réveil sonna. Aymeric ne broncha pas lorsque je me glissai hors du lit sans bruit. Je courus m'enfermer dans la salle de bains sans oser le regarder. Qu'aurais-je vu ? Aymeric dormant chez moi, une image trop rare qui aujourd'hui me perturbait. Je pris une douche brûlante pour tenter de me réchauffer, de faire disparaître l'impression d'être glacée de l'intérieur. Je réceptionnai ensuite les baguettes et les croissants frais en réussissant tant bien que mal à esquisser un sourire au livreur. L'estomac noué, j'enchaînai sur mes tâches du matin : dresser les trois couverts pour le petit déjeuner et lancer la première cafetière. Puis j'attendis, stoïque, redoutant le moment où Aymeric allait se lever.

— Bonjour, Hortense.

Je sursautai en reconnaissant la voix d'Élias.

— Élias, bonjour… Vous avez bien dormi ?

Et je percutai instantanément. Il ne dormait quasiment pas. La veille, il venait de monter se coucher lorsque Aymeric avait débarqué. Était-il redescendu dans la nuit ? Qu'avait-il entendu ? La gêne s'empara profondément de moi. Il était là, il vivait au cœur de mon intimité. Mais je n'avais rien à dire, moi qui ne me gênais pas pour lire son journal.

— J'ai entendu une voiture cette nuit…

— Visite surprise.

Il hocha la tête, oui, il savait.

— Vous souhaitez le prendre dehors, votre café ? lui demandai-je sèchement pour passer à autre chose.

— Laissez-moi faire pour ce matin.

Joignant le geste à la parole, il attrapa une tasse dans le buffet, se servit directement et disparut.

Je m'occupais de mes autres clients qui me tenaient la jambe pour m'expliquer le programme de leur journée ; ils étaient adorables, mais je n'avais vraiment pas la tête aux mondanités.

— Messieurs-dames, bonjour.

Aymeric venait de faire son entrée, prêt pour le travail, revêtu de sa chemise impeccable, dont il avait remonté les manches. Il me fit un clin d'œil éteint et s'éclipsa.

— Je vous laisse prendre votre petit déjeuner, dis-je à mes hôtes.

Je respirai un grand coup avant de pousser la porte de la cuisine. Il s'était servi une tasse de café et mordait dans un croissant.

— Tu as l'air crevée, me dit-il entre deux bouchées.

Je réussis à lui sourire.

— Petite nuit.

Son attention se focalisa sur mes jambes.

— Tu ne portes plus ton attelle ?

Je ne le lui avais même pas dit. Jusque-là, il semblait tellement s'en désintéresser que le sujet de ma cheville était devenu tabou.

— Non.

Je m'approchai de lui pour remplir ma tasse, je le frôlai sans lui accorder un regard, puis m'adossai au plan de travail, face à lui. Je plongeai le nez dans mon café.

— Hortense, que se passe-t-il ?

Ma gorge se serra, des mots se bousculaient dans ma bouche, mots que je ne voulais pas prononcer. Je levai mon visage vers lui ; à sa façon de tapoter du pied par terre, je voyais à quel point il était tendu. Inquiet, impatient.

— Je n'en sais rien.

Il abandonna sa tasse dans l'évier et me rejoignit. Il emprisonna mon visage entre ses mains. Impossible de lui échapper.

— On va se retrouver, je te le promets, murmura-t-il.

Et il m'embrassa passionnément, cherchant à me posséder, à me marquer à nouveau de lui. Il voulait y croire à tout prix. Ma faiblesse me rattrapa, je me laissai aller à son baiser, même si je savais qu'il ne résoudrait rien. Quand il abandonna ma bouche, il appuya son front contre le mien, les yeux clos.

— Je vais tout faire pour abréger mon rendez-vous et je reviens vite.

Il quitta la pièce comme à regret. Je pris quelques secondes pour me redonner une contenance avant de rejoindre la salle à manger. Mes hôtes savouraient avec bonne humeur leur petit déjeuner.

— Tout va bien ?

— Oui ! Hortense, votre mari est charmant.

Cette remarque innocente me coupa les jambes.

— Merci, dis-je en m'enfuyant dehors.

Je fis quelques pas dans le jardin en repoussant avec acharnement mes cheveux en arrière comme si cela allait me réveiller de ce cauchemar, cauchemar où je ne pouvais même pas hurler. Et je tombai nez à nez avec Élias.

— Vous n'êtes pas encore au travail ? ne pus-je m'empêcher de lui demander avec un ton de reproche dans la voix.

— Mathieu m'a proposé de le rejoindre plus tard, aujourd'hui.

Il avait sa tasse à la main, prêt à la rapporter à la cuisine ; je l'arrêtai :

— Laissez, je vais m'en…

Je m'interrompis en apercevant Aymeric qui me cherchait. Déjà il était près de nous, sa veste ajustée sur le dos, son téléphone portable et ses clés de voiture à la main. Sa parfaite tenue de cadre quarantenaire dynamique, qui me charmait et m'amusait à Paris, paraissait décalée ici, surtout face à Élias et sa sale tête, en jean dégueulasse, vieux sweat à capuche et baskets plus toutes jeunes. Aymeric se tourna vers lui et se présenta en lui tendant la main.

— Aymeric, enchanté.

En toutes circonstances, il était poli, maître des apparences, quelle que fût la tension entre nous tous.

— Élias, se contenta de répondre ce dernier.

Je sentais qu'il le jaugeait. Après un examen rapide et néanmoins minutieux, il se désintéressa de lui et s'adressa à moi :

— Je vous laisse, bonne journée.

— Merci, Élias, à vous aussi.

Il s'éloigna rapidement, non sans jeter un coup d'œil à Aymeric qui le fixa quelques instants.

— Qui est-ce ? me demanda-t-il.

— Un client, il travaille pour Mathieu.

Il caressa ma joue d'un air accablé qui me bouleversa et me fit mal.

— Je file maintenant, ça va me permettre de rentrer plus vite et on aura un peu plus de temps.

Je hochai la tête en guise de réponse.

— À tout à l'heure.

Il se pencha vers moi et déposa un baiser léger sur mes lèvres. Impossible de retenir ma main qui s'agrippa brièvement à sa veste. Il s'éloigna. Sa portière claqua et il démarra aussitôt. Je cachai mon visage dans mes mains, j'aurais voulu me réfugier dans ma chambre et m'enrouler dans ma couette, volets fermés, pour qu'on me fiche la paix.

Je passai les heures suivantes dans le brouillard, maudissant ma cheville qui m'empêchait encore d'extérioriser mes conflits intérieurs en dansant ; je mourais d'envie de mettre la musique fort à m'en crever les tympans et de danser, danser, danser jusqu'à épuisement, rendre les armes dans la sueur. Faute de quoi je m'étourdis en faisant le ménage dans les chambres, les renettoyant intégralement, changeant tous les draps – y compris ceux d'Élias. Je m'arrêtai plus longuement dans sa chambre, je voulais savoir ce qu'il avait entendu, ce qu'il pensait.

Je ne voulais pas écrire aujourd'hui, d'ailleurs je n'ai pas ouvert le cahier depuis plusieurs jours. J'ai trop peur de ce que j'y mets. Ça me fait réaliser des choses et remonter des souvenirs que je voudrais oublier. Je n'aime pas me sentir bien ici. Je n'aime pas prendre des marques, des habitudes, c'est dangereux pour moi. Pourtant, me voilà en train d'écrire. J'ai bien cru ce soir que j'allais m'endormir, j'étais enfin prêt à m'assoupir quand j'ai entendu une bagnole se garer, j'ai eu les jetons pour Hortense, alors je me suis relevé et sans allumer la lumière j'ai ouvert ma fenêtre et tendu l'oreille. J'ai une vue imprenable sur la terrasse. Un type est sorti d'une voiture, un beau break, genre classe supérieure. Je sens de là l'odeur du cuir. Le mec, déjà, il se la joue avec sa caisse. Il ne fait pas vraiment couleur locale, trop guindé pour la vie à la campagne. J'ai tout de suite remarqué qu'Hortense était tendue, je suis sûre qu'elle tremblait. Le mec est arrivé avec un sourire suffisant, il la matait d'une façon qui m'a dérangé, il la décortiquait comme un objet. J'ai failli me renfermer dans ma chambre quand je les ai vus s'embrasser, je me suis vraiment fait l'impression d'être un voyeur de bas étage. Mais je suis resté parce qu'ils se sont mis à parler et j'ai laissé faire ma curiosité malsaine. En quelques phrases j'ai compris, et puis j'en ai vu des hommes comme lui. Mon frère le premier. Ce type trompe sa femme avec la belle danseuse. Si je le croise demain matin, je suis à 100 % convaincu de découvrir une alliance, bien grosse, bien voyante avec son or jaune, à son annulaire. Pauvre mec. Espèce de salaud ! Entre sa bagnole et sa dégaine, je peux très vite me faire une idée. Il voudrait peut-être nous faire croire qu'il est malheureux chez lui. Il doit avoir une jolie petite famille, bien propre, bien sous tous rapports. Mais monsieur veut la maîtresse en plus, c'est plus beau sur le papier ! Ah, il doit se sentir viril à l'idée de coucher avec une danseuse, ça doit lui permettre de rouler des mécaniques, de se sentir plus fort que tous les autres. Je suis certain qu'il se fout d'elle. Pauvre Hortense... Depuis combien de temps attend-elle qu'il quitte sa femme ? Il ne le fera jamais... Elle doit souffrir. Et je dois dire que ça me surprend, elle a bien *un côté fragile, mais elle paraît forte malgré tout. En même temps, c'est peut-être à cause de ça qu'elle est fragile. Et puis, je ne la connais pas. Qui est-elle, au bout du compte ?*

Je refermai violemment le cahier. J'aurais dû avoir envie de le mettre à la porte pour avoir écrit de telles horreurs sur Aymeric. Mais j'étais assez lucide pour reconnaître qu'il énumérait certaines vérités, sur lui comme sur moi. Qui étais-je, au bout du compte ? Que voulais-je ? Où étais-je passée ces dernières années ? J'étais avec Aymeric, j'étais celle qu'il voulait que je sois. Je m'étais perdue dans mon amour pour un homme dont je n'avais rien à attendre, jusqu'à preuve du contraire. Je m'étais modelée en fonction de lui, de ses goûts, de son plaisir, parce qu'il comblait le vide de ma vie ; en tout cas, c'était ce que je ressentais jusqu'alors. En réalité, m'acharner à le garder près de moi n'avait fait que m'isoler davantage. J'avais noyé le chagrin de la perte de mes parents en lui offrant la part gaie, séductrice et légère de ma personnalité, sans même me rendre compte que j'étouffais le reste. Inconsciemment, j'avais mis ma vie entre parenthèses avec lui. Elle s'était arrêtée le jour où mes parents étaient morts, grâce à lui je revivais, mais sans affronter la réalité, sans faire l'état des lieux, en évitant soigneusement de prendre des engagements vis-à-vis de moi-même. Et j'avais laissé passer les années pour me retrouver aujourd'hui au point zéro.

Aymeric arriva à 18 heures, la mine contrite.
— Je suis désolé d'avoir été plus long que prévu.

— Tu es venu pour le boulot, c'est normal que tu t'y consacres.

— Arrête, Hortense, tu sais très bien que je ne suis pas là pour ça.

— Tu ne serais pas venu si tu n'avais pas eu ce rendez-vous. Ne dis pas le contraire.

— Je peux te prendre dans mes bras ?

Pour toute réponse, je me lovai contre lui.

— Ça te dit de dîner dehors, ce soir ? Ou tu as des clients qui arrivent ?

Je me dégageai de ses bras, attendrie par ses tentatives pour rattraper les choses entre nous. Il voulait faire comme à Paris, un dîner au restaurant, pour m'étourdir. Il ne savait faire que ça.

— Non, j'ai les mêmes personnes qu'hier. On peut sortir si tu le souhaites.

Je voyais bien que ma réaction le décevait, mais j'étais incapable de simuler l'enthousiasme. Il me tendit la main.

— Je vais prendre une douche, tu viens avec moi ?

— Non, je vais juste me changer.

— Comme tu veux.

Il disparut à l'intérieur. J'attendis quelques minutes pour être certaine qu'il soit sous l'eau, puis allai à mon tour dans ma chambre. J'enfilai à la hâte une petite robe, simple, discrète. Je voulais être jolie pour lui encore une fois, mais je refusais de me transformer en la femme fatale qu'il cherchait en moi. Aussi, je ne pris aucun risque pour ma cheville et enfilai des tropéziennes. Je me contentai d'un maquillage léger et pus quitter ma chambre avant même qu'il soit ressorti de la salle de bains. En l'attendant, je repris ma place sur la terrasse. Quand il me rejoignit, il laissa son regard errer sur ma silhouette et me sourit doucement.

— J'ai un coup de fil à passer et on part après, ça te va ?

À son expression, je sus qui était le destinataire ou plutôt la destinataire de son appel. Je pris sur moi pour masquer mon exaspération, il aurait quand même pu trouver le moyen de le faire de sa voiture avant de me retrouver. Il ne m'épargnait rien.

— Vas-y.

Il ouvrit la bouche, prêt à parler.

— Tais-toi, l'arrêtai-je.

Il baissa le visage, comme pris en faute, et partit dans le jardin le plus loin possible. Il faisait les cent pas, le téléphone vissé à l'oreille, mais il n'était pas nerveux, son pas était souple, léger, son corps détendu. Je fis quelques pas pour mieux le voir. Mon cœur me pinça. J'eus l'impression que le mistral retombait, que les cigales se taisaient pour que je puisse mieux entendre les intonations de sa voix, enjouées, douces, délicates ; il souriait. Il éclata de rire, je portai la main à ma bouche. Aymeric était heureux, simplement heureux de parler avec sa femme, de passer du temps avec elle. Ils évoquaient peut-être leurs filles, ou leur dernier week-end d'escapade entre amis ou encore le programme du prochain. Peut-être lui racontait-il comment son rendez-vous s'était passé, lui faisant partager son enthousiasme. Je n'avais jamais vu Aymeric avec un tel visage, si décontracté, si drôle. Il n'était ni autoritaire, ni capricieux, ni impatient. Et il semblait en adéquation avec lui-même, il était serein. La culpabilité, qui n'avait pas pointé le bout de son nez

255

depuis longtemps, jaillit en moi. Elle revenait au juste moment. Que faisait-il, là, avec moi ? Il n'était pas à sa place. Il ne pouvait pas jouer cette comédie du bonheur, sans y croire. Il n'avait jamais cessé d'aimer sa femme, il l'aimait et il aurait dû être avec elle. Il aurait dû faire un aller-retour en TGV dans la journée pour dormir dans ses bras à elle ce soir et non dans ceux d'une maîtresse avec qui il essayait de recoller les morceaux. Je le vis raccrocher, il regarda ses pieds, prit une profonde inspiration et se passa la main dans les cheveux. Je n'essayai pas de me cacher ou de lui laisser croire que je ne l'avais pas observé pendant qu'il prenait des nouvelles de sa famille. À quoi bon ? J'étais chez moi. Lorsqu'il me rejoignit, il m'offrit un petit sourire.

— Tu es prête ? On peut y aller ?

— Je t'attendais.

Nous prîmes la direction de la cour, marchant épaule contre épaule, sans un mot. À l'entrée du terrain, je reconnus la voiture de mon petit couple bavard, j'accélérai le pas.

— Dépêche-toi, ordonnai-je à Aymeric.

— Pourquoi ?

— S'ils nous tombent dessus, on en a pour la soirée !

Je lui attrapai la main et l'entraînai plus vite vers sa voiture. Grâce à son démarrage rapide, on put échapper à mes clients à qui je fis un signe de la main en poussant un « ouf ». On éclata de rire tous les deux après avoir franchi le portail de la Bastide. Mon rire devint amer, pour se finir dans un sanglot. Je ne réussis pas à l'étouffer et Aymeric posa la main sur ma cuisse.

— Hortense, dis-moi ce qu'il y a…

— Ils t'ont pris pour mon mari, ce matin, lâchai-je d'une voix étranglée.

Il pila, tout en me retenant avec son bras. Puis il se cramponna à son volant, avant de donner un coup dessus.

— Pardon, souffla-t-il.

— Ne reste pas au milieu de la route, c'est dangereux.

Je détournai le visage et regardai le paysage sans le voir. Il redémarra et le reste du trajet se fit en silence. Il trouva facilement une place dans le village. En sortant de la voiture, il vint près de moi et me prit la main. Il la serra fort, comme pour m'empêcher de m'échapper. Mais je croisai des gens que je connaissais, alors il dut me lâcher pour que je puisse leur dire bonjour. Je fis une bise à la caissière de la supérette – nous étions au lycée ensemble –, elle me fit promettre de passer boire un verre avec elle. Après, ce fut au tour d'un restaurateur et de la vendeuse d'une boutique de vêtements. Aymeric restait en retrait, m'observant rire, discuter avec ces personnes qu'il ne connaîtrait jamais. Je voyais bien qu'il s'interrogeait. Comme si je me transformais en une inconnue pour lui. J'étais pourtant moi-même. Cette impression se renforça lorsque après ma campagne électorale il m'entraîna jusqu'à la terrasse couverte d'un restaurant hors de prix pour cause d'étoile au guide Michelin. Alors évidemment, le cadre était beau, dans une petite ruelle en escalier au milieu des vieilles pierres, la carte était somptueuse et je ne doutais pas de la qualité des plats, mais je n'avais pas envie d'être là, je ne voulais pas qu'il m'en mette plein la vue, je voulais être une locale parmi les locaux. Je n'étais pas une touriste, mais Aymeric s'acharnait à me voir comme telle. Nous n'échangeâmes pas un mot avant que la commande soit prise. Une bouteille de vin arriva comme par magie sur notre table, nos verres furent remplis et on but chacun quelques gorgées sans avoir trinqué. Nous n'allions pas porter un toast à la mélancolie. Mes yeux papillonnaient à droite à gauche pour éviter d'avoir à se poser sur lui.

— Où es-tu ? Tu sembles si loin, finit-il par dire.

Je le regardai, un sourire désabusé aux lèvres ; il était inquiet.

— Si seulement je le savais... J'ai besoin de me retrouver...

— Je sais qui tu es, moi...

On parlait tout bas, comme si nos voix devaient étouffer la teneur de nos paroles.

— J'ai compris beaucoup de choses, ces derniers temps... Tu ne me vois pas telle que je suis...

— Pourquoi dis-tu une chose pareille ?

— C'est assez triste, comme constat, mais en plus de trois ans, tu n'as pas vraiment appris à me connaître.

Il prit une expression atterrée.

— Tu dis n'importe quoi ! Comment pourrais-je t'aimer si je ne te connaissais pas ?

— Je ne t'accuse pas de tout, je suis certainement en partie responsable... J'ai entretenu un mythe avec toi, passant toujours sous silence mes coups de blues, mes fatigues, mes ras-le-bol, mes rêves, même... Ces dernières années, je me suis battue chaque jour pour te garder, pour te séduire encore et encore, pour que je ne devienne pas une routine. J'ai joué à la danseuse pour toi. Et finalement, ça s'est retourné contre nous…

— Ne dis pas ça…

Je devais lui avouer ce que j'avais sur le cœur depuis ma chute.

— Tu ne m'as pas soutenue comme je l'espérais… Je me suis sentie très seule, Aymeric. Tu as été dérouté, certainement, tu n'avais pas cette image de moi… Tu as découvert que je n'étais pas qu'une prof de danse toujours en forme. Si tu m'avais aimée comme je l'imaginais, tu aurais tout fait pour m'aider, tu aurais dû sentir que j'avais désespérément besoin de toi. Mais tu n'as fait aucun effort. Et depuis, tout est devenu compliqué entre nous…

Nous ne nous lâchions pas du regard ; dans le mien, je sentais les larmes monter parce que tout m'apparaissait sous un jour nouveau. Le sien était traversé par le doute, le chagrin. Le serveur interrompit le silence, nos assiettes arrivaient, elles nous furent présentées, détaillées, sans que je comprenne un traître mot de son discours pompeux. J'avais mal, mal pour nous, mal pour lui, mal pour notre histoire. Plus par réflexe et bienséance, j'attrapai ma fourchette, Aymeric en fit autant. Je me forçai à avaler quelques bouchées, en vain. Je finis par cesser d'essayer et reposai mes couverts. Aymeric repoussa son assiette d'un geste brusque.

— Je suis désolé de t'avoir déçue… mais bientôt, ça sera derrière nous ?

— Peut-être ou peut-être pas… Je dois décider ce que je veux faire de ma vie.

Il pâlit et son regard fut traversé par l'inquiétude.

— Comment ça ?

— Je n'ai rien fait, rien construit, je ne fais que t'attendre depuis trois ans.

— Pardon…

— Je n'ai pas de famille, je n'ai pas d'enfant, je n'en aurai jamais.

— Mais…

— Je vais avoir quarante ans cet été, j'ai raté ma chance… Tu le sais aussi bien que moi. Je suis fatiguée.

— Mais nous ?

— Nous…

— Je t'aime, Hortense. Tu le sais ?

Je ne remettais pas ses sentiments en cause, à sa façon il m'aimait, mais il me déclarait sa flamme comme un réflexe. *Je t'aime, tu restes…*

— Oui, mais… ouvre les yeux, Aymeric. Sois honnête avec toi-même. Tu dois réfléchir…

— À quoi ?

Je lui saisis les mains, lui aussi avait besoin de se confronter à la réalité.

— Y a-t-il encore une place pour moi dans ta vie ?

Il me fuit du regard.

— Comment peux-tu me demander une chose pareille ?

Il me répondait ça par habitude, pour se battre par principe, parce qu'il ne savait pas renoncer.

— Je veux que tu saches une chose, lui dis-je.

— Je t'écoute…

— Je vais tenter de prendre des décisions sans penser à toi, pour moi, pour mon avenir…

— Je comprends.

— Ne me le reproche pas comme tu m'as reproché d'être descendue dans le Sud et d'avoir ouvert les chambres d'hôtes, sans te demander ton avis.

Il se leva et partit payer à l'intérieur. Quelques minutes plus tard, il me tendit la main, je lui donnai la mienne. Il m'aida à me lever et passa son bras autour de mes épaules, me serrant contre lui. Je me blottis plus étroitement et m'accrochai à sa taille.

— Excuse-moi pour le mal que je t'ai fait ces derniers temps. Je crois que je suis aussi perdu que toi…

Et voilà, il avait fini par lâcher ses questions, ses doutes.

— Regarde-moi, Hortense.

Je lui obéis.

— Je ne peux pas imaginer que tu sortes de ma vie… Tu m'aimes encore ?

— Bien sûr que je t'aime… Je t'aimerai toute ma vie, malheureusement ça ne suffit pas toujours.

Ses mâchoires se crispèrent.

— On va se retrouver, me dit-il d'une voix presque inaudible.

Il se le répétait encore et encore pour s'en convaincre et m'en convaincre par la même occasion. Je n'étais même plus sûre qu'il entende, qu'il comprenne ses propres mots. Cette phrase tournait en boucle, comme une note sur un disque rayé. Il resserra son étreinte et son visage prit une expression douloureuse qui me fit monter les larmes aux yeux.

À notre retour, la Bastide semblait endormie, y compris Élias. Dès que nous fûmes sortis de la voiture, nos mains se rejoignirent.

— Tu pars à quelle heure, demain ?

— Au petit matin.

Il fit sa valise sitôt dans la chambre. Je m'enfermai dans la salle de bains. Après m'être démaquillée et brossé les dents, je pris quelques secondes pour affronter mon reflet dans le miroir. J'avais le sentiment d'avoir vieilli, mûri peut-être même, durant la soirée. J'étais éreintée, pourtant je n'avais pas envie de dormir. Je me déshabillai, puis enfilai culotte et débardeur. Je ne ferais pas l'amour par obligation. J'espérais que la barrière des vêtements nous y aiderait. Aymeric attendit que je sorte pour prendre ma place. Je plongeai la pièce dans l'obscurité et me glissai sous les draps. Il ne tarda pas à faire de même et il me prit par la taille pour m'attirer contre lui. Je hoquetai et me tournai dans ses bras, je m'agrippai à lui de toutes mes forces. On passa la nuit l'un contre l'autre, moi en larmes la plupart du temps, lui le visage défait, ses mains crispées sur ma peau, comme s'il cherchait à me retenir encore et encore, à m'emprisonner. Nous échangeâmes quelques baisers, rien de plus.

Lorsque son réveil sonna, je soupirai de soulagement, ces heures tristes prenaient fin. Je me levai la première et me tournai vers lui, encore assis sur le bord du lit, la tête entre les mains, visiblement accablé.

— Tu veux un café avant de prendre la route ? chuchotai-je.

— Je ne sais pas…

— Je vais en faire, moi j'en ai besoin.

Je sortis dans le jardin après avoir lancé la cafetière. Il était 6 heures du matin, il faisait frais, mais le ciel était dégagé, la journée allait être magnifique, ensoleillée. Instinctivement, je marchai vers l'olivier de mes parents, je posai ma main à plat sur le tronc. Il était fort, chaud : il vivait. J'essuyai une larme sur ma joue et repris le chemin de la maison en traînant les pieds. J'entendis le bruit d'un coffre qui se fermait. Aymeric était prêt à partir. Il ne prendrait pas de café.

— Fais attention à toi sur la route.

Il vint à moi et attrapa mon visage dans ses mains en me regardant dans les yeux.

— C'est quand le spectacle de fin d'année de l'école ?

— Le 29 juin.

— Tu y assisteras ?

— Oui. Pourquoi ?

— Je me débrouillerai pour y être…

— On verra…

Il accusa le coup, sa mâchoire se crispa. Il m'embrassa en me serrant contre lui. Puis il me lâcha et monta dans sa voiture. Je reculai de quelques pas, il mit le contact. Il resta quelques minutes le front appuyé sur son volant avant de se redresser et de démarrer. Je suivis sa voiture des yeux jusqu'au moment où elle disparut. Hagarde, je repassai par la maison pour me chercher une tasse de café. Je m'assis sur la terrasse, les coussins étaient humides de rosée, je me pelotonnai sur moi-même, légèrement réchauffée par la lumière du petit matin, et avalai une gorgée brûlante. J'étais perdue, incapable d'associer la réalité à ce qui venait de se passer avec Aymeric depuis moins de vingt-quatre heures. Je fus distraite par le bruit d'une fenêtre qui s'ouvrait, je levai les yeux vers la façade, c'était Élias.

Bingo ! Une alliance plus grosse qu'un char d'assaut. Et elle, si triste. J'ai eu l'impression de voir une bougie éteinte, ce matin. Elle ne ressemble pas à celle que je vois depuis mon arrivée. J'en ai vu plusieurs, des femmes comme elle, qui se font avoir par un con, ça m'a toujours fait mal. C'est assez terrible d'aimer, avec la conscience de gâcher sa vie. J'ai été un peu rude hier avec ce type. Il n'a pas l'air bien méchant et il tient à elle, ça se voit. Mais il devrait mettre son égoïsme au fond de sa poche et la laisser tranquille. Je ne la connais pas, mais elle mérite mieux que cette merde.

À propos de merde, je vais jeter un coup d'œil à la mienne. J'ai retrouvé mon téléphone dans ma caisse… je dois puiser le courage de le rallumer… ça fait près de deux mois que je n'ai pas donné signe de vie à mon frère. Je me demande si je ne vais pas lui dire que je fais une pause ici. Ça pourrait le calmer un peu… mais je ne dois pas trop croire à ce que je lui raconte.

À 13 heures, après mon passage dans la chambre d'Élias, je déjeunai sans appétit sur la terrasse. Je m'offris le luxe de me servir un verre de rosé. J'écoutai le silence, entrecoupé par le chant des cigales. Un vent léger soufflait dans les branches des arbres et dans les draps blancs qui séchaient un peu plus loin. Le soleil tapait, réchauffait, me gavait d'énergie. Je ne savais pas de quoi le lendemain serait fait, mais j'étais libérée d'un poids, comme si j'avais fait une cure de vingt-quatre heures pour me purifier, pour nettoyer une plaie trop longtemps infectée. J'étais désintoxiquée d'une mauvaise solitude. Avec Aymeric, j'étais avec lui tout en étant seule, c'était destructeur pour moi. Désormais, j'étais seule sans lui. Véritablement seule. Pour mon bien. J'évoluais dans le brouillard, ne sachant vers quoi je me dirigeais. J'entamais une chute libre sans personne à qui me raccrocher. Je devais commencer mon apprentissage : vivre sans lui, sans sa présence, même lointaine, dans ma vie. Seule certitude : j'en avais fini de l'attendre. Ses doutes m'avaient ôté tout espoir, si tant est que j'en avais encore, et je n'en avais plus en réalité. Je devais me remettre en cause ; j'avais le reproche facile sur sa façon de m'aimer. S'il ne m'aimait pas entièrement pour moi, je l'y avais aidé.

Il me fallait balayer devant ma porte, réfléchir à ma manière de l'aimer et aux raisons pour lesquelles je l'aimais. Il était tombé du ciel au pire moment de ma vie, alors que j'étais livrée à moi-même sans personne pour veiller sur moi. Ne l'aimais-je pas uniquement parce que j'avais l'impression d'exister pour quelqu'un ? Parce qu'il me permettait de croire à une vague idée de l'amour ? Par facilité ? Je commençais à comprendre que je me battais depuis trois ans pour des chimères auxquelles je ne croyais pas moi-même, uniquement pour me protéger de la réalité, de la vraie vie.

Dans l'après-midi, je ressentis le besoin de voir Cathie. Je me garai devant sa boutique, sortis de ma voiture et m'approchai tranquillement. Mon amie me repéra, fronça les sourcils et me lança un sourire soupçonneux. Je déambulai dans sa petite échoppe en l'écoutant ; elle répondait avec patience et gentillesse à des clients, elle leur expliquait combien de ruches elle possédait, les transhumances nocturnes, les récoltes, leur faisait goûter ses différentes variétés, toujours avec la douceur qui la caractérisait. Ils sortirent leur carnet de chèques. Le partage généreux de sa passion payait et j'en étais heureuse pour elle. Lorsque nous fûmes en tête à tête, elle disparut dans sa petite réserve, revint avec deux caisses en plastique en guise de tabourets qu'elle installa dehors sur le trottoir. Elle tapota l'une d'entre elles pour me faire signe de m'asseoir. Je lui obéis. En attendant qu'elle me rejoigne, j'observai les voitures qui arrivaient de la combe et allaient traverser Bonnieux. Le mélange assez fou m'arracha un sourire ; ça allait de la voiture de luxe d'un touriste un peu désappointé après l'enchaînement de virages et inquiet à l'idée de la traversée d'un village aux ruelles étroites, à la vieille bagnole conduite par un pépé qui ne devait pas voir à plus de trente centimètres devant lui mais qui connaissait par cœur son territoire. Et qui klaxonnait l'autre dans l'affaire ? Le touriste, bien évidemment ! Et le petit vieux retors dodelinait de la tête, d'un air de dire : « Toi, mon coco, t'es pas près de sortir de ce bourbier. » Cathie prit place sur la caisse à côté de moi et me tendit une tasse fumante.

— Bois, ça va te faire du bien.

Sans broncher, je m'exécutai. Et j'eus le sentiment d'avaler du miel fondu.

— Y a quoi, là-dedans ?

— C'est un thé au miel.

— C'est du miel au thé, oui !

Je ris de bon cœur. Pour Cathie, le miel était bon pour tout, elle aurait été capable de m'en faire un cataplasme pour ma cheville. Je bus malgré tout à petites gorgées, concentrée sur un point imaginaire. Je sentis un petit coude pointu s'enfoncer dans mes côtes.

— Tu racontes ? Il s'est passé quelque chose ?

— Aymeric m'a fait une visite surprise...

Son visage se décomposa. Elle essaya de se reprendre, rien à faire. Elle était toujours aussi déconfite.

— Ah... et alors ? Tu es heureuse de l'avoir vu ? Il t'a annoncé quelque chose ?

Je pris mon courage à deux mains.

— Je crois bien qu'on est en train de se séparer...

Mon cœur rata un battement, c'était sorti tout seul. Plus facilement que je ne l'aurais imaginé. Poser le mot *séparation*, lui donner une existence, une consistance, une réalité. Le dire à voix haute donnait vie à une décision que j'avais prise la veille sans réfléchir, sans chercher à la comprendre, l'analyser. Cathie soupira. De soulagement ? me demandai-je.

— Depuis ton arrivée, je sentais que tu étais prête à enclencher la machine. Il fallait juste que tu fasses le grand saut...

J'enfouis mon visage dans son épaule en essuyant une larme qui roulait sur ma joue.

11

Aujourd'hui, un gars s'est blessé, il s'est sacrément entaillé la main. Il souffrait le martyre. Mathieu était avec l'autre équipe. Celui qui a son brevet de secourisme est une force de la nature pour soulever des troncs, sauf qu'il n'avait pas dû réaliser en se proposant pour être responsable de la trousse de secours qu'il pourrait y avoir du sang. Ça m'a rappelé le jour où je suis arrivé dans une des fermes où je devais faire une visite pour une consultation gynéco avant terme, le futur père a tourné de l'œil quand je lui ai annoncé qu'il fallait partir. Bref, j'ai vu notre apprenti secouriste se débattre avec les compresses et la Biseptine, il en mettait plus par terre au milieu de la sciure et de la poussière que sur la main du blessé. Ça fait des mois que je n'ai pas pratiqué le moindre geste médical, oh, c'est sûr que ce n'est pas grand-chose, mais j'ai pris sur moi pour m'approcher. Je ne voulais pas que ça s'infecte, que ça s'aggrave. Mes collègues bûcherons n'en sont pas revenus quand je leur ai proposé mon aide. Mes mains au début ont tremblé, et puis ça a fini par se calmer. Je l'ai désinfecté, je lui ai fait *son pansement, et lui ai donné à avaler une dose de cheval d'antidouleur. En revanche, impossible de lui faire entendre qu'il devrait aller se faire recoudre. Il a repris des couleurs et je crois bien que ça m'a fait sourire. Ils m'ont demandé où j'avais appris à faire ça, j'ai noyé le poisson, mais le secouriste en titre m'a refilé le bébé.*

Quand la journée a été terminée, ils ont tenu à me payer un coup, je suis monté en grade dans leur estime. C'est partout pareil, ça commence par la méfiance, puis les portes s'ouvrent un peu et il suffit d'un incident, d'un accident, d'un sauvetage ou d'une consultation médicale qu'on n'attendait plus pour devenir quelqu'un, quelqu'un de bien, quelqu'un d'important. Dans le meilleur des cas, on devient un héros. J'en étais devenu un dans ce trou que j'avais choisi pour m'installer. Ce n'est pourtant pas ce que je cherchais en décidant de faire de la médecine de campagne, je voulais rendre service, être au service des autres dans un cadre de vie rude, authentique.

Mais cette place de héros, de sauveur, quand on vous la donne, quand on vous y met malgré vous, on finit par la prendre, embrasser ce statut à part, avec la certitude d'avoir trouvé sa vocation. J'ai aimé connaître tout le monde, entrer discrètement dans leur vie, partager leur joie, leur peine, devenir un référent pour les jeunes qui ne savent pas où est leur place dans cette campagne qu'ils haïssent et qu'ils adorent en même temps, prendre celle des enfants partis en ville pour les plus vieux, me retrouver à jouer au vétérinaire en pleine nuit, être le confident de la femme d'agriculteur épuisée et être ensuite envoyé en mission

pour tenter de faire parler le mari taiseux écrasé par
les dettes et les difficultés.

Presque deux semaines que ma vie prenait une nouvelle direction, que j'en tournais certaines pages, plus ou moins facilement. Celles du journal d'Élias, je les tournais avec empressement ; chaque matin, je pénétrais dans sa chambre, curieuse de voir s'il avait écrit un peu la veille. Depuis cette blessure qu'il avait soignée et qui avait certainement réactivé des souvenirs, il racontait sa vie de médecin de campagne. Il passait son temps à jongler entre son cabinet et les routes pour les visites à domicile – je comprenais mieux l'état de sa voiture. Ces écrits révélaient son abnégation ; sa vie entière, tout son temps, était consacrée à ses patients. Il était d'une humilité saisissante, il savait qu'il était un héros aux yeux de toutes ces personnes, mais pour lui, c'étaient eux, les héros de leur quotidien. Élias n'était là que pour soigner les bobos du corps et de l'âme, comme il pouvait, du mieux qu'il pouvait. Je lisais le cahier de sa vie comme j'aurais dévoré un bon roman, en oubliant même que le narrateur vivait chez moi – je le voyais si peu. Son journal était une pause, un rituel que je m'offrais et dont je n'arrivais plus à me passer.

Durant ces deux semaines, Aymeric me téléphona plusieurs fois, sans que je m'y attende. Quand je voyais son prénom apparaître sur l'écran, ma gorge se serrait. C'était là l'ironie de notre situation. J'étais toujours aussi convaincue que nous étions en train de nous quitter sans toutefois nous dire véritablement

270

adieu. Paradoxalement, nous nous parlions plus facilement, avec une liberté qui nous avait manqué dernièrement. Il me demandait des nouvelles de ma cheville, du remplissage de la Bastide. Il m'appelait le soir, depuis sa voiture, après avoir quitté le travail. Je ne me sentais pas au fond du trou, comme je l'aurais imaginé, comme je l'avais été durant notre unique rupture où le monde autour de moi s'était effondré. Pas aujourd'hui. Lui non plus, d'ailleurs. Je savais au plus profond de moi qu'il avait lui aussi saisi ce qui était en train de se passer entre nous. Et il ne réagissait ni avec excès ni avec colère, contrairement à deux ans auparavant. Non, il encaissait. Nous encaissions. Peut-être que durant ces trois ans, nous nous étions aidés à mûrir, à grandir. Notre relation nous donnait l'illusion de rester ancrés dans une jeunesse révolue et insouciante. Nous avions fui, lui comme moi, nos responsabilités.

Autant nous nous étions rencontrés avec passion, rapidement, sans réfléchir, autant là, nous prenions notre temps, nous apprivoisions pas à pas la vie sans l'autre. Un sevrage en douceur pour éviter la douleur. Pour la première fois, nous faisions les choses dans les règles… sincèrement.

Quant à mon avenir professionnel, je m'accordais encore du temps avant de m'y confronter. De toute manière, tant que je n'aurais pas le feu vert, il ne servait à rien que je me projette. L'envie de danser était dévorante, le manque impossible à atténuer d'une quelconque façon. J'apprenais la patience. Mon kiné était en contact avec le savant fou depuis qu'il avait eu Auguste au téléphone et lui avait fait son rapport ; mon mentor, lui, n'était pas revenu à la charge pour me faire remonter à Paris. J'échangeai quelques messages avec Bertille, qui m'assura de la bonne santé de l'école, de son avenir et de mes élèves, Fiona s'en sortait merveilleusement bien. Ces nouvelles, je les prenais de manière détachée : j'étais contente pour eux, certes, mais ça me semblait si loin, en complet décalage. Un peu comme si je prenais des nouvelles du projet de quelqu'un d'autre, sans me sentir vraiment concernée.

Ce samedi matin, une fois mes hôtes partis en vadrouille pour la journée – Élias compris, certaines choses ne changeaient pas –, je partis faire le plein de courses. La supérette de Bonnieux n'étant pas assez fournie, j'allai jusqu'à Coustellet. Cette intrusion dans la *petite* société de consommation m'épuisa. Dire qu'il ne s'agissait que d'un supermarché de village ! Mais il y avait trop de monde à mon goût ; trop de voitures de touristes, trop de bruit, au point que je me demandai si je ne devenais pas sauvage. Mathieu m'aurait-il contaminée ? En remontant dans ma Panda sans clim, je suffoquai. À midi et demi, il faisait déjà plus de 27 degrés. Pour un début juin, nous étions servis. Je roulai jusqu'à la Bastide vitres grandes ouvertes pour tenter – en vain – de rafraîchir l'atmosphère étouffante dans l'habitacle. J'arrivai en nage. Pourtant, je me figeai, surprise de trouver la voiture d'Élias. C'était bien la première fois qu'il était à la Bastide en journée. Pas de lecture aujourd'hui. Je finis par m'extraire de la fournaise et ouvris le coffre pour récupérer mes provisions. En avançant vers la maison, je fis un détour, interloquée par le vacarme de meubles qu'on déplaçait dans la salle de danse. Je restai estomaquée sur le seuil de la pièce. Élias était là, torse nu. En sifflotant, il finissait de bâcher le parquet pour le protéger. Je remarquai des fournitures dans un coin, ainsi que l'escabeau de papa qu'il avait dû trouver dans le garage. Il commençait les travaux ; avec les derniers événements, j'avais oublié notre marché. Une joie furtive me traversa.

— Oh…

Il sursauta et se releva d'un bond.

— Pardon, je vous ai fait peur, mais je…

— Non, pas de problème.

— Je ne savais pas que vous aviez commencé.

— Ça vous dérange ?

— Pas du tout, mais vous avez acheté du matériel ? lui demandai-je en désignant les pots de peinture.

— Oui, je suis allé à Apt ce matin.

— Vous auriez dû me le dire, je l'aurais fait et j'aurais payé, surtout.

— Je n'allais pas vous ennuyer pour si peu, alors que vous aviez du monde au petit déjeuner.

— Merci, mais…

— On verra plus tard pour les détails, Hortense.

Je n'avais pas mon mot à dire.

— Je vois que vous avez les choses en main… bon courage…

— Je devrais m'en sortir.

Je fis demi-tour et rejoignis la maison où je pus enfin me débarrasser de mes sacs. J'étais heureuse qu'il ait commencé, je n'allais pas prétendre le contraire. J'étais tout aussi ravie de le sentir à l'aise ici, alors que jusque-là, il était plutôt fuyant. Mais le découvrir pour la première fois vivant, présent, posant ses valises chez moi me déstabilisait. Je me doutais que c'était un homme à tenir parole, il avait pris un engagement vis-à-vis de moi et il ne partirait pas tant qu'il n'aurait pas fini.

À 20 heures, Élias n'avait toujours pas fait sa réapparition. Il était enfermé dans la salle de danse depuis des heures. Je culpabilisais de plus en plus. Il n'allait quand même pas y passer la soirée ! Je partis voir ce qu'il tramait de son côté. En m'approchant, je reconnus le bruit d'une ponceuse. Il faisait une chaleur de four dans la pièce, un épais nuage de fine poussière blanche volait dans l'air qui n'était pas loin d'être irrespirable. S'il continuait plus longtemps, il allait crever là-dedans. Il me tournait le dos. J'attendis qu'il se retourne et me voie : perché en haut de l'échelle, il s'occupait de la partie la plus élevée d'un mur, je ne voulais surtout pas lui faire peur. J'étais touchée qu'il ait fait attention à protéger le miroir et la barre. Mon nez et ma gorge commencèrent à me chatouiller, j'eus beau me retenir, je finis par éternuer bruyamment. J'avais des larmes plein les yeux, mais je le vis jeter un coup d'œil par-dessus son épaule ; il portait un masque en papier sur le visage qu'il retira avant de descendre de son perchoir.

— Vous venez voir si j'avance ? me demanda-t-il en arquant un sourcil.

Je me sentis mal.

— Mais non… euh… Pas du tout, je…

Quelle idiote… Je me sentis blêmir. C'est alors qu'il se passa une chose incroyable. Après quelques secondes de silence, il se mit à sourire franchement. Son visage s'ouvrit, révélant un autre homme, avenant, gai. Son regard également avait changé, il était pétillant, lumineux, on y percevait de la douceur teintée d'une légère ironie. Sa métamorphose inattendue me donna le sourire, à moi aussi.

— Vous vous moquez de moi ?

Du sourire, il passa au rire. Un rire, un vrai, sincère, communicatif.

— Excusez-moi, Hortense. Mais j'ai eu l'impression que je vous annonçais la fin du monde !

Je ris à mon tour. Il fit quelques pas vers moi.

— Je peux faire quelque chose pour vous ?

— Oui !

— Dites-moi, me répondit-il, visiblement intrigué.

— Arrêtez de travailler, s'il vous plaît. Il est tard, vous n'avez pas pris l'air de la journée, et si vous continuez, je vais vraiment avoir l'impression d'être une tortionnaire. Profitez un peu de votre week-end ! Si encore vous aviez fait une pause pour vous baigner !

— Vu l'état dans lequel je suis, j'aurais des remords à salir votre piscine.

Effectivement, il était sale comme un cochon.

— Il y a une douche extérieure.

— Vous avez réponse à tout !

Je lui envoyai un petit sourire, fière de moi. Il s'éloigna pour enfiler un tee-shirt.

— Peut-être plus tard. Je vais me dépêcher d'aller au camion à pizza.

— Si vous tenez vraiment à manger une pizza, j'ai fait des courses aujourd'hui et j'en ai dans le frigo.

Ma proposition le prit par surprise. Il pouvait être étonné ; moi-même, je venais de me surprendre en lui proposant de dîner avec moi.

— Vous tenez à vérifier que je sais nager ?

Amusée, je levai les yeux au ciel et tournai les talons.

— Faites comme vous voulez, moi je vais allumer le four.

Cinq minutes plus tard, alors que j'étais dans la cuisine, le bruit d'un plongeon parvint à mes oreilles. Je souris et sortis un second couvert. Je restai à l'intérieur le temps de la cuisson, afin de le laisser tranquille. J'en profitai pour dresser les tables du petit déjeuner du lendemain. Toutes les chambres étaient prises, aussi aurais-je huit personnes à servir. Je venais de sortir la pizza du four quand on toqua à la porte.

— Je peux vous aider ?

— Alors ? demandai-je en lui jetant un coup d'œil.

Élias était rhabillé, les cheveux encore mouillés, et je ne l'avais jamais vu aussi détendu, ce qu'il me confirma.

— Ça fait un bien fou, merci d'avoir insisté. Je prends le plateau ?

Sans attendre ma réponse, il s'en saisit et me laissa le précéder. Planche à découper en main, je nous guidai jusqu'au salon de jardin. Hors de question de nous installer à la grande table, ça aurait eu un côté trop guindé, trop conventionnel. On partageait une pizza à la bonne franquette et je trouvais que la table basse s'y prêtait davantage.

— Merci pour ce soir.

— Arrêtez de me remercier alors que vous avez trimé toute la journée.

— OK !

On mangea en silence. Je fus très vite rassasiée, lui crevait de faim et finit son assiette. Il attrapa la bouteille de vin.

— Je vous ressers ? me proposa-t-il.

J'avais l'impression qu'il lâchait quelque chose, un trop-plein de contrôle, de retenue.

— Avec plaisir, merci.

Il s'exécuta, nous versa deux belles rasades et, son verre en main, se cala plus confortablement dans le canapé. Il observa avec attention le massif du Luberon, et poussa un profond soupir, l'air ailleurs.

— C'est la première fois que je m'arrête si longtemps quelque part, souffla-t-il à mon plus grand étonnement.

Il se redressa vivement, comme étonné de son aveu. Il avait baissé la garde un instant et, visiblement, il le regrettait. Tant pis, je tentai ma chance.

— Depuis quand êtes-vous sur les routes ?

Il extirpa d'une poche un paquet de cigarettes et m'interrogea du regard pour savoir si cela me dérangeait, je lui fis comprendre que non. Il en alluma une, sa main tremblait, j'étais allée trop loin. Je m'en voulus.

— Et vous ? Ça fait longtemps que vous tenez des chambres d'hôtes ?

Malgré ma déception, je souris ; c'était de bonne guerre, et je lui traçai dans les grandes lignes l'histoire de la maison et de mes parents.

— Vous êtes courageuse de vous en occuper toute seule.

Je haussai les épaules.

— Le courage n'a rien à voir là-dedans, je l'aime cette maison. J'ai beaucoup de chance de l'avoir. C'est donné à peu de personnes. Et Cathie et Mathieu m'aident énormément.

— Mais, si je comprends bien, vous ne vivez pas ici à l'année ?

— Non.

Il tressaillit.

— Je vis à Paris. Vous semblez étonné ?

— Je ne sais pas… J'ai du mal à vous imaginer ailleurs. Vous êtes ici pour tout l'été, alors ?

— Oui… comme vous, si Mathieu vous garde !

Il se frotta les yeux, apparemment rattrapé par la fatigue, se leva et commença à débarrasser.

— Laissez, je vais m'en occuper, tentai-je de l'arrêter.

— Non, je vais me coucher, de toute façon. C'est la moindre des choses, vous m'avez offert à dîner. Profitez de votre fin de soirée.

En moins de temps qu'il ne faut pour le dire, il chargea le plateau, me laissant mon verre.

— Bonne nuit, me dit-il avant de filer vers la maison.

Il s'était enfui d'un coup, sans raison autre que cette envie subite de dormir : j'espérais qu'il trouverait le sommeil, pour une fois. Quelques minutes plus tard, je vis la lumière de sa chambre s'allumer, il ouvrit la fenêtre. Je restai une bonne vingtaine de minutes à attendre… À attendre quoi, au juste ? Écrivait-il ? La lumière s'éteignit et le silence se fit.

Il avait beau rester secret, j'avais le sentiment d'avoir gagné une bataille ce soir-là. Lui décrocher un sourire et un rire en l'espace de quelques secondes relevait du miracle. Ça me plaisait. Je me couchai peu de temps après. J'avais l'esprit léger et m'endormis sans trop tarder. Hélas, une fois de plus, je fus réveillée au beau milieu de la nuit par l'escalier qui grinçait sous les pas d'Élias. Je l'entendis sortir dans le jardin, il ne trouvait pas le repos, je me sentis triste pour lui.

Les jours suivants, une espèce de routine se mit en place. Chaque matin, Élias et moi partagions notre petit déjeuner sur la terrasse, lui se contentant toujours de café. Chaque matin, je me mordais la langue pour ne pas lui poser de questions sur la raison de ses insomnies, puisque toutes les nuits je l'entendais sortir sur les coups de 2 heures. Il m'arrivait d'entrouvrir les yeux au moment où il remontait dans sa chambre, avant les premières lueurs de l'aube, mais le plus souvent je dormais comme une souche à cette heure-là. Le matin, nous parlions de choses et d'autres, de la pluie et du beau temps, il évoquait les chantiers de débroussaillement de Mathieu, je lui racontais des anecdotes sur certains clients, lui arrachant un sourire, des rires aussi. Il ne me donnait jamais aucun indice sur lui, sa vie, ses origines. Le rituel se terminait invariablement ainsi : il se levait, partait dans la cuisine rincer sa tasse, revenait sur la terrasse, me souhaitait une bonne journée et disparaissait. Je prenais goût à ces réveils, à ces débuts de journée en sa compagnie.

Cette étrange colocation était agréable, au point que je commençais à redouter le moment où il m'annoncerait qu'il partait. Ce jour finirait pourtant bien par arriver.

Le soir, lorsqu'il rentrait, certainement après avoir dîné quelque part, il venait me demander si j'avais passé une bonne journée, puis s'enfermait dans la salle de danse ; il y restait jusqu'au moment où j'éteignais les lumières pour aller me coucher. Je fermais les yeux, sereine, apaisée par sa présence. Peut-être parce qu'il avait une façon bien à lui d'être attentif.

Une fois mes hôtes partis, je montais dans la chambre d'Élias et m'installais à son bureau pour reprendre ma lecture. Il se livrait chaque jour davantage, parlait toujours un peu de sa vie d'ici, qui semblait lui faire du bien. Il appréciait ma présence, mais restait sur la réserve, hanté par ce qu'il avait vécu et dont il ne parlait toujours pas.

Ce soir, j'ai mangé avec Hortense. Et j'ai baissé la garde, je me sentais bien, j'aurais eu envie de me confier, de lui raconter des choses. Mais c'est inutile, et j'en suis strictement incapable, j'ai plutôt intérêt à me défouler sur ce cahier. Je ne vais pas mentir, c'est agréable de passer du temps avec elle, elle est jolie, douce, elle a une fêlure dans le regard, assez bouleversante. La mort de ses parents l'a certainement marquée au fer rouge. Elle semble toujours fuir quelque chose. Ça me va bien, de dire ça ! Je me dis que ça aurait été plus facile de supporter ces derniers

mois si j'avais eu une femme comme elle dans ma vie,
j'aurais peut-être réussi à encaisser. Sauf qu'aucune
des femmes que j'ai rencontrées durant mes années de
pratique n'a supporté la vie que je menais. Je peux le
comprendre. Qui voudrait d'un homme courant d'air,
qui consacre tout son temps aux autres, dont les soi-
rées commencent parfois à plus de 21 heures ? Et
puis laquelle supporterait cette place particulière... la
femme du médecin ? Je me souviens encore des mises
en garde de celui qui m'a donné la vocation et l'envie
de cette vie. Il m'avait dit : le jour où tu as une femme,
préserve-la de tes patients, ils voudront la connaître,
mais ils s'approprieront ta personne. Protège-la des
cancans... etc. À moindre échelle, j'en ai eu un petit
aperçu. La seule fois où je me suis rapproché d'une
célibataire dans le village, tous les regards se sont
braqués sur nous, sur moi. Les petites mamies pre-
naient rendez-vous avec moi dans le seul but de savoir
si les choses avançaient avec elle. C'est insuppor-
table de se sentir épié, même si ça part toujours d'une
bonne intention. Sinon, elles jouaient aux marieuses,
les visites à domicile qui se transforment en traque-
nard, le hasard fait bien les choses quand c'est la
petite-nièce qui s'occupe de la grand-tante malade.
Je suis devenu champion du monde pour repousser
les avances. Et les femmes que j'ai pu rencontrer
quand je bougeais ou que je partais en week-end, dès
qu'elles apprenaient où j'habitais, étrangement, elles
étaient moins intéressées. J'ai fini par m'y faire, même
si j'avais d'autres rêves...

J'étais contrariée. Dans l'après-midi, j'avais reçu un coup de téléphone du kiné qui était dans l'obligation d'annuler ma séance du lendemain, je devrais patienter une semaine. Depuis, j'étais partagée entre la rage de ne toujours pas avoir l'autorisation de danser et la crainte de l'obtenir. Du coup, je ne tenais pas en place, passant du séjour au jardin, du jardin au séjour. À plus de 21 heures, ne sachant plus quoi faire, je décidai de nettoyer la piscine. Je trottinai jusqu'au garage récupérer les épuisettes et retournai près du bassin en ronchonnant. Je pestais contre les épines de pins dans l'eau, lorsque, à ma grande surprise, Élias apparut.

— Bonsoir, Hortense.

— Bonsoir, lui répondis-je, les yeux rivés vers le fond.

— Je ne vous dérange pas ?

Je relevai le visage et lui offris un pauvre sourire qui devait surtout ressembler à une grimace.

— Non, pas du tout.

Il fronça les sourcils et s'approcha.

— Je peux faire quelque chose pour vous ? Ça n'a pas l'air d'aller.

— Ça se voit tant que ça ?

Il semblait préoccupé.

— Ne vous en faites pas. (Je balayai l'air de la main, pour chasser son inquiétude.) Vous avez passé une bonne journée ?

Il acquiesça en souriant gentiment. Son regard était doux et attentif.

— Rien ne vous oblige à m'expliquer ce qui vous chagrine ou vous tracasse. Mais je suis certain que racler le fond de votre piscine n'est pas la solution.

— Vous avez raison…

Je balançai mon outil au loin, avant de me tourner vers lui.

— Si je prends un verre, vous m'accompagnez ?

Ma spontanéité me surprit, mais j'espérais qu'il accepterait, sans trop savoir pourquoi d'ailleurs. Enfin si… j'avais envie d'être avec lui.

— Si vous voulez…

— Je ne vous force pas.

— Ça me fait plaisir, me rassura-t-il avec un sourire. Allez vous asseoir, je vous rejoins. Vous permettez que je m'occupe du vin ?

Je hochai la tête. Tandis qu'il prenait la direction de la cuisine, je m'installai dans le canapé du jardin. Quelques minutes plus tard, il me rejoignit, me tendit un verre et s'assit à côté de moi. J'avalai une gorgée de vin et soupirai, gagnée par la lassitude.

— Ça va mieux ?

— Non… mais ça ne saurait tarder.

Il but un peu à son tour. Puis il me lança un coup d'œil.

— Que vous arrive-t-il ?

Je retirai mes sandales et me tournai vers lui en relevant mes genoux contre moi. Son regard remonta le long de mes jambes.

— Je veux bien répondre à votre question à condition que vous répondiez à une des miennes…

Sourire aux lèvres, il ne se laissa pas démonter :

— Je vous ai connue moins dure en affaires… Que voulez-vous savoir ?

— Depuis combien de temps êtes-vous sur les routes ?

— Nous y revoilà… Ça fera un an en novembre prochain.

— Pourquoi cette vie ?

— On avait dit *une* question, Hortense, pas deux, gronda-t-il gentiment.

Je lui souris malgré ma frustration.

— C'est difficile de faire connaissance avec vous…

— Pourtant vous me faites confiance, assez en tout cas pour me laisser vivre chez vous.

— C'est vrai.

— Je vous demanderais bien pourquoi mais je vais griller ma question !

Je ris ; lui aussi.

— Allez, on va dire que je suis généreuse, je vais faire d'une pierre deux coups.

Il se cala plus confortablement dans le canapé et planta ses yeux dans les miens.

— Je vous écoute.

— Vous permettez que je fasse un parallèle avec votre ancienne profession ?

Il devint plus sérieux, se redressa légèrement, concentré sur la suite, et, d'un signe de tête, il me donna l'autorisation.

— Il y a des médecins qu'on sent et d'autres non. Vous, c'est pareil, je vous sens, comme un médecin à qui je ferais confiance pour me guérir. J'en ai consulté un il y a presque deux mois, un vieil orthopédiste qui ressemblait à un savant fou, et pourtant je me suis laissé faire, je lui ai fait confiance, je l'ai écouté alors qu'il foutait ma vie en l'air. Alors, oui, il a mis le bazar dans ma vie, enfin c'est plutôt l'entorse que je me suis faite qui est responsable ! J'ai réalisé que la liaison que

284

j'entretenais depuis trois ans avec un homme marié ne rimait à rien, sinon à me faire passer à côté de ma vie et pour une conne auprès de tout le monde par la même occasion. Je ne me reconnais plus dans l'école de danse que je dirige avec mes partenaires, je les ai même plantés pour la fin de l'année tellement je me sens à côté de la plaque. Je crève d'envie de danser, mais je suis terrifiée. Pourquoi, me direz-vous ? Jeudi prochain, je vais chez le kiné, il y a de fortes chances pour que j'aie enfin le feu vert. Et j'ai peur parce que le jour où je danserai de nouveau, je me retrouverai face à moi-même.

Cette tirade m'avait essoufflée. Je bus un peu et lançai un coup d'œil à Élias qui, lui, ne me lâchait pas du regard.

— Vous avez été sacrément généreuse dans vos réponses.

La gêne s'empara subitement de moi, je venais de lui vider mon sac, sans pudeur, sans retenue. À croire que j'étais sans filtre en sa présence. Mais, si je voulais être honnête, lui parler m'avait fait du bien et me déculpabilisait de mon intrusion quotidienne dans sa chambre. Malgré mon embarras, j'étais heureuse qu'il en sache un peu plus.

— C'est vrai, je ne sais pas ce qui m'a pris…

— Ne vous excusez surtout pas, mais… je ne pourrai jamais rivaliser avec vous…

— Je ne vous en demande pas tant. Vous ne voulez vraiment rien dire ?

Son regard se voila légèrement.

— Croyez-moi, il n'y a rien d'intéressant. Vous seriez déçue.

— Je suis sûre du contraire… Je ne désespère pas qu'un jour vous m'en appreniez davantage sur vous.

Je pris quelques secondes pour l'observer, il ne broncha pas.

— En fait, je me suis trompée, vous ne seriez pas mon médecin, vous seriez plutôt mon psy, vous arrivez toujours à me faire dire ce que je ne veux pas, conclus-je dans un grand sourire.

Il rit un peu et reprit une gorgée.

— Hortense, je peux vous poser une dernière question ?

— Allez-y, au point où j'en suis !

— Voulez-vous que je ralentisse les travaux pour vous offrir une bonne excuse de ne pas avoir à danser ?

J'eus un fou rire comme je n'en avais pas eu depuis longtemps.

— Ce n'est pas tombé dans l'oreille d'une sourde. Mais vous savez, mon père spirituel serait capable de me faire danser dans le jardin s'il apprenait que j'ai le feu vert !

— Si j'étais votre médecin, je vous l'interdirais, il ne faudrait pas prendre le risque de vous tordre à nouveau la cheville sur des racines.

— Je vais vous écouter, alors ! Ne ralentissez pas parce que au fond, danser, c'est tout ce que je veux, mais n'accélérez pas non plus, vous en faites déjà bien assez. D'accord ?

— Comme vous voulez…

L'intensité de son regard me troubla, je dus lutter contre moi-même pour m'y soustraire. Je me levai, il en fit autant.

— Je vais aller me coucher.

— Dormez bien et je suis certain que tout se passera bien.

— Je vous dirai. Bonne nuit, Élias.

À mi-chemin de la maison, je ne pus m'empêcher de jeter un coup d'œil derrière moi : Élias se frottait nerveusement la nuque, mais il dut sentir mes yeux sur lui, il tourna la tête, nos regards se croisèrent et il me sourit. Je lui envoyai un petit signe de la main avant de disparaître à l'intérieur. À mon grand étonnement, je me glissai dans les draps apaisée, je fermai les yeux, prête à m'endormir, un sourire aux lèvres.

Au réveil, ma première pensée fut pour Élias, ce qui me perturba. Pourtant, je continuai à songer à lui sous la douche. J'étais heureuse à l'idée de le retrouver pour le petit déjeuner. Ce détail anodin acquit une autre dimension. Combien en avais-je pris en sa compagnie ? Beaucoup plus qu'avec Aymeric, au bout du compte. Je me remémorais ces derniers jours, ces dernières semaines et prenais conscience de l'intimité et de la proximité que nous partagions. Toutes ces choses, ces petits moments, dont j'avais rêvé avec Aymeric, en sachant que je n'y aurais jamais accès, je les vivais avec Élias. Quoi de plus intime que ce moment après le réveil, ce partage de nos petits matins ?

À ma grande déception de ne pas le trouver dans la cuisine, ce matin-là, je compris que j'aimais ces instants plus que de raison. Je réceptionnai la livraison du boulanger, sans qu'Élias n'apparaisse. Je me retins de demander au livreur s'il y avait bien dans la cour un vieux 4 × 4 bleu nuit. J'allumai la cafetière, de plus

287

en plus fébrile, sursautant au moindre petit bruit et chaque fois déçue qu'il ne s'agisse jamais de celui de ses pas dans l'escalier. Mon café servi, j'eus l'impression d'étouffer à attendre entre les quatre murs de la cuisine, je sortis, j'avais besoin d'air et de lumière.

Je m'apprêtais à aller vérifier que sa voiture était encore là, lorsque je distinguai une forme sur le canapé, au fond du jardin. Je m'approchai à pas de loup et découvris Élias endormi, totalement recroquevillé sur lui-même. Depuis combien de temps était-il là ? Il n'avait quand même pas passé la nuit à la belle étoile ? Je m'assis près de lui, inquiète et curieuse. Il s'agita un peu, son corps se détendit légèrement, il essaya de se tourner, mais il avait trop peu de place. Ses yeux commencèrent à papillonner ; j'aurais dû m'en aller, le laisser seul, j'en étais incapable. J'eus envie de le toucher, de caresser son visage pour lui offrir un réveil doux. Je rencontrai son regard ensommeillé. Il semblait complètement perdu. Dérouté, il mit quelques instants à réaliser où il était. Il inspira profondément, une respiration longue, laborieuse, qui venait de loin. En se redressant, il fit attention à ne pas me bousculer avec ses jambes.

— Tenez, lui dis-je en lui tendant ma tasse. Il est chaud.

Il l'attrapa.

— Merci et… pardon, je n'aurais pas dû m'assoupir ici.

— Ne vous excusez pas. Vous avez réussi à dormir un peu, au moins ?

Il avala une gorgée.

— J'ai fermé l'œil au lever du soleil.

Il fixa le café, visage crispé.

— Qu'est-ce qui vous empêche de dormir ?

Il se leva, fit quelques pas, s'étira, j'entendis ses os craquer. Il me regarda furtivement.

— Des fantômes qui m'empêchent de vivre…

— Qui sont-ils, ces fantômes ?

— Pas maintenant, s'il vous plaît…

— D'accord… mais dites-moi seulement si je peux vous aider à les chasser.

Il me sourit tristement, avec la même expression de gratitude douloureuse qu'à son arrivée, quand je lui avais prêté ma voiture ou encore offert les petits déjeuners. Sans se retourner, il souffla :

— Vous avez déjà commencé.

Je me figeai, incapable de répondre.

Moins d'une demi-heure plus tard, il partait pour sa journée de travail. Il m'envoya un sourire triste sans dire un mot et se volatilisa. Pendant que je servais mes autres hôtes, je ne pensais qu'à me précipiter sur son cahier. L'ombre dans les yeux d'Élias me faisait craindre le pire.

En pénétrant enfin dans la pièce, je me pétrifiai ; son cahier n'était pas sur son bureau. Je cherchai partout, paniquée. Frustrée. Je le trouvai sur son lit. Je m'assis à côté, en proie au doute. Qu'allais-je découvrir ? Qui étaient ces fantômes dont il avait parlé deux heures plus tôt ? Il fallait que je sache ! Je m'adossai à la tête du lit en étendant mes jambes, pris une profonde inspiration et repris ma lecture là où j'avais arrêté. Il avait dû passer une grande partie de la nuit à écrire.

Je suis sûr que sa visite chez le kiné va bien se passer. Si j'étais son médecin, je lui dirais de danser, de courir, de sauter, il est clair qu'elle est guérie. Elle n'a pas conscience de la grâce et de la lumière qu'elle met dans chacun de ses mouvements sans même danser, elle en devient hypnotique. Je suis certain que quand elle se lancera, son sourire sera plus large. Hortense est une femme qu'on a envie de voir heureuse. Quand je pense à ce qu'elle m'a dit, j'avais vraiment vu juste. Je n'ai pas perdu toute ma perspicacité. Elle est bien avec un homme marié et elle a conscience de gâcher sa vie. Ça me rend dingue. Je me demande ce qu'elle va faire après, quand elle va pouvoir retravailler, reprendre son vrai travail... Je dois faire attention. Et arrêter les petits déjeuners en tête à tête.

Compterais-je un peu pour lui ? S'attachait-il à moi ? Ma respiration s'accéléra, mon ventre se noua...

Ça fait longtemps que je ne me suis pas senti heureux pour quelqu'un. Elle me fait du bien, elle m'apaise. Je ne devrais pas jouer à ce jeu-là. Je risque de le payer cher, une fois de plus. Elle attend des réponses à ses questions, elle veut faire connaissance avec moi, mais je n'ai pas envie de la décevoir. Elle a de moi l'image d'un homme de confiance. Je croyais l'être, je le suis peut-être encore, mais les messages d'insultes qui inondent encore parfois ma messagerie me rappellent le contraire.

Pourquoi se faisait-il insulter ? Que pouvait-on lui reprocher de si grave ? Une faute professionnelle… mais malheureusement, même les médecins avaient le droit à l'erreur. Son écriture se fit brusquement moins soignée qu'à l'accoutumée, plus nerveuse, certains passages étaient raturés.

Merde ! Je dormais ! Ces putains de cauchemars sont revenus ! Pourquoi ai-je été fatigué et feignant ce soir-là ? Pourquoi n'ai-je pas écouté cette petite voix qui me disait d'y aller malgré l'heure ? J'ai été si léger, si inconstant. Je me revois encore dans ma voiture répondre à l'appel. Mes yeux avaient du mal à rester ouverts, j'avais couru dans tous les sens depuis le matin. Et on m'appelait pour une poussée de fièvre. Ce p'tit môme, je le connaissais depuis sa naissance, il avait une bonne constitution, il était loin d'être fragile. Il était plus de 22 heures, et il aurait fallu que je fasse une quarantaine de bornes en pleine cambrousse, alors qu'il pleuvait des cordes. C'était un coup à finir dans le fossé et me retrouver à l'hosto où je ne pourrais plus m'occuper de personne. J'ai posé une multitude de questions au téléphone à la mère, je les connaissais très bien, j'ai même passé des soirées chez eux à rire, à parler. Nous nous considérions comme des amis. J'ai établi mon diagnostic à distance : une poussée dentaire. Elle a paru rassurée, et plus encore quand je lui ai promis que je passerais chez eux à 7 heures le lendemain matin. En rentrant chez moi, je n'ai même pas eu la force de me mettre au lit, je me suis écroulé dans le canapé en ayant juste la présence d'esprit de programmer mon

réveil. À 7 heures pétantes, je me suis garé devant
chez eux. J'ai à peine eu le temps de sortir de ma voi-
ture. J'entends encore les hurlements de douleur de la
mère, ils sont ancrés dans ma chair, ils sont enfermés
dans mon esprit. Je sens encore les coups que je me
suis pris dans la gueule, le père n'y est pas allé de
main morte, il a cogné, cogné et encore cogné. Je
ne lui en veux pas, il a eu raison... Il me tient, et me
tiendra toujours, pour responsable de la mort de son
fils. Elle, elle m'a giflé, griffé, hurlé dessus à m'en
crever les tympans. J'ai failli une fois à mon serment,
la fois de trop.

Quelle horreur ! Mes yeux étaient pleins de larmes.
Je ne savais pas pour qui je me sentais si mal. Pour ces
parents qui avaient perdu leur enfant ? Ils avaient vécu
le pire, j'imagine qu'il leur fallait trouver un responsable à tout prix. Impossible de me mettre à leur place.
Mais je souffrais pour Élias. J'étais convaincue au
plus profond de moi qu'il devait être un bon médecin,
toujours présent, toujours disponible, avec un bon sens
à toute épreuve.

Cette accusation devait être invivable pour lui.

Elle l'était.

Sa façon d'être, ses mots me le prouvaient, il était
incapable de se pardonner cette faute. Avait-il encore
le droit d'exercer ? Quand il m'avait dit qu'il était
médecin, il avait précisé *avant*. Lui avait-on retiré ce
droit ? Ou se l'était-il retiré lui-même ? Que s'était-il
passé les semaines qui avaient suivi la mort de cet
enfant ? J'aurais tellement aimé qu'il m'en parle pour
se soulager, il était rongé par la solitude, il devait se

décharger de ce fardeau, de tout ce qui lui bouffait la vie. Il s'interdisait de vivre et ce n'était pas juste. Peut-être devrais-je être honnête avec lui ? Lui avouer que chaque jour je lisais son journal pour tenter de le connaître, de percer son mystère. Mais ce serait prendre le risque qu'il s'enfuie immédiatement. Je lui mentais, alors que je sentais que je tenais de plus en plus à lui. Sa présence comptait pour moi, je n'avais pas envie qu'il parte d'ici. Et pas seulement parce que je voulais l'aider.

« J'espère que tu vas bien. Je t'embrasse. A. »

Le SMS d'Aymeric que je découvris après avoir quitté la chambre d'Élias me laissa de marbre. Je passai ma journée à ruminer, incapable de me concentrer sur quoi que ce soit. Je me retins de téléphoner à Mathieu pour savoir si tout allait bien avec Élias, s'il allait bien. Je ne le fis pas par respect pour son secret. En revanche, je reçus un appel. Bertille. Brusque retour à la réalité.

— Salut, Hortense ! Comment vas-tu ?

— Bien. Et toi ? L'école ? Les filles ?

— Justement, comme tu ne donnais pas de nouvelles, je me suis dit que j'allais te rappeler que le spectacle est la semaine prochaine. Tu n'as pas oublié ?

Entre Aymeric, la Bastide, Élias, il m'était évidemment sorti de la tête. Heureusement, j'avais bloqué les réservations depuis plusieurs semaines.

— Bien sûr que non !

— Tu en profites pour rester quelques jours à Paris ?

— Euh… pas plus de vingt-quatre heures.

— Bon… c'est mieux que rien, au moins tu viens.

— Je ne voudrais manquer ça pour rien au monde. Je te le promets.

Pourtant, je n'aurais pas pu être plus loin de la vérité.

— Tu redanses ou pas ?

— Pas encore, je vais peut-être avoir l'autorisation la semaine prochaine.

— Fantastique ! Tu auras une bonne nouvelle à nous annoncer. Enfin, j'imagine que ça ne change rien pour les stages de juillet ?

— Non, il vaut mieux être raisonnable.

— Je m'en doutais. Bon, je dois te laisser.

— D'accord, je t'embrasse.

— Moi aussi.

Je raccrochai, perplexe. Retourner à Paris. Assister au spectacle et découvrir de mes yeux les changements de l'école. Revoir Aymeric. Ne m'avait-il pas dit qu'il y serait ? J'étais fatiguée et angoissée à l'avance. Je me sentais bien à la Bastide. Je n'avais pas la moindre envie de briser le charme de mon séjour ici, la protection que m'apportait cette maison.

Sans compter qu'il fallait aussi que je prévienne Élias de mon absence. M'éloigner de lui, alors qu'il semblait aller si mal, m'angoissait. J'avais peur pour lui.

12

Élias me fuit tout le week-end. Il avait, semble-t-il, abandonné les travaux dans la salle de danse, s'était à nouveau transformé en courant d'air, ne prenant même plus son café avec moi le matin. Il me manquait. Je m'inquiétais. Malgré sa disparition, je ne tentai pas le diable et ne franchis pas le seuil de sa chambre. Je ne voulais pas le harceler, le pourchasser, mais je devais à tout prix le prévenir que je m'absentais. Aussi, le dimanche soir, décidai-je de ne pas aller me coucher tant qu'il ne serait pas rentré. Pour être sûre qu'il n'attende pas de me voir disparaître à l'intérieur avant de pointer le bout de son nez, j'attendis dans le séjour où les lumières restaient toujours allumées pour les hôtes. J'entendis sa voiture arriver, puis le son de sa voix sur la terrasse. Avec qui pouvait-il parler ? Lorsqu'il rentra enfin dans la maison, il tenait un téléphone à la main. C'était bien la première fois que je le voyais avec. C'était limite incongru.

— Bonsoir, Élias, chuchotai-je.

Il eut un mouvement de recul en me découvrant.

— Hortense, je pensais que vous seriez couchée.

J'avais visé juste, il m'évitait.

— Vous me fuyez ?

Ses épaules s'affaissèrent, comme s'il rendait les armes.

— Non, me répondit-il tristement. J'ai eu besoin de prendre l'air, ce week-end.

— Ne vous inquiétez pas, je ne vous surveille pas.

Il esquissa un sourire timide.

— Je sais…

— Vous allez bien ? lui demandai-je.

— Vous m'attendiez ?

— Oui… je voulais vous prévenir que je m'absentais en fin de semaine. Je pars vendredi matin et je rentre samedi dans l'après-midi.

— Ah… vous voulez que je m'en aille ?

— Non ! m'exclamai-je. Pas du tout !

Il rit légèrement avant d'arborer un petit air moqueur.

— Vous pensez que j'ai besoin d'un baby-sitter, alors ?

L'entendre blaguer me soulagea et m'arracha un sourire.

— Vous êtes un grand garçon, je crois ?

— Il paraît…

— Je vous confie la maison. Vous serez tout seul ici, il n'y aura pas d'autres clients.

Étonné, il fronça les sourcils.

— Vous êtes certaine ?

— Je vous l'ai déjà dit, je vous fais confiance. Et Mathieu est un vrai chien de garde.

Il rit.

— J'ai bien compris que si je touchais à un de vos cheveux ou encore à une petite cuillère, il me poursuivrait jusque dans les flammes de l'enfer.

— Il ne vous a quand même pas menacé ?

L'idiot, songeai-je, tout en étant profondément touchée que Mathieu me protège ainsi.

— Je ferais la même chose à sa place. Alors ne vous en faites pas. Merci de me laisser rester ici.

Il traversa la pièce, faisant en sorte de ne pas s'approcher de moi.

— Bonne nuit, me dit-il depuis la première marche de l'escalier.

— Merci, murmurai-je en prenant à mon tour la direction de ma chambre.

Il disparaissait déjà à l'étage. Il n'avait pas arrêté d'écrire qu'il devait rester éloigné de nous, de moi. Peut-être se disait-il qu'il se liait trop et qu'il était temps pour lui de préparer son départ.

Je dormis mal cette nuit-là, pourtant je ne l'entendis pas sortir. Le bruit de ses pas, sa présence éveillée dans la maison et dans le jardin s'étaient intégrés à mon sommeil et à mes rêves. En me levant, je me sentais triste. Mais j'éprouvai une bouffée de joie en découvrant Élias dans la cuisine en train de préparer le café. Je m'interrogeai ; il avait l'air reposé. Que s'était-il passé ? Avait-il dormi, lui ? Qu'allais-je découvrir si je lisais son journal ? Il me fit un grand sourire.

— Bonjour, Hortense, vous allez bien ce matin ?

— Oui. Et vous ?

— Plutôt bien.

Je croyais rêver. Sa réponse positive me stupéfiait. J'allais lui demander de m'en dire davantage lorsque nous fûmes interrompus par un discret coup de Klaxon du boulanger. Je dus lui rappeler qu'il n'y aurait pas de livraison le week-end suivant, et je restai plus longtemps que d'ordinaire à sa camionnette. À mon retour dans la cuisine, Élias rinçait sa tasse.

— Vous partez déjà ?

— Je commence tôt aujourd'hui, gros chantier…

— Ah…

Quelle conversation, Hortense !

Il me regarda de longues secondes, avant de me sourire.

— À ce soir.

— Oui…

J'attendis le milieu d'après-midi pour franchir le seuil de sa chambre. Il me fallut plusieurs secondes pour me remettre de mes émotions une fois à l'intérieur de la pièce. Pour la première fois, les draps étaient défaits, il avait dormi dans son lit et le cahier était posé sur la table de nuit. Je l'attrapai et m'assis sur le bord du matelas, nerveuse.

Putain ! Je viens de commettre une grosse erreur en appelant mon frère ! Il a réussi à me faire un peu parler, il est doué, le con ! Il a senti une brèche, la brèche que je n'arrive plus à colmater. Elle s'ouvre de plus en plus, c'est pour essayer de la verrouiller que j'ai roulé sans but précis tout le week-end. Je viens de me rendre compte que ma technique n'a pas franchement marché… Lui ai-je donné le nom du village où je suis ? Je ne sais plus. Mais si ça m'a échappé, il est capable de sonner à toutes les portes, d'appeler partout, de donner mon numéro de téléphone à n'importe qui. Ai-je prononcé le nom de la Bastide et d'Hortense ? Je ne veux pas qu'elle soit mêlée à cette histoire. Et j'ai trop peur d'espérer. Tout est devenu flou à partir du moment où il m'a annoncé qu'il allait se renseigner pour savoir si on avait besoin d'un médecin dans le coin où je suis.

Le coup au cœur fut si fort que le cahier m'échappa des mains. Pouvait-il poser ses valises chez nous ?

Il est intouchable, dans sa clinique privée bardée d'assurances pour protéger ses doigts en or. Il ne peut pas comprendre ce que j'ai enduré pendant des mois. La descente aux enfers, l'isolement progressif, la violence, l'agressivité, les insultes, la condamnation sur la place publique. Tout est allé si vite après l'enterrement du petit. J'ai voulu y aller par respect, comme je l'aurais fait pour n'importe lequel de mes patients. C'est comme ça, dans un village. Je me suis fait mettre à la porte manu militari. Il m'a fallu plusieurs jours pour réaliser que mon téléphone sonnait moins, voire plus du tout. Je sais qu'on peut devenir fou de douleur, mais pas à ce point-là. Ils ont ligué tout le monde contre moi, tout était ma faute. Je n'étais pas un homme de confiance, encore moins un médecin. Chacun de mes faits et gestes a été retourné en ma défaveur. Des ragots plus gros les uns que les autres ont commencé à circuler. À croire qu'ils me prenaient tous pour le messie ! Ça m'a fait si mal quand tous les regards se sont détournés de moi, ou qu'on s'est mis à changer de trottoir quand on me croisait. Le pire, je crois que ça a été quand je suis allé faire ma visite hebdomadaire chez monsieur et madame H., que j'ai sonné, et encore sonné. Je savais qu'ils étaient chez eux. Ils n'ont pas ouvert la porte. Ils ne voulaient plus de moi. Quand leur voisin est venu les chercher en voiture, ils sont sortis de leur maison sans me jeter un regard, en fixant leurs pieds, mais leur chauffeur a fait bien attention à brailler qu'il les emmenait chez leur nouveau médecin à plus de cinquante bornes de là. Que sont-ils devenus, ces petits vieux si attachants ? Sont-ils encore en vie ? J'aimerais tant le savoir...

Les parents du petit garçon ont porté plainte contre moi et ont voulu me faire retirer le droit d'exercer. Ça a été le coup de grâce ; les semaines de procédures où je me suis terré chez moi, pendant que l'avocat de mon frère se chargeait de mon cas. La violence a cessé pendant quelque temps. J'aurais dû partir à ce moment-là, j'avais peu de doutes sur mon innocence, sur le fait que le Conseil de l'Ordre me donnerait raison. Le malheur veut que parfois la mort ne s'explique pas. C'est épouvantable, ça s'est retourné contre eux, ma défense m'a donné envie de vomir, en pointant les défaillances des parents, comme s'ils ne souffraient pas assez du deuil. On leur a balancé qu'ils auraient dû appeler les pompiers, le SAMU, SOS Médecins ou aller aux urgences... et ne pas se reposer sur leur généraliste de campagne qui ne peut pas tout. J'ai ressenti soulagement et injustice quand j'ai été innocenté, mais le répit a été de courte durée. La violence a repris le dessus. Je suis devenu l'homme à abattre. Après que ma bagnole a été défoncée à coups de batte de base-ball et ma maison caillassée, j'ai pris la seule décision qui s'imposait, si douloureuse fût-elle. Je me revois encore sortir mes sacs et mes valises de chez moi, les balancer dans ma voiture, en croisant les doigts pour qu'elle tienne le coup pour m'emmener loin de cet endroit. Ça m'a fait penser aux gens qui doivent quitter à la va-vite leur maison en cas d'incendie, on voudrait tout prendre et on ne sait pas quoi choisir. Je me souviens de ce sentiment de contre-la-montre pendant que je piochais à droite à gauche dans mes affaires. J'ai l'impression d'avoir oublié l'essentiel de ma vie là-bas, pourtant je ne sais plus ce que j'ai. Enfin, je sais que je n'ai plus rien à part moi. Alors, mon frère peut bien dire tout ce qu'il veut, je refuse de prendre le risque que ça m'arrive à nouveau. Même si... l'espoir monte, je n'arrive pas à le canaliser... Non... impossible... Ne rêve pas, Élias !

Je suis tellement fatigué, je voudrais que ça s'arrête, que ça fasse une pause dans ma tête. Je suis vidé. Si je me mettais vraiment au lit pour une fois...

J'ai dormi, j'ai dormi cinq heures d'affilée... Ça fait des mois que je n'ai pas dormi autant d'une seule traite, ça vaut le coup de l'écrire, pour me souvenir que c'est possible durant ma prochaine insomnie...

Pendant ma lecture, je m'étais allongée sur son lit, l'oreiller avait gardé son odeur, et moi je gardais son cahier désormais refermé contre moi comme pour le protéger, bouleversée par son courage. L'épreuve de l'exclusion, le procès accablant, tout ce qu'il avait traversé seul, sans aide, sans rien demander, sans accuser, presque sans colère, forçait le respect. Je comprenais mieux son souhait de rester à distance, de ne plus s'attacher aux personnes qu'il rencontrait. Je le comprenais, mais je ne l'acceptais pas. Il méritait tellement plus, je devinais qu'il cachait des trésors de générosité, d'humour et de tendresse.

La semaine fila sans que j'aie le temps de me retourner. On reprit notre petite routine avec Élias, café du matin et nouvelles du soir. Quant à mon rituel secret, j'en fus pour mes frais, puisqu'il n'écrivit plus une ligne. Le jeudi matin, je me réveillai tendue. Dans vingt-quatre heures, je partais à Paris, et ce soir, j'allais chez le kiné. En découvrant Élias cafetière à la main, je retrouvai le sourire. Il paraissait enjoué.

— C'est le grand jour, Hortense !

— Vous vous en souvenez ?

Il leva les yeux au ciel, dépité et amusé.

— Évidemment ! Ne vous en faites pas. Elle va bien, votre cheville, pas besoin de l'ausculter pour le savoir. Je la vois tous les jours, et franchement, même si je suis loin d'être un spécialiste des blessures de sportifs, je suis certain que vous auriez pu reprendre depuis longtemps.

J'étais assez déconcertée : renouait-il avec son métier ?

— Y aurait-il toujours un médecin qui sommeille en vous ?

Il haussa les épaules, un peu triste.

— Je ne crois pas, mais bon... Quelqu'un m'a dit qu'on l'était pour toute la vie...

Je lui souris, remuée qu'il se souvienne de mes mots. Il remplit nos tasses et me tendit la mienne.

— Vous partez à quelle heure, demain ?

Un pavé tomba sur mon estomac.

— À 9 h 30 si je ne veux pas rater mon train. D'ailleurs, je dois vous donner des clés et mon numéro en cas de besoin. On ne sait jamais !

Je partis dans l'entrée, mes gestes étaient saccadés, je mis le bazar sur le comptoir en cherchant un double.

— C'est à Paris que vous allez ? me demanda-t-il en me rejoignant.

— Oui.

Je lui tendis un morceau de papier avec mon numéro et un trousseau, il les attrapa, avant de river son regard au mien, un regard inquiet.

— Merci. Ça a l'air de vous préoccuper ?

— Un peu, je l'avoue. Je n'ai pas tellement envie de partir d'ici.

— Pourquoi y allez-vous, alors ?

— C'est le spectacle de mon école, je dois être présente pour mes élèves, c'est la moindre des choses.

— Ça va vite passer. Et puis, vous revenez après !

Je lui envoyai un sourire de gratitude ; la façon dont il prenait soin de moi me rassurait et me bouleversait au-delà du raisonnable.

— Je dois y aller.

— Bonne journée.

— À ce soir, j'ai hâte que vous me racontiez.

On échangea un long regard qui me donna des papillons dans le ventre. Sitôt qu'il eut disparu, l'angoisse me ressaisit. Instinctivement, je traversai le terrain pour rejoindre le banc de mes parents. Je m'y assis, fermai les yeux et dirigeai mon visage vers le ciel en respirant à pleins poumons, pour m'enivrer des parfums, des essences de la végétation autour de moi. Je revécus plusieurs de mes départs larmoyants ; plus l'horaire de mon train de retour vers Paris approchait, plus je me renfermais dans ma coquille. Je me souvins de ma gorge nouée, des larmes dans mes yeux, des grigris que je mettais en douce dans mes valises – un bout de bois trouvé par terre, une coquille vide d'amande, un brin de lavande ou une petite branche de lilas arrachée dans le dos de maman. J'avais oublié à quel point c'était un déchirement quand je quittais la maison après de longues semaines de vacances, même à l'époque où ma vie à Paris m'enthousiasmait. Je pouvais encore sentir le bras de maman entourant mon épaule, elle me chuchotait de douces paroles : « Tu reviendras, tu reviens toujours. » Je rouvris mes yeux et fixai le ciel bleu.

— Dans quel état vais-je revenir, maman ?

J'étais chez le kiné, je venais de finir mes exercices et j'enfilais mes spartiates. En me relevant, je vis à son regard et à ses sourcils froncés qu'il réfléchissait.

— Il y a un problème ?

— Non, justement…

— Pourquoi cette tête, alors ?

— Vous avez vraiment bien récupéré. J'ai encore eu votre orthopédiste au téléphone – il est un peu étrange, non ? Il m'a demandé si je pensais que vous aviez retenu la leçon…

Toujours aussi dingue, le savant fou !

— Effectivement, et alors ?

— On va continuer à se voir deux-trois fois, plus par principe que par nécessité. Mais je crois que vous allez être contente.

Il me fit un sourire franc et je me forçai à le lui renvoyer, n'osant espérer la nouvelle que j'attendais par-dessus tout.

— Je suis tout ouïe…

— Vous pouvez recommencer à danser. Attention, pas de folies, reprenez doucement, à votre rythme, sans forcer.

— C'est vrai ?! C'est vraiment vrai ?

— Si je vous le dis !

Je lui sautai au cou, en répétant « Merci, merci, merci ».

— Ça vous fait plaisir !

— Vous n'imaginez même pas !

Je lui souhaitai une merveilleuse soirée et partis en sautillant d'un pas léger. Je ne touchais plus terre. J'étais folle de joie, j'avais envie de le crier à la terre entière. D'un seul coup, j'avais l'impression de sortir du tunnel sombre dans lequel j'étais enfermée. J'allais pouvoir enfin évacuer toutes les émotions qui me consumaient depuis des semaines. Et surtout, j'allais pouvoir me retrouver pleinement et ne faire plus qu'un avec mon corps. N'étant pas pressée de rentrer à la Bastide, je décidai de passer deux minutes à la boutique de Cathie pour lui annoncer la grande nouvelle. Je garai ma voiture n'importe comment devant la devanture. Je me retins d'exécuter une pirouette pour lui faire passer le message. Ce n'était pas raisonnable, je n'étais pas échauffée. Et puis, ce n'était pas là que je voulais le faire. En revanche, j'eus envie de m'amuser, je me plantai en face d'elle, sans rien dire.

— Quoi ? Tu sors de chez le kiné ?

Je restai impassible.

— Alors ?! s'égosilla-t-elle.

Je la regardai à travers mes cils, en lui décochant un sourire sadique.

— Prête à en baver dans la salle de la Bastide ?

— Mais non ! Génial !

Elle me sauta au cou et me serra contre elle.

— Tu m'étouffes ! lui dis-je en riant.

Elle se détacha de moi et prit mon visage entre ses mains.

— Je suis déchaînée, mais tu vas aller mieux maintenant. Je suis fière de toi.

Nous fûmes interrompues par l'arrivée de clients. Cathie soupira bruyamment.

— Ce n'est pas le moment ! Je veux fêter la nouvelle avec toi ! Tu viens dîner à la maison ?

Je mis deux secondes à lui répondre.

— Non, il faut que je rentre, je dois préparer mes affaires. Tu te souviens, je pars demain matin ?

Totalement faux : mon sac était fait, j'avais même eu Bertille par SMS qui m'avait annoncé qu'après le spectacle nous irions tous fêter la fin des cours chez Stéphane. Ma cheville et moi retournerions sur le lieu du crime. Je pouvais donc dîner avec mes amis. Mais je voulais annoncer la nouvelle à Élias.

— Nul ! Tu ne peux pas expédier et venir chez nous après ?

— Écoute, on fête ça samedi soir ! C'est aussi bien.

Elle m'envoya un regard suspicieux.

— Tu te sens comment pour demain ?

— Je ne veux pas y penser…

— Tu vas voir Aymeric ?

— Je ne sais pas… peut-être, il voulait me rejoindre au spectacle, mais je ne pense pas que cela ait du sens… En même temps, il ne m'a pas donné de nouvelles.

Subitement inquiète, elle fronça les sourcils.

— Tu as envie de le voir ?

Je restai bête quelques instants. Je ne m'étais même pas véritablement posé la question.

— Aucune idée… Bon, allez, va t'occuper de tes clients !

Je filai et remontai dans ma voiture, heureuse, soulagée et remuée.

Sans grande surprise, Élias n'était pas là lorsque j'arrivai chez moi. En même temps, à quoi m'attendais-je ? Il ne rentrait jamais à la Bastide avant 21 heures. J'aurais dû manger un petit morceau, au moins grignoter, mais j'étais nouée, sur les nerfs. Rien à voir avec un quelconque mal-être. Je ne voulais qu'une chose, qu'il arrive, pour lui annoncer la nouvelle. Je m'assis dans le canapé du jardin pour l'attendre, en essayant de faire taire la petite voix me soufflant que ce n'était pas tout. Elle devint de plus en plus bruyante lorsque je vis sa voiture apparaître à l'entrée du chemin. Tout comme mon cœur qui se mit à battre plus vite, plus fort.

Je ne bougeai pas, tétanisée par mon état et l'évidence impossible qui me frappait de plus en plus.

Je tournai le visage dans sa direction et, comme chaque soir, il vint vers moi. Lorsqu'il fut tout près, il mima un « Alors ? ». Je lui fis un grand sourire, qu'il me renvoya instantanément. Sa joie, son bonheur me bouleversèrent. La tension quitta son corps. S'inquiétait-il vraiment de mon sort ? Il s'assit dans le fauteuil en face de moi et me fixa, intensément, sans rien dire. Silencieuse, je le laissai me regarder, et m'autorisai enfin à contempler son visage, dont les traits étaient doux et durs à la fois, suivant l'expression qu'il affichait. Il avait tellement meilleure mine qu'à son arrivée, même s'il lui restait bien évidemment des cernes vu le peu d'heures de sommeil qu'il engrangeait. Sa peau se tannait avec le soleil et le mistral, un bronzage de travail, un bronzage dur, sale, mais beau. Les rides au coin de ses yeux racontaient ses souffrances et certainement quelques joies. Je découvrais des pointes de jaune dans ses iris marron. La petite bosse sur son nez me disait qu'il se l'était cassé ; j'eus envie de savoir s'il avait été un petit garçon turbulent ou un adolescent bagarreur. Je remarquai la coupure sur son menton. Sans même le réaliser, j'avais enregistré qu'il se rasait de près tous les matins, et j'avais aperçu son rasoir Bic. J'eus envie de passer mon doigt sur son écorchure. Une image se forma dans mon esprit : lui en jean, devant le miroir de la salle de bains en train de se raser d'un geste sûr. Après il aurait enfilé son pull à même la peau, comme il le portait ce soir. Je l'entendis soudain respirer profondément, je redescendis sur terre légèrement tremblante. Il passa la main sur son front comme pour reprendre ses esprits, puis arbora un sourire mélancolique, avant de m'adresser un coup d'œil curieux.

— Prête à retrouver votre salle de danse ?

Sa voix me parut plus chaude que la veille, comme si je l'entendais pour la première fois. Malgré le trouble profond et toutes les questions qui se bousculaient en moi, je souris et le regardai malicieusement.

— Je ne vous ai pas demandé d'accélérer... J'ai donc encore un peu de temps...

Il secoua la tête d'un air de dire non.

— Même si je ralentis, d'ici dimanche, ce sera fini, peut-être même avant.

Je crus voir un éclair de fierté dans ses yeux, comme s'il était heureux de m'avoir cloué le bec. Et ce n'était pas faux : les bras m'en tombaient.

— Comment est-ce possible ?

— Je mets à profit mes insomnies.

— Vous êtes fou ! Je vous interdis de faire ça !

— Et pourquoi donc ?

— Mais... parce que... parce que... il faut dormir la nuit !

Ma repartie minable me fit rire, et lui aussi.

— Plus sérieusement, vous voulez que je vous montre maintenant ce que ça donne ? Il reste encore quelques finitions... mais j'espère que le résultat vous plaira.

— Je n'en doute pas...

Il se leva et me tendit la main.

— Alors ? Vous venez ? murmura-t-il.

— Oui...

Ma main était à deux centimètres de la sienne, je pouvais en sentir la chaleur, presque la rugosité – sa peau était devenue calleuse en quelques semaines de bûcheronnage. Je décidai de la lui donner. Mon téléphone sonna. Je me figeai de longues secondes sans

309

le quitter du regard, sans bouger ma main. Je savais qui c'était, je le sentais, il avait toujours eu un radar à coups de cafard, et là c'était un radar à danger. Je me sentis écartelée, j'aurais voulu que mon portable ne sonne jamais. Les yeux d'Élias se posèrent brièvement sur l'écran. Sa main retomba le long de son corps, la mienne sur le canapé. Il lâcha un vague sourire.

— Une autre fois.

Il tourna les talons, s'alluma une cigarette et marcha d'un bon pas vers la salle de danse. Le téléphone devint silencieux deux secondes avant de se faire entendre à nouveau. Comme un automate, je décrochai.

— Allô…

Je ne lâchais pas Élias du regard, il ne se tenait plus voûté comme à son arrivée, désormais il se tenait droit, il était devenu plus fort, il guérissait. Était-ce sa présence ici qui l'aidait ? Ou le temps qui faisait son œuvre ? Ou cette brèche dont il avait parlé dans son journal ? Osais-je l'espérer ? Mettre bout à bout tous les mots écrits sur moi ?

— Hortense… tu es là ?

— Oui… Attends deux secondes.

Je courus après Élias en l'appelant. Il se retourna.

— On se voit demain matin ?

Il esquissa un demi-sourire.

— Non… Mathieu m'attend à 7 heures sur un chantier.

— À samedi, alors.

— Faites attention à vous à Paris.

— Promis, soufflai-je.

Je désignai de la main la table basse où j'avais abandonné mon téléphone.

— Je dois y aller.

Il me fit un dernier sourire et s'éloigna. Légèrement hagarde, je repris la conversation avec Aymeric :

— Excuse-moi.

— Je te dérange ou quoi ? Tu as l'air complètement ailleurs…

— Non… je ne m'attendais pas à ce que tu m'appelles…

— Je suis sur la route, j'étais en déplacement aujourd'hui. Comment vas-tu ?

— Bien…

— Tu es sûre ?

— Si je le dis ! rétorquai-je, agacée par son insistance.

Je ne voulais pas lui parler, pas à lui. Je voulais qu'Élias me fasse renouer avec la salle de danse, c'était avec lui que je voulais être. Comment était-ce possible ?

— Tu me caches quelque chose ?

— Non… mais…

Voilà que je lui mentais. Je n'allais tout de même pas retourner le contexte, me retrouver dans la position de l'arroseur arrosé. Je devais démêler mes sentiments, mais je refusais, au cas où l'inimaginable me tomberait dessus, d'avoir l'impression de tromper Aymeric. Pas moi. Je n'en avais décemment pas le droit. Non pour respecter une fidélité envers lui, j'avais largement dépassé ce stade. Mais pour me respecter *moi*. Notre relation n'avait plus rien de beau, si tant est qu'il y ait eu quelque chose de beau, et il était hors de question que je salisse ne serait-ce que des sentiments naissants pour un autre homme. Mais tout cela m'appartenait, je ne pouvais le confier à Aymeric, il ne faisait plus partie du jeu, de mon jeu.

— Quoi ?

— Je crois qu'il faut qu'on s'appelle moins, enfin que tu m'appelles moins… J'ai besoin d'avancer, Aymeric.

— Tu ne veux plus me parler… On en est vraiment là…

— Non… Enfin si… Je crois que c'est nécessaire pour toi aussi…

Il soupira profondément, je le sentis vaincu.

— Tu as raison… mais j'ai du mal encore à imaginer que tu sortes de ma vie.

— Ça va passer.

— C'est étrange…

— Je te l'accorde.

Mon regard se dirigea naturellement vers la salle de danse.

— Je vais te laisser retourner à ta nouvelle vie…

— Je n'ai pas encore de nouvelle vie, Aymeric… J'avance, c'est tout… Et…

Je m'arrêtai au moment où je m'apprêtais à lui annoncer que je pouvais danser à nouveau, mais je me rendis compte que ce n'était pas à lui que j'avais envie de le dire. C'était à Élias. À Élias. Pas à Aymeric.

— Et quoi ?

— Rien. Bonne route.

— Attends ! On peut quand même se voir à ton retour à Paris ? Je sais que tu y seras, demain.

— Je ne sais pas si c'est une très bonne idée…

— S'il te plaît ! Tu nous le dois !

Jusqu'au bout, il taperait du pied avec moi. J'allais céder à un dernier caprice.

— Très bien. Mais… je reste tout l'été dans le Sud, je ne fais qu'un aller-retour.

— Oh… je m'en doutais… On se voit demain, alors. Je t'appelle dans la journée. Je t'embrasse, Hortense.

Il raccrocha avant que j'aie le temps de lui répondre, et c'était aussi bien. Après quelques minutes sans bouger, je me levai du canapé et pris la direction de la salle de danse. Arrivée dans la cour, je me ravisai. Quelque chose me disait qu'il n'était pas près d'en sortir. Nous avions raté notre moment, Élias et moi, et j'aurais été bien incapable de le regarder dans les yeux, alors que je venais de raccrocher avec Aymeric, et qu'il le savait.

13

Dans le train, il n'avait pas fallu attendre longtemps pour que l'angoisse me ressaisisse. J'avais pourtant merveilleusement bien dormi, contrairement à Élias que j'avais entendu sortir vers 3 heures du matin. Je n'avais pas eu le temps de rentrer dans sa chambre avant de partir. Depuis que j'avais laissé ma Panda sur le parking de la gare TGV d'Avignon, mes jambes étaient flageolantes, je n'étais pas loin de la nausée. Au bout d'une demi-heure de trajet, mon voisin de siège était passablement irrité par mes gigotements. Je migrai vers le wagon-bar, achetai une bouteille d'eau que je bus à petites gorgées, pour ne pas brusquer mon estomac. Je restai debout, accoudée à une minitablette le long de la vitre.

En dépit de ma position inconfortable, le temps passait beaucoup trop vite. C'était comme si j'étais devenue insensible à la douleur physique. Plus le soleil baissait en intensité en remontant vers le nord, plus j'avais l'impression de m'éteindre. À tel point que je n'aurais pas été étonnée que ma cheville me fasse souffrir à nouveau. Quand le train entama sa traversée de la banlieue, je crus défaillir. Je pris sur moi pour ne pas appeler Cathie, j'aurais donné cher pour entendre sa voix douce, qu'elle me fasse écouter le chant des cigales. Lorsque le train s'arrêta Gare de Lyon, je laissai tous les passagers sortir avant moi ; les contrôleurs durent venir me déloger. Sur le quai, je fus étourdie par le bruit, la foule. J'évoluai au ralenti au milieu des Parisiens pressés, anonymes, qui n'avaient d'autre choix que de marcher à toute vitesse, sans regarder autour d'eux, tout était chronométré à la minute près. J'eus un flash de moi, avant, courant comme eux sur le quai. Aussi pris-je mon temps pour essayer de ne pas me perdre dans cette agitation. Je m'engouffrai dans les sous-sols de la gare sans accélérer le pas, pour rejoindre le métro qui me conduirait chez moi.

Je souris pour la première fois de la journée en me retrouvant en bas de mes six étages à gravir. Je testai ma cheville en montant l'escalier sur la pointe des pieds à petites foulées. Ma forme physique était de retour.

C'est d'un geste tremblant que je glissai la clé dans la serrure. Il me fallut un moment pour rassembler mon courage… et pousser la porte de mon appartement. L'odeur de renfermé me prit à la gorge. J'abandonnai mon sac sur le lit, puis j'ouvris la fenêtre en grand, j'avais besoin de respirer, de pousser les murs, d'être dehors. Je m'accoudai à la balustrade de mon petit balcon, la vue des toits de Paris était toujours aussi belle, mais tellement grise. Mes yeux s'étaient très vite réhabitués aux couleurs vives de la

Provence. Retrouver mes affaires, celles de mon quotidien, de ma vie de tous les jours ne me procura pas plus de bonheur que ça. En réalité, j'avais plutôt envie d'en mettre certaines dans une valise pour les descendre à la Bastide.

Mais ma priorité était de récupérer un sac-poubelle sous l'évier et de me rendre dans la salle de bains. J'ouvris le placard d'Aymeric et ne pus retenir un soupir nostalgique ; son gel douche, son parfum, un pull et une chemise de secours. Ce fut plus fort que moi, j'enfouis mon visage dans ses vêtements pour retrouver son odeur. Je ne sentis que des effluves du passé. Malgré la tristesse qui pointait, je jetai tout. Je devais mettre un point final à cette histoire, ce qui signifiait me débarrasser de tout ce qui me reliait à lui.

Ensuite, je tirai de sous mon lit ma boîte à trésors, comme je l'appelais, je regardai chaque photo de nous deux. J'avais beau être souriante, apparemment heureuse, je ne me reconnaissais pas ou plutôt je savais que je n'étais plus cette femme-là, que je n'avais été cette image de papier glacé que pour lui. Je les déchirai une à une méthodiquement, sans flancher, j'étais déterminée.

Chaque souvenir conservé jusque-là avec amour, je le détruisis.

Je venais de finir le grand déblayage lorsque mon téléphone sonna au fond de mon sac. Je pensai immédiatement à Bertille ou Sandro. Je me trompais royalement. Il avait définitivement un radar ! Aymeric. Il ne perdait pas de temps pour m'appeler.

— Allô…

— Tu es bien arrivée ?

— Oui.

— On peut toujours se voir ?

Je levai les yeux au ciel, ne sachant plus quoi lui répondre. Était-ce nécessaire ? J'avais ma réponse et surtout je n'avais pas le choix : il fallait couper les ponts définitivement.

— Je ne suis à Paris que pour vingt-quatre heures. Je repars demain midi et je passe la soirée avec Bertille, Sandro et Stéphane. La seule chose que je peux te proposer, c'est de prendre un verre ensemble avant le spectacle, dans la brasserie près du théâtre où a lieu la représentation. Tu te rappelles où c'est ?

— Oui, je vais me débrouiller.

— Si tu me retrouves à 18 heures, ça nous laisse une petite heure pour discuter.

— Très bien. Je t'embrasse.

— À tout à l'heure.

Je raccrochai sans plus attendre, je tremblais des pieds à la tête.

Sur le trajet vers le théâtre, j'appelai Bertille.

— Hortense, c'est la course !

— Je m'en doute, tu veux que je vienne vous filer un coup de main ?

— Je crois que ça ferait plaisir à tes grandes si tu venais les aider à se maquiller. Mais c'est comme tu veux, je ne te force pas.

— Je serai dans les loges à 19 heures.

— Merci, c'est parfait ! Je te laisse !

Son excitation, l'effervescence que j'entendais derrière elle, tout me pinça le cœur tant cela me semblait loin de moi. Comme si j'avais fait le tour de cette vie, que je n'aspirais plus qu'à la paix, à la tranquillité. Je repérai immédiatement une table libre en terrasse – il ne pourrait pas me rater, et il n'était plus question de m'enfermer dans une arrière-salle. Je refusais de me cacher pour Aymeric. Terminé, ce temps-là. D'autant qu'il faisait beau, je n'étais pas de mauvaise foi au point de dire le contraire, le ciel était dégagé et il faisait bon : pour preuve, j'étais bras nus.

Le froid que je ressentais était intérieur, c'est l'angoisse qui le nourrissait. Angoisse de ce que mon cœur et mon corps m'enverraient comme signaux en le voyant. Angoisse à l'idée de devoir peut-être jouer la comédie. Ces dernières semaines, j'avais franchi l'étape la plus dure : j'avais appris à vivre sans lui.

Et puis il y avait Élias… Je pensais à lui, bien évidemment. Si tout s'écroulait face à cet homme que j'avais tant aimé ? Je commandai un Perrier rondelle – il fallait bien commander quelque chose – et l'attente commença… Par chance, elle ne s'éternisa pas. Je vis arriver au loin sa silhouette élancée, dans son éternelle veste ajustée. Mon cœur se serra, non de chagrin, mais plutôt de nostalgie. Il me repéra, son pas moins alerte que dans mes souvenirs ralentit. Il fit une halte avant d'arriver jusqu'à moi. Je ne bougeai pas. Il s'assit en face de moi. On s'observa de longues secondes sans rien dire. Son visage était marqué, mais il était toujours aussi beau ; ses airs de gendre idéal, un peu boudeurs, ne disparaîtraient pas en vieillissant. Les femmes continueraient encore longtemps à se retourner sur son passage, je n'étais pas jalouse à cette idée. Ce qui m'avait séduite, charmée, consumée d'amour et de désir n'opérait plus. Il m'examina comme il l'avait toujours fait, en penchant légèrement le visage pour mieux profiter de la vue de mes jambes croisées, de ma robe remontant sur mes cuisses. Mais un détail le chiffonnait, sa contrariété était flagrante.

— Enlève tes lunettes de soleil, Hortense, s'il te plaît. Je veux voir tes yeux.

Je souris intérieurement, me sentant capable de le regarder sans trouble, simplement nostalgique du temps passé. Un peu comme quand on pense à son premier amour des années plus tard : on aimerait revivre certains souvenirs sans conséquences, juste parce qu'ils étaient jolis, agréables. Je retirai mes lunettes et le fixai en lui souriant doucement. Après quelques secondes à me sonder du regard, désabusé, il se renfonça dans sa chaise et passa la main dans ses cheveux.

— C'est donc fini…, murmura-t-il.

— Tu espérais le contraire ?

— Non… mais là, on y est… C'est la dernière fois qu'on se voit.

— Il y a de fortes chances, oui…

Il s'empara d'une de mes mains qu'il serra. Retrouver le contact de sa peau sur la mienne ne déclencha pas de vague de frissons. Rien à voir avec les sentiments qui me traversaient avant.

— On était bien tous les deux, souffla-t-il. Ne doute jamais de l'importance que tu as eue pour moi.

Je ne pouvais mettre en doute sa sincérité, il ne cherchait pas à me récupérer par de fausses déclarations qu'il se sentait obligé de me faire.

— Je ne t'oublierai jamais, lui répondis-je. Je veux que tu sois heureux. Ton bonheur, il est avec ta femme. Tu l'aimes, tu l'as toujours aimée, je crois que je l'ai toujours su, toi aussi d'ailleurs.

— C'est vrai.

— Je veux que tu répares tout ce qu'il y a à réparer avec elle. Garde nos souvenirs loin de toi, de vous deux, de tes filles. Oublie-moi. Inutile de ressasser notre histoire, profite de ta vie avec ta famille. Tu as une chance extraordinaire d'en avoir une, alors, je t'en prie, prends-en soin.

— C'est ce que je suis en train de faire.

Il serra plus fort ma main, ses yeux se remplirent de larmes.

— Je suis contente… Tu sais ce que je voudrais ? lui dis-je, subitement gagnée par l'émotion.

Il secoua la tête.

— Je voudrais qu'on se recroise dans vingt, trente ans, j'aimerais te voir dégarni, avec des cheveux blancs, bras dessus bras dessous avec ta femme, et tu me la présenterais, en inventant un bobard dont tu as le secret pour justifier que tu me connais.

Il rit tristement.

— Et je te verrais heureux.

— Et toi ? Tu serais comment ? me demanda-t-il, la voix enrouée.

— Moi ? Je n'en ai aucune idée. Mais ça ira…

En tout cas, je voulais y croire… Aymeric n'avait besoin ni de cette précision ni de mon doute. Il était prêt à parler, mais la sonnerie de mon téléphone l'interrompit avant même qu'il ouvre la bouche. Je dégageai ma main des siennes.

— Excuse-moi, c'est peut-être Bertille ou Sandro.

Je récupérai mon portable dans mon sac et fronçai les sourcils.

— Que se passe-t-il ?

— C'est la Bastide.

Je décrochai.

— Allô…

— Bonjour, Hortense, c'est…

— Bonjour, Élias. Il y a un problème ?

— Non ! Pas de panique, tout va bien. Je suis navré de vous déranger.

Non, il ne me dérangeait pas, j'étais heureuse d'entendre sa voix.

— Pas du tout, dites-moi.

— Je suis rentré il n'y a pas longtemps et le téléphone n'arrêtait pas de sonner. J'ai fini par décrocher, des gens insistent pour savoir s'il n'y a pas deux chambres de libres pour tout le week-end, avec en bonus la nuit de lundi à mardi. Je dois les rappeler dans cinq minutes pour leur donner une réponse.

— Vous leur dites non, je ne suis pas là.

— Je peux m'en occuper, si vous voulez.

— Élias, c'est hors de question, vous en faites déjà bien assez !

— Hortense, c'est dans mes cordes de faire des lits, les accueillir et leur servir le petit déjeuner. Et vous rentrez demain. Ce serait franchement dommage de vous passer de ces clients.

— Mais…

— Ça me fait plaisir, je vous le promets.

Je souris et m'installai plus confortablement dans ma chaise, soudain plus détendue, saisie par l'envie

321

d'être chez moi, là-bas. Avec lui ? *Moins de vingt-quatre heures.*

— D'accord.

Je lui expliquai où il pourrait trouver le linge de chaque chambre, il me posa deux-trois questions techniques, auxquelles je répondis.

— Et ne vous inquiétez pas, me précisa-t-il. J'ai déjà appelé la boulangerie, c'était trop tard pour qu'ils nous livrent demain matin, mais j'irai chercher la commande avant que tout le monde se réveille.

— Vous avez fait ça ? Vous n'imaginiez donc pas que je puisse vous dire non ?

On éclata de rire en même temps.

— Hortense, je dois vous laisser, il faut que je les rappelle.

— Merci...

— Je vous donne des nouvelles.

Je n'avais pas envie qu'il raccroche, lui non plus apparemment, puisqu'il mit de longues secondes à couper. Je fixai quelques secondes mon téléphone, le cœur léger. Aymeric toussota et par la même occasion me fit redescendre sur terre.

— Excuse-moi.

— Je t'en prie. C'était le client que j'ai croisé quand je suis venu ?

Je réfléchis un instant et me souvins, cela me semblait tellement loin.

— Oui, c'est vrai que tu l'as rencontré. Je ne pensais pas que tu t'en souviendrais... Élias va s'occuper de nouveaux hôtes, ce soir.

Sa mâchoire se contracta un bref instant, puis il m'envoya un sourire un peu triste.

322

— C'est bien que tu ne sois pas toute seule là-bas…

Son regard erra au loin et s'arrêta sur le théâtre.

— Tu danses, ce soir ?

— Non.

— Pourquoi ? Tu as mal ?

— Non, j'ai le droit de reprendre, mais ce n'est pas ma place.

— C'est vrai ? Pourquoi tu ne me l'as pas dit ?

Je lui fis comprendre d'un regard sans appel qu'il n'avait plus à connaître tous les détails de ma vie.

— Tu as raison, j'ai compris…

— D'ailleurs, il faut que j'y aille, ils vont m'attendre.

Je sortis un billet de mon portefeuille et l'abandonnai sur la table. Je me levai, Aymeric en fit autant et me laissa passer devant lui. On fit quelques pas sur le trottoir côte à côte, sans dire un mot. Mais je m'arrêtai, il ne fallait pas qu'il aille plus loin, il était temps d'abréger cette séparation. Je me plantai droit devant lui.

— C'est l'heure de se dire au revoir, Aymeric.

Il soupira.

— J'ai une dernière chose à te dire, m'annonça-t-il.

— Je t'écoute.

Il me regarda dans les yeux, très sérieux.

— J'espère qu'il te rendra heureuse.

Un nœud se forma dans ma gorge.

— Mais… euh… je n'en suis pas encore là…

Il me sourit avec indulgence.

— Je peux te prendre dans mes bras une dernière fois ?

Il n'attendit pas mon autorisation et me serra contre lui. Cette étreinte n'était que tendresse et affection.

— Merci, chuchotai-je. Sois heureux, s'il te plaît.

— Je te le promets.

— Tu as intérêt…

Et ce fut fini. De son pouce, il essuya une larme au coin de mon œil.

— Ne pleure plus à cause de moi.

— C'était la dernière fois. Prends soin de toi et de ta famille.

Je me dirigeai vers le théâtre sans me retourner.

Dès que j'eus franchi l'entrée des artistes, je fus prise dans un engrenage étourdissant. Ça courait dans tous les sens, je vis des taches de couleur dans tous les coins, des tutus, des chaussons qui volaient, et leurs propriétaires – des bouts de zan aux adultes – qui les pourchassaient. On faisait des essais de son ; au loin sur la scène, je reconnus la voix de Fiona qui s'enthousiasmait pour je ne sais quoi, la canne d'Auguste qui martelait le sol et les cris de Sandro lorsqu'il m'aperçut. Il courut dans ma direction, me souleva et me fit tourner dans les airs.

— Il ne manquait plus que toi !

— Repose-moi, Sandro ! lui dis-je en riant.

Il s'exécuta et me scruta des pieds à la tête.

— T'es belle, y a un truc en plus, je ne sais pas quoi… mais je vais trouver !

— À part une meilleure mine, j'ai plutôt des trucs en moins…

Il éclata de rire et me prit dans ses bras.

— C'est bon de te voir. Les filles t'attendent dans les loges.

Il repartit vers la scène, je filai de mon côté. Comme chaque année à une heure du lever de rideau, c'était la panique générale. Certaines pleuraient, disant qu'elles ne voulaient pas monter sur scène, Bertille était de loin la moins prête, mais à deux doigts d'en prendre une pour taper sur l'autre. Quant aux grandes ados, soit elles étaient vertes de trac, sur le point de vomir, soit elles gloussaient à l'idée que leurs petits copains venaient les voir. En me découvrant, Bertille leva les yeux au ciel de soulagement, la fatigue pesait sur ses épaules. Je devais l'aider et j'en avais envie. Je pouvais assumer mon rôle, revêtir mon costume de professeur gaie, pétillante et toujours motivée. Je tapai dans mes mains. Peu à peu, l'intensité des voix et des pleurs diminua pour finir par s'éteindre. Toutes les têtes se tournèrent vers moi. Puis, comme une nuée d'insectes, mes élèves se jetèrent sur moi, les petites, les grandes, les jeunes, les moins jeunes. Je reçus ces débordements d'affection avec joie ; mon plaisir et mon émotion étaient sincères. Je réussis non sans mal à me libérer de toutes mes minettes pour atteindre Bertille. Je l'embrassai chaleureusement.

— Va te reposer, lui ordonnai-je. Je prends le relais avec elles. Prépare-toi. J'ai vu Sandro, ça semble bon de son côté. Et Fiona, elle est prête ?

— Oh ! ma pauvre ! Elle est prête depuis 10 heures ce matin. Je te jure, c'est épuisant la jeunesse !

On éclata de rire. Elle partit et je pris les choses en main.

À 19 h 50, le bruit si caractéristique de la canne d'Auguste résonna dans les couloirs menant aux loges. Je demandai à tout le monde de se calmer. Il ouvrit la porte et inspecta la pièce ; son regard s'attarda un bref instant sur moi, puis il s'adressa aux élèves :

— Mesdemoiselles, vous êtes magnifiques. Amusez-vous, ce soir, et faites honneur à vos professeurs. Je vous enlève Hortense.

Je fronçai les sourcils, surprise.

— Tu viens assister au spectacle dans le public avec moi, pas de coulisses pour toi.

Il avait raison, ce n'était pas ma place, ce n'étaient plus mes élèves, je n'allais pas jouer les gardes-chiourmes. Il me tendit le bras. En chemin, je croisai Sandro, Bertille et Fiona, je les embrassai pour leur souhaiter bonne chance. Fiona me retint :

— Merci de m'avoir fait confiance, Hortense, je n'ai jamais été si heureuse d'enseigner et de danser.

— C'est bien mérité, tu peux être fière.

Je déposai un dernier baiser sur sa joue et courus vers Auguste qui m'attendait. Il hocha la tête en me voyant si alerte sur mes jambes.

— Ma petite Hortense, que vais-je faire de toi ? marmonna-t-il en attrapant ma main.

Le spectacle fut une vraie réussite, les élèves étaient toutes plus belles, plus gracieuses les unes que les autres. L'école avait fait les choses en grand. Sandro, Bertille et Fiona rayonnaient de fierté, ils étaient complices, j'étais heureuse pour eux. Sans les jalouser. À aucun moment, je n'eus envie d'aller les rejoindre sur scène. Cette vie-là, je me souvenais de l'avoir menée, avec joie, entrain, motivation, mais certainement avec un manque de sincérité vis-à-vis de moi-même. Je savais désormais à quel point je ne voulais plus de tout ça, ayant fait le tour de la question ; l'école de danse parisienne en vue, ce n'était plus pour moi, tout comme la vie étourdissante et trépidante qui l'accompagnait.

J'avais déjà ressenti cet éloignement quelques mois après la mort de mes parents. Et Aymeric était rentré dans ma vie, c'était cette femme qu'il voyait et qu'il voulait.

Aujourd'hui, j'étais prête. Je n'osais le croire. L'examen que me faisait subir Auguste avait beau être discret, il n'en était pas moins manifeste. Que pouvait-il se dire à mon sujet ? À la fin des applaudissements, nous nous rassîmes chacun dans notre fauteuil. Je regardai les parents – je pensais aux miens, évidemment –, les grands-parents, les familles plus élargies, fiers de leurs petites – il y avait de quoi ! De loin montaient les hourras, les applaudissements dans les coulisses ; les nerfs de tout le monde se relâchaient. Voilà, c'était fait : un spectacle de plus, un spectacle réussi, un beau spectacle. L'excitation et la joie pouvaient désormais occuper le premier rôle. Certaines gamines ne fermeraient pas l'œil de la nuit, revivant encore et encore ces deux heures de bonheur dopées à l'adrénaline de la scène. Je me tournai vers Auguste, plongé dans ses pensées, le regard fixé sur le rideau baissé. Ce vieil homme avait eu mille vies de danseur, avec des succès, des épreuves, des déceptions, de graves blessures ; toujours il était resté debout, il était certainement le seul à pouvoir m'éclairer.

— Que penses-tu des changements initiés par Bertille ? me demanda-t-il. Tu es d'accord ? Je n'ai toujours pas ton avis, Sandro la suit les yeux fermés… mais toi ?

Je me triturai les mains.

— Ça va être bien…, me forçai-je à dire.

Il rit légèrement, je lui accordai à nouveau mon attention. Il me fixait du coin de l'œil, ironique.

— Ton enthousiasme fait plaisir à voir, Hortense. Sois honnête avec moi et ne t'inquiète pas, je ne suis pas envoyé en éclaireur pour te sonder. C'est de la curiosité. Je vous ai confié mon école, vous êtes mes trois préférés, chacun pour différentes raisons, et je suis intrigué de voir comment ça va évoluer. Tu as le droit de ne pas être d'accord…

Impossible de lui échapper ou de trouver une parade.

— Je les comprends, Auguste. Ils voient plus grand, c'est normal.

— Veux-tu encore danser ?

J'en tombai de ma chaise. Comment pouvait-il imaginer un truc pareil ?

— Oui ! Bien sûr que oui ! Si vous saviez comme ça me manque ! J'ai enfin eu l'accord du kiné, hier. Dès que les travaux dans ma salle à la Bastide sont finis, je reprends l'entraînement.

Il sourit, apparemment rassuré et heureux de m'entendre clamer mon amour pour la danse.

— J'ai eu peur un instant que tu ne veuilles plus…

— Pas d'inquiétude de ce côté-là, Auguste…

— Alors qu'est-ce qui te gêne ?

— Je suis perdue… Je ne sais pas si je vais y trouver ma place.

— Pourquoi ne le leur dis-tu pas ?

— De quel droit briserais-je leur élan ? Ce serait d'un parfait égoïsme. Et je vais m'y faire… il faut bien grandir un jour !

— Tu es bien assez grande, Hortense… Alors, je sais bien que tu te compares à Bertille avec son mari et ses enfants… Tu te crois moins mûre qu'elle, moins adulte… Détrompe-toi. Arrête de penser que tu es une éternelle adolescente, de vous trois c'est Sandro qui joue ce rôle-là. Ça te rassure peut-être de le croire, mais c'est faux. Tu as grandi d'une manière violente, radicale et irréversible quand tes parents sont morts. N'oublie pas que j'étais là.

Comment aurais-je pu oublier le soutien d'Auguste ? Chaque minute, chaque seconde après que j'avais reçu l'appel de Cathie, il m'avait soutenue. Il était descendu avec moi à la Bastide, il m'avait accompagnée dans toutes les démarches. Et durant les mois qui avaient suivi, il était resté à mes côtés, me tenant la main, m'accueillant parfois pour dormir sur le canapé de son salon, m'assistant pendant certains de mes cours, lorsque je n'étais pas loin de m'effondrer.

— Souviens-toi de ce que tu souhaitais faire après avoir relevé un peu la tête. Tu ressentais déjà une lassitude… enfin, pas vraiment une lassitude, tu commençais à laisser parler tes envies… qui n'avaient rien d'une réaction à un souhait quelconque de Bertille de faire de l'école une grande école… elle en était encore très loin. Tu es devenue adulte à ce moment-là, en capacité de prendre tes propres décisions… Pourtant, tu te croyais perdue, tu cherchais de fausses excuses pour ne pas y aller. Moi, je ne t'ai jamais sentie aussi déterminée… Et tout d'un coup, je n'ai plus entendu parler de rien, tu as étouffé ou oublié tes souhaits. Tu as repris ta place, rendossé ton rôle au sein de votre trio à l'école, comme si de rien n'était.

On en revenait toujours au même point. Cet arrêt sur image. Aymeric était entré dans ma vie… Je m'étais dit que ce projet était complètement farfelu et à l'opposé de ce qu'il aimait. Et je l'aurais perdu si j'étais allée au bout.

— Si tu as bien un défaut, c'est celui de te voiler la face… Mais là, j'ai l'impression que cette petite entorse t'a ouvert les yeux.

— Effectivement…

Il me regarda, satisfait.

— Tu vas dire que je radote, mais souviens-toi de tes projets d'il y a quatre ans… Tu as toujours été un électron libre, Hortense. Je te demande seulement de ne pas faire patienter trop longtemps Bertille et Sandro.

— Comptez sur moi.

— Allez, va les rejoindre, ils doivent t'attendre pour la soirée.

— Vous ne venez pas ?

— Ce n'est plus de mon âge.

Je me levai. Nous remontâmes l'allée du théâtre bras dessus bras dessous en échangeant des regards brillants. Avant de franchir la porte, je m'autorisai à m'abandonner sur son épaule, il caressa ma joue et je lui soufflai : « Merci, Auguste. »

330

Trois quarts d'heure plus tard, je franchissais les portes du restaurant de Stéphane en félicitant encore Bertille, Sandro et Fiona pour le spectacle. C'était troublant de revenir là, là où tout avait démarré, là où j'avais fait plus que dégringoler un escalier. Stéphane émergea de sa cuisine pour nous accueillir ; il embrassa sa femme à pleine bouche, lui disant à quel point il la trouvait belle. Il salua ensuite tout le monde en finissant par moi.

— J'ai cru ne jamais te revoir ici ! m'annonça-t-il en ouvrant ses bras.

Je lui donnai une accolade.

— Tu sais très bien que j'adore ta cuisine.

Sandro m'attrapa par les épaules tout en s'adressant à lui :

— Ne t'inquiète pas, si elle a une envie pressante, je l'escorterai jusqu'aux toilettes !

— J'ai pris mes précautions avant de quitter le théâtre.

Tout le monde rit, moi la première.

— Bon ! Venez vous installer ! nous ordonna notre chef attitré.

Quelques minutes plus tard, il faisait sauter le bouchon du champagne. On trinqua. Je les regardai tour à tour, nous en avions fait du chemin tous ensemble.

— Au fait, Hortense, m'interpella Stéphane. Tu es toute seule ? D'habitude, Aymeric magouille toujours un truc pour être là le soir du spectacle !

Trois ans ! Il avait fallu trois ans pour que Stéphane enregistre l'info sur l'adultère d'Aymeric. Et c'était trop tard. C'en était risible.

— Nous nous sommes quittés.

331

Sandro recracha sa gorgée de champagne. Bertille ouvrit la bouche en grand. Fiona, qui n'était pas au courant des tenants et des aboutissants de l'histoire, ne savait plus où se mettre. Quant à Stéphane…

— Après l'escalier casse-gueule, je suis le roi de la gaffe ! Tu aurais pu me prévenir ! engueula-t-il sa femme.

— Elle ne savait pas, l'interrompis-je, avant de faire un clin d'œil à Sandro : C'est ça, le truc en moins.

Il éclata de rire. Je croisai le regard de Bertille, elle me sourit gentiment, pas bravache pour un sou, alors qu'elle avait raison depuis le début.

— Tu n'as pas besoin de nous expliquer, je comprends mieux certaines choses, maintenant.

— Merci.

Un ange passa. Mais je réalisai que mon moral n'était en rien plombé par mon annonce, par ce que je venais d'assumer. Je venais vraiment de mettre le point final à mon histoire avec Aymeric. Et j'étais en paix. Je me dépouillais peu à peu de ce qui m'empêchait d'être heureuse.

— Bon… on peut changer de sujet ! m'écriai-je. Alors, les stages ? C'est complet, j'espère !

À partir de là, je me laissai porter, un peu étourdie par l'enchaînement des verres, Stéphane ayant la main plus que lourde. On rit, on blagua, on se chambra. Ils m'expliquèrent le programme – plus que chargé – des stages, la diversité des participants qu'ils avaient réussi à mobiliser, l'avancée de la rénovation d'un ancien studio. Leur entrain, leur motivation faisaient plaisir à voir. Ils étaient en train de donner un second souffle à l'école.

Mon absence combinée à la présence de Fiona impulsait une dynamique que j'avais peut-être inconsciemment entravée.

Un peu plus tard, au moment du dessert, lorsqu'ils m'inondèrent de questions sur ma vie depuis deux mois dans le Sud, je me fis brusquement plus expansive, plus joyeuse encore.

— Ça te fait du bien d'être là-bas ! s'exclama Bertille. Je crois que je ne t'ai jamais vue aussi heureuse.

— Oui, c'est vrai. Je ne regrette pas d'y rester tout l'été. Il faut dire que ma remplaçante est parfaite !

— Merci, me répondit Fiona en rougissant.

— Je ne sais pas si j'aurai de la place en août, mais si c'est le cas et que vous passiez dans le coin, le séjour est offert !

— Il ne manquerait plus que tu nous fasses payer ! beugla Sandro.

Un nouveau fou rire nous saisit. Je sentis une vibration dans mon sac à main. SMS d'un numéro inconnu : « Tout le monde est couché... j'espère que tout se passe bien pour vous. Élias. » Je souris et lui répondis dans la foulée : « Merci pour les nouvelles. Ça va, mais j'ai hâte de rentrer. Et vous, ça va ? » J'entendais comme dans un brouillard les rires de mes amis. « Dans quelques heures, vous retrouverez votre maison, elle est vide sans vous. Bonne nuit. À demain. » Je souris davantage encore et lui répondis une dernière fois : « Merci... et essayez de dormir un peu. » J'attendis quelques secondes pour être certaine qu'il ne m'écrirait plus, avant de remiser mon portable dans mon sac.

— Dis donc, Stéphane ! La dernière fois, je n'ai pas eu le temps de goûter à ton rhum arrangé ! J'y ai droit, ce soir ?

— C'est comme si c'était fait !

Le restaurant se vida de toute sa clientèle et de son personnel. On enchaîna encore deux tournées avant de lancer le signal du départ. Je commandai un taxi. Je surpris un drôle de regard entre Sandro et Fiona : ahurie, je me tournai vers Bertille, elle me fit signe de me taire, la mine complice.

— Tu veux que je te dépose quelque part ? proposa innocemment Sandro à Fiona après avoir relevé la béquille de sa pétrolette.

Je me retins de rire.

— Si ça ne te dérange pas !

— Pas de problème !

Évidemment, il ne lui demandait pas où elle voulait être déposée ! C'était hilarant ! Bertille me donna un coup de coude.

— Allez-y ! Mon taxi va arriver, inutile d'attendre.

— Tu es sûre ? s'inquiéta Sandro.

— Si je te le dis ! Et Bertille va me tenir compagnie.

Je m'approchai de nos deux tourtereaux et commençai par Fiona.

— À très bientôt, lui dis-je. Merci pour tout ce que tu fais pour l'école. On ne s'est pas trompés, avec toi.

— Merci, Hortense. J'ai tellement hâte de vous voir danser, Sandro m'a tant parlé de vos chorégraphies.

— Si tu ne me tutoies pas très vite, tu ne risques pas de me voir danser.

334

S'il n'y avait que ça... Elle m'offrit un sourire à décrocher la lune et me sauta au cou. Lorsqu'elle me libéra de son étreinte, je me tournai vers Sandro et le pris dans mes bras. Il courba son grand corps.

— Fais attention à toi, chuchota-t-il.

— Fais attention à elle, s'il te plaît.

Il rit, mais, après qu'il m'eut lâchée, je remarquai un air gêné que je ne lui connaissais pas.

— Et à toi aussi, précisai-je.

Il me fit un clin d'œil et tendit un casque à sa dulcinée, qui nous fit un petit signe de la main. Elle grimpa derrière lui, s'accrocha à sa taille, ils échangèrent un joli regard, un joli sourire, et ils filèrent.

— Ils sont mignons, dis-je à Bertille.

— Tu as raison, je ne sais pas pourquoi ils s'obstinent à ne rien dire. À croire qu'ils ont peur de moi : je suis si chiante que ça ?

Je ne pus m'empêcher de rire.

— Tu n'es pas toujours très commode.

Elle rit à son tour.

— Il nous l'a prise au berceau, quand même ! Il a quinze ans de plus qu'elle !

— C'est vrai que moi, j'aurais plutôt parié sur une cougar !

— Bon, les filles, je vous abandonne, je vais finir de ranger.

— Salut, Stéphane ! lui dis-je. Merci pour ce soir, c'était chouette de revenir chez toi.

— Au moins maintenant, je sais que tu ne m'en veux pas.

— Idiot ! Viens là.

Je lui fis deux bises chaleureuses et il nous laissa en tête à tête Bertille et moi. Elle m'observait en silence.

— Vas-y, lui dis-je. Qu'as-tu sur le cœur ?

— C'est vraiment fini ?

— Oui.

— Je vais être honnête avec toi, je ne t'en croyais pas capable. Tu t'en fous certainement, mais je suis fière de toi.

— Détrompe-toi, je ne m'en fous absolument pas.

Mon taxi arriva à cet instant. Je l'embrassai, elle me retint deux secondes contre elle.

— On se voit à la rentrée ?

— Aucune idée…

— Je m'en doutais, je n'ai pas ouvert de quatrième cours.

— C'est plus raisonnable, je crois.

Je ne m'attardai pas plus longtemps et grimpai dans la voiture. Une fois la portière fermée, j'ouvris la vitre, envoyai un baiser à Bertille ; elle me fit un clin d'œil et le chauffeur démarra.

Le lendemain matin, j'ouvris les yeux à 7 heures, la bouche légèrement pâteuse, avec un début de gueule de bois. *Merci, Stéphane.* Je roulai sur le côté, toujours emmitouflée dans ma couette, et regardai à travers la fenêtre : j'étais tellement épuisée la veille en rentrant dans mon appartement que je n'avais même pas pris la peine de fermer les rideaux. Je fixai le ciel gris et je pensai à la Bastide, à la lumière de ses petits matins. Et à Élias. Il était en pleine préparation des petits déjeuners, et il devait très bien s'en sortir. Je regrettais de ne pas le voir faire. J'eus envie de l'appeler, pour savoir comment il allait, mais je me raisonnai : plus que quelques heures à patienter. Je ne perdis pas davantage de temps à rêvasser. Je m'extirpai de mon lit et filai sous la douche. Une fois habillée, j'avalai un Doliprane, me fis couler une énorme tasse de café et retrouvai au fond d'un placard un paquet de gâteaux secs. Puis je récupérai deux valises. Je fis du tri dans mes affaires, celles auxquelles je tenais le plus prendraient la direction de la Bastide. D'autres finiraient dans la poubelle de l'immeuble. Et les dernières sur le trottoir pour qui en voudrait. Je mettais la dernière touche au grand ménage entamé la veille avec les affaires d'Aymeric. J'étais heureuse et soulagée de le savoir en paix, tout comme je l'étais moi-même.

À 11 heures, j'étais prête à fermer la porte de mon appartement. J'en fis une dernière fois le tour, il me sembla sans âme, sans vie, je ne m'y reconnaissais plus. Je ne ressentais aucune tristesse à le quitter… Bien au contraire, je me sentais plus légère. Comme si l'énergie reprenait possession de moi.

Je partis sans me retourner.

14

Le trajet du retour me sembla interminable. Dès que le TGV traversa la gare de Valence à 300 km/h, je bondis de ma place, récupérai mes valises et allai me poster devant la porte du wagon, prête à sauter sur le quai. Je ris toute seule, comme une gamine, face à mon excitation et mon impatience, en tout point opposées à mon état d'esprit lors du trajet de la veille. Mon téléphone vibra dans mon sac, je me jetai dessus.

— Oh… c'est toi, Cathie…

— Calme ta joie ! Tu as l'air déçue.

Pourquoi serais-je déçue ? À quoi m'attendais-je ?

— Bien sûr que non, tout va bien ?

— Oui, et toi ? Tu es dans le train ?

— Je viens de passer Valence.

— Tu te souviens qu'on fête tes retrouvailles avec la danse, ce soir ? Tu passes la soirée à la maison avec nous !

— Euh… Vous ne voulez pas plutôt venir à la Bastide ?

— Pourquoi ?

— J'ai des clients.

— Mais je croyais que tu avais fermé les réservations…

— Ils sont arrivés à l'improviste hier soir, Élias s'en est occupé.

— Élias ? Intéressant… Alors c'est d'accord ! J'apporte le dîner.

— Non ! C'est bon, je vais m'en occuper.

— Mais il est déjà prêt !

— Merci, ma Cathie, bisous, à ce soir.

Je bondis du train dès que la porte s'ouvrit. Quel bonheur, ce soleil, ce mistral, cet air sec ! Je perdis un temps fou à charger mes valises dans ma minuscule voiture. Durant tout le trajet, je bourrai, pied au plancher – façon de parler.

À l'approche du chemin de la Bastide, je ralentis et fis les derniers mètres au pas. J'éteignis le moteur, le radiateur fit un potin du tonnerre, je l'avais drôlement malmenée, ma Panda. Oh, elle s'en remettrait. Je me précipitai dehors et respirai à pleins poumons. Je regardai le ciel sans chausser mes lunettes de soleil, j'adorai être éblouie par la luminosité. J'étais à ma place.

Ma déception fut à la hauteur de ma joie, quelques secondes plus tard. La voiture d'Élias n'était pas là.

Après avoir vidé ma voiture et déposé mes valises dans ma chambre, je pris le risque d'entrer dans la sienne : je devais savoir s'il avait écrit. C'était le cas, ça datait de cette nuit.

La maison d'Hortense est vide sans elle, comme un con, je le lui ai dit. J'espère ne pas avoir dépassé les bornes. Je n'ai pas pu m'empêcher de lui écrire un mot. Je me demande ce qu'elle attend de son séjour à Paris. Est-elle avec ce type ? Certainement. Ça me tord le bide rien que d'y penser. Je ne vais pas fermer l'œil de la nuit. Et puis après tout, ça ne me regarde pas et sa vie est là-bas. Ce n'est pas comme si... Stop.

Je levai le nez, sourire rêveur aux lèvres. Il me faisait rire. Si seulement il savait... Je tournai la page, il avait à nouveau écrit ce matin, et là je m'écroulai au pied de son lit dès la première phrase lue :

« Ils sont partis, tu peux revenir, on s'excuse pour le mal qu'on t'a fait. » Cet appel, jamais je ne l'aurais espéré. Tous les habitants du village, tous mes patients regrettent, c'est ce qu'on m'a dit. Ils reconnaissent qu'ils se sont fait embrigader par la souffrance des parents. La douleur les a rendus fous sur le moment, je les comprends, je les excuse, malgré ce qu'ils m'ont fait. Ils ont préféré déménager, partir loin de cet endroit de malheur, ont-ils dit. Il paraît que maintenant je manque à tout le monde, qu'aucun médecin ne veut venir prendre ma place. Mon cabinet m'attend, j'ai même reçu une photo de la façade repeinte, la mairie est prête à le refaire à neuf. Que faire de ça ? On me rend ma vie. À moi de décider si j'y retourne ou pas... Ça paraît si simple, désormais. Tout s'éclaire maintenant... Le trou noir dans lequel je suis prend fin. Suis-je capable de pardonner ? Je crois bien que oui.

Je refermai le cahier, après avoir essuyé une larme au coin de mes yeux. J'étais heureuse pour lui, il allait pouvoir mettre ses fantômes de côté, justice lui était rendue. Il le méritait. Mais j'étais terrifiée à l'idée qu'il puisse partir tant il avait pris de l'importance pour moi. Le cœur lourd, je quittai sans bruit sa chambre. Plutôt que de tourner en rond, de ruminer ce qui s'était joué la veille à Paris, et de réfléchir à la place d'Élias dans ma vie, je décidai d'aller courir. Je réussis à rire de la situation ; j'avais plus que jamais envie de danser, j'en avais le droit, mais je ne me l'octroyais pas, la salle de danse était encore le domaine d'Élias et ça me plaisait qu'elle le soit.

À l'instant où je quittais le chemin de la Bastide, sa voiture déboucha devant moi. On jouait de malchance. Grand sourire aux lèvres, il s'arrêta à ma hauteur, vitre baissée.

— À peine arrivée, sitôt repartie ?

— Je vais courir.

Il fronça les sourcils, limite mécontent. Je rebondis :

— Un médecin m'a interdit de danser dans le jardin, alors je cours, sur un chemin goudronné en forêt.

Il lâcha un petit rire.

— Tout va bien ? lui demandai-je.

— Vos hôtes n'ont rien cassé et, à première vue, ils ont bien dormi.

— Je ne parlais pas des clients, mais de vous. Ça va ?

— Oui, oui.

Il me fuit du regard.

— À tout à l'heure, soyez prudente.

— Promis.

Il redémarra, moi non. Dans mon rétroviseur, je regardai sa voiture se garer devant la Bastide, je le vis ouvrir son coffre et en sortir des choses que j'étais bien incapable de reconnaître de si loin. J'aurais pu rester là des heures à l'observer aller et venir, simplement pour profiter de la sensation de le croire chez lui ici, pour rêver qu'il ne repartirait pas bientôt. Je fus tellement effrayée par mes pensées que je démarrai en trombe.

Vingt minutes plus tard, je laissais ma voiture à l'entrée de la forêt des Cèdres. J'adorais cet endroit, depuis toujours d'ailleurs. Il y régnait une fraîcheur revigorante. Je profitai des quelques barrières en bois à l'orée du sentier pour étirer mes jambes. Depuis le temps que j'attendais de les détendre, de sentir chauffer le muscle à l'arrière de ma cuisse, tout comme mon mollet ! Ces dernières semaines m'avaient tout de même un peu rouillée. Je repris mes habitudes, je mis mon casque sur les oreilles et lançai la musique, M83 m'accompagnerait sur la voie du retour à l'effort physique. Je partis au petit trot.

Rapidement, mes pensées dérivèrent. Je me revis faire mon footing à Paris : indifférente au monde, je ne voyais personne autour de moi, j'étais dans l'anonymat, ressassant mon histoire et mes espoirs avec Aymeric. Je croyais être heureuse ; pourtant, je ne l'étais pas. Je me berçais d'illusions. Un bonheur factice.

Cette fois, quand je me fis doubler par des enfants à vélo qui me lancèrent des clins d'œil fiers, je leur souris et levai mon pouce. Attendrie, je couvai des yeux les couples plus âgés qui se promenaient main dans la main – mes parents auraient pu être ces gens-là. Je pensai à la soirée qui m'attendait avec Cathie et Mathieu ; je ne chercherais pas à m'étourdir en alcool trop fort et danses trop superficielles pour oublier que je m'étais trompée de chemin. Ma vie à Paris me semblait si loin, alors que je ne l'avais quittée que ce matin.

Paris n'était pas le problème, n'importe quelle grande ville aurait pu servir de théâtre à mes égarements. *Théâtre* était le bon mot, je jouais un rôle depuis plusieurs années. Auguste avait tenté de me le faire comprendre, et je saisissais enfin le sens de ses paroles en courant entre les arbres centenaires. Oui, je jouais un rôle ; le rôle de la fille qui avait traversé le suicide de ses parents sans trop de dégâts, le rôle cliché de la danseuse maîtresse d'un homme marié, le rôle de la prof un peu immature qui s'écrase face à ses partenaires, qui ne dit pas ce qu'elle veut parce qu'elle s'est mis en tête qu'on fait sa vie avec ses collègues.

Je croyais devoir attendre de danser pour me retrouver ; en réalité, non. Je me retrouvais depuis que je m'étais blessée. À se demander si mon inconscient n'était pas responsable de ma chute. Je me sentais si mal durant cette soirée, si peu à ma place, si peu moi-même. Et depuis mon entorse, je m'étais dépouillée de toutes mes couches superposées, de tous mes costumes. Paris. L'école. Bertille et Sandro. Aymeric. Je ne courais plus. J'avais ralenti sans le vouloir et je marchais à mon rythme. Rien ni personne ne m'empêcheraient désormais de m'écouter.

En rentrant à la Bastide, j'étais comme dans du coton, retournée et paradoxalement apaisée par ce que je venais de comprendre et de décider. Malgré toutes les inconnues, je savais quelle direction je souhaitais prendre et j'acceptais de ne pas revenir en arrière. J'avais raté des choses pour lesquelles c'était trop tard, mais ma vie était récupérable. À moi de la rendre plus jolie, plus sincère. Élias était là. Je sentis un nœud dans mon ventre, mes jambes devinrent fébriles – toutes ces sensations que j'acceptais d'écouter depuis quelques jours quand je le savais tout près. Il était si étrange de se faire surprendre par la vie, de se soumettre au hasard des rencontres.

L'émotion me gagna, aussi pris-je la direction de la maison sans chercher à croiser Élias pour le moment. Il m'appela comme j'atteignais l'entrée :

— Hortense ?

Je me tournai, il était à quelques mètres de moi, dans sa tenue de travaux – torse nu, jean, baskets fatiguées –, le nœud dans mon ventre se fit chaleur.

— Tout va bien ?

— Oui, oui, lui répondis-je, un peu sonnée.

— Bon, tant mieux… Alors j'y retourne. Ça avance bien.

— Ah ! super, merci, répondis-je, encore un peu à l'ouest.

Son regard se fit soudain plus sérieux, je crus qu'il allait dire quelque chose – m'annoncer son départ ? – et puis, non, après un temps suspendu, il s'éloigna

344

à pas rapides. Je le rattrapai en courant, il était déjà presque arrivé à destination.

— Élias !

Il se retourna d'un bond.

— Oui !

Je franchis le dernier mètre qui nous séparait.

— Cathie et Mathieu viennent ici ce soir. Vous dînez avec nous ?

Je ne prenais pas grand risque : Mathieu l'adorait, Cathie aimait tout le monde, et, avec elle, quand il y en avait pour trois, il y en avait pour quatre. Quant à moi, eh bien moi, j'avais envie qu'il soit là. Il baissa les yeux, son hésitation me fit mal.

— Vous avez peut-être autre chose de prévu, chuchotai-je.

Un sourire malicieux éclaira son visage.

— C'est vrai que je connais beaucoup de monde, dans le coin… Je ne veux pas m'imposer, j'ai l'impression d'envahir votre espace vital depuis que je suis là, et je ne devrais pas…

Il refermait déjà des portes et je ne le supportais pas. Je souhaitais tellement en découvrir plus et profiter du peu que je connaissais. Je rivai mes yeux aux siens et tentai le tout pour le tout.

— Si je vous dis que j'ai envie que vous soyez là…

— Je vous réponds que j'ai envie d'être là.

— Le problème est réglé, alors, murmurai-je en souriant.

Je reculai de quelques pas sans cesser de le fixer.

— Ne travaillez pas trop longtemps.

— À tout à l'heure…

Je m'éloignai, légère. Une fois revenue à l'intérieur de la maison, je portai ma main à ma bouche pour retenir un trop-plein d'émotions, mon cœur palpitait. C'était bien parce que je m'étais retrouvée que j'avais pu regarder et voir Élias, le rencontrer, le laisser s'approcher, c'était peut-être pour cette raison qu'il était le premier à me toucher au plus profond de moi.

Je m'enfermai dans la chambre de mes parents pour le reste de l'après-midi. Parmi toutes les révélations qui m'avaient saisie, je savais que je devais régler une bonne fois pour toutes leur absence. J'avais déjà commencé à mon arrivée lorsque j'avais réalisé que je devais imposer ma patte à la Bastide, qu'elle ne pouvait rester uniquement la maison de mes parents. En m'attaquant à leur chambre, je faisais en sorte qu'elle devienne *ma* maison. Certes, c'était celle où j'avais grandi, mais elle devait devenir aujourd'hui celle où peut-être j'allais vivre. J'ouvris la fenêtre et je m'assis sur leur lit, je caressai distraitement le boutis, mémorisant chaque détail, chaque souvenir, avant de tout défaire, avant de me dépouiller de cette dernière barrière qui m'empêchait d'aller de l'avant. Leur chambre se transformerait en bureau.

Je perdis la notion du temps après avoir ouvert leur armoire et commencé à la vider.

En début de soirée, vers 19 heures, la voix d'Élias résonna au loin, il parlait avec des gens, certainement les hôtes. Je stoppai mon rangement et m'écroulai sur le lit, me prenant à rêver. Comme je ne l'avais jamais fait avec Aymeric. Oui, je rêvais qu'Élias reste là, qu'il habite là, avec moi. Je me moquai de moi-même, je redevenais une adolescente fleur bleue. Il me cherchait. Je me relevai du lit, légèrement étourdie. Je rejoignis l'entrée, où il était effectivement, comme je le présumais, avec les clients arrivés la veille. Il me sourit, me regardant droit dans les yeux.

— Je vous laisse avec Hortense. Bonne soirée.

Le couple le remercia avec effusion pour son accueil – il savait définitivement conquérir les gens avec discrétion et gentillesse –, puis ils se tournèrent vers moi. J'étais incapable de savoir ce que je leur racontais, mais ils avaient l'air de s'en accommoder ; je suivais Élias du regard, il montait dans sa chambre. J'exhumai du fond de ma mémoire l'itinéraire pour se rendre à un restaurant à Roussillon où ils avaient réservé. Et ils disparurent à leur tour. Vu l'heure, je devais me préparer pour l'arrivée de Cathie, Mathieu et Max, que j'avais presque oubliés. Je m'enfermai dans la salle de bains et restai sous la douche – fraîche – un long moment. J'enfilai une robe bustier longue que je ne mettais qu'ici et chaussai mes tropéziennes. Je ne séchai pas mes cheveux, je les brossai simplement et les laissai libres de mener leur vie, même si ça allait très vite être la fête. Je me contentai d'un trait de crayon et de mascara, je ne me maquillai pas plus, je voulais rester naturelle, être moi-même. À cet instant, je sus que je ne pensais qu'à moi : ce n'était ni pour plaire à Élias – de toute manière, je n'avais strictement aucune idée de ce qui lui plaisait –, ni pour jouer un rôle quelconque. Fini, la séduction jusqu'à épuisement. Juste être moi. C'était la seule chose que je souhaitais, désormais, dans ma vie : être moi, ne plus faire en fonction des autres. Je sortis de ma cachette et filai dans la cuisine préparer un plateau pour l'apéritif.

— Je peux vous aider ?

Je sursautai. Lui aussi sortait de sa douche. Il portait une chemise blanche par-dessus son jean ; c'était la première fois que je le voyais habillé de cette façon, ça lui allait bien.

— Je n'ai que quatre verres à sortir du buffet et une bouteille de la cave. C'est Cathie la cuisinière, ce soir.

Il arbora un sourire moqueur en s'approchant de moi.

— Vous êtes sacrément douée, vous invitez des amis à dîner chez vous et ce sont eux qui se tapent le sale boulot. Moi, je dis bravo ! Je n'aurais jamais osé !

J'éclatai de rire.

— Vous n'y êtes pas, Cathie m'a proposé de venir chez eux, j'ai préféré ici, elle a dit oui en imposant de s'occuper du repas.

— Pourquoi avoir refusé son invitation ?

— J'ai des travaux et le stock de petites cuillères à surveiller.

Ce fut à son tour de rire. Mon Dieu, il était si lumineux lorsqu'il riait.

— On va dehors ? lui proposai-je.

Il se chargea de déboucher une bouteille, pendant que je finissais de préparer le plateau avec les verres et des petites choses à grignoter. Galant, il me laissa passer devant lui pour rejoindre le salon de jardin. On reprit nos places côte à côte sur le canapé, je repliai mes jambes sous mes fesses. Il me tendit mon vin. Il n'entrechoqua pas les verres pour trinquer, non, il vint délicatement apposer le sien contre le mien. Il y eut à peine un tintement. On but chacun une gorgée sans se quitter des yeux. Se tournant vers moi, il se cala au fond du canapé et abandonna son visage dans sa paume ; pas par fatigue, non, en réalité j'avais le sentiment qu'il était en paix.

— Alors, Paris…

Son extrême attention me fit sourire.

— J'ai fini le ménage entamé il y a quelques semaines…

Il souffla doucement, comme soulagé.

— Ça fait du bien ?

— Oui… mais dites-moi, c'est le médecin qui parle ? fis-je, amusée.

Il releva la tête et sa main s'abaissa sur le dos du canapé, tout près de la mienne. Il emprisonna mon regard dans le sien, sérieux.

— Non, ce n'est pas lui…

Mon cœur eut un raté. Il entrouvrit la bouche, il me fit un sourire d'une douceur sans pareille. Et je sentis ses doigts courir sur le dessus de ma main. Le temps se suspendit ; et moi, j'étais suspendue à ses yeux, réduite à sa caresse qui provoquait des frissons sur ma peau, dans mon corps tout entier. Un désir d'une intensité bouleversante me saisit, un désir qui rendait ivre, un désir qui rendait amoureuse, un désir qui donnait l'impression d'avoir trouvé sa place. Je ne voulais pas que cela s'arrête. Un instant comme celui-ci, on rêvait d'en vivre rien qu'une fois dans sa vie.

Au loin, on entendit le bruit d'une voiture, des portières qui claquaient, mais au fond, je n'entendais rien, le monde n'existait plus autour de nous. Élias n'arrêta pas sa caresse, il me regardait plus intensément encore, comme pour nous protéger, nous enfermer dans cette bulle qu'il venait de créer pour nous.

— Marraine !

L'air entra à nouveau dans nos poumons douloureux. J'aurais voulu rester dans cette apnée et j'étouffai un sourire ; lui aussi. Il y eut une dernière caresse, puis plus rien. J'arrachai mes yeux aux siens et me levai. Je passai devant lui et m'accroupis pour réceptionner Max.

— Viens là, mon trésor !

Je m'accrochai à mon filleul de toutes mes forces pour m'ancrer à nouveau dans le sol, dans la réalité.

— Je porte ça à la cuisine, chantonna Cathie.

Je rouvris les yeux et libérai Max de mon câlin. J'eus le sentiment de tanguer en me remettant debout. Mathieu, sans même s'en rendre compte, m'empêcha de perdre pied, en m'attrapant dans ses bras pour me dire bonjour. Ses trois bises m'explosèrent les tympans. Il me lâcha, ce fut au tour de Cathie, qui me prit par l'épaule.

— Tu es belle, ce soir ! s'exclama-t-elle. Ça fait un bail que je ne t'ai pas vue dans cette robe !

Elle dut voir mon air rêveur, mon air ailleurs, elle fronça les sourcils, intriguée.

— Salut ! brailla Mathieu.

Élias revenait du coin de la piscine, cigarette aux lèvres, en se frottant la nuque. Il me chercha du regard, me trouva, fit passer mille choses dans ses yeux, avant d'accorder son attention à Mathieu. Cathie me lâcha à son tour et se dirigea vers lui, non sans me jeter un coup d'œil. Elle lui fit la bise et je retins un fou rire. Élias et moi n'avions jamais franchi ce cap. Elle lui présenta Max, Élias se mit à sa hauteur, l'observa, lui raconta des choses que je n'entendis pas et lui ébouriffa les cheveux.

— J'ai proposé à Élias de passer la soirée avec nous, leur annonçai-je.

— La question ne se posait même pas, me rétorqua Mathieu. On boit un coup !

J'hésitai sur la place à prendre autour de la table basse : j'avais envie d'être en face de lui pour le regarder, au risque d'être inattentive à tout le reste, mais je souhaitais être à côté de lui pour le sentir tout proche, auquel cas, je ne serais pas plus concentrée sur mes amis. Cathie me trouva une solution de repli ; le hasard déciderait pour moi.

— Je peux mettre Max devant un dessin animé ?

— Oui ! Bien sûr ! Laisse, je m'en occupe. Viens ! dis-je à celui-ci.

Quelques minutes plus tard, je l'installai devant « Fort Boyard », en lui promettant de ne rien dire à sa mère. C'était fait pour ça, les marraines. Je m'apprêtais à le laisser quand je sus que nous n'étions plus seuls. Je n'avais pas besoin de le voir, sa présence dans la pièce suffisait. Je m'éloignai de mon filleul et m'approchai d'Élias.

— On a oublié les glaçons, m'apprit-il.

— Cathie aime le rosé piscine.

— Il paraît…

On se rapprocha encore un peu plus l'un de l'autre.

— Ça va ? me demanda-t-il, un peu inquiet.

— Oui…

De l'inquiétude, il passa à l'amusement.

— Ça va peut-être vous paraître idiot, mais ne serait-il pas temps de se tutoyer ?

Je ris légèrement en le regardant à travers mes cils.

— Je n'ai pas pour habitude de tutoyer les clients de la Bastide, mais… tu n'en es plus vraiment un.

— Va rejoindre tes amis, j'arrive.

Sourire aux lèvres, il disparut dans la cuisine. J'arrivai sur la terrasse avec l'impression de flotter dans les airs. Cathie tapota la place à côté d'elle sur le canapé, la place qu'Élias occupait avant qu'ils arrivent.

— Tu vas bien ? murmura-t-elle.

— Oui… très bien, même.

Ma voix me surprit, elle était calme, douce, presque alanguie. Élias revenait déjà parmi nous. On trinqua et je fus bien heureuse de respecter la règle de se regarder dans les yeux, même si j'eus le plus grand mal à me détacher des siens.

— Alors, le spectacle ? me demanda Cathie.

— C'était très beau, très réussi.

— Ça t'a fait quelque chose de ne pas en être ?

— Oui, mais pas comme tu imagines…

— C'est-à-dire ?

— J'attends de danser à nouveau et je t'en parlerai bientôt… Je crois que ça va te plaire.

Ce n'était pas le moment de parler de mon projet. Mathieu donna un coup de coude à Élias et nous interrompit par la même occasion :

— Elle est prof de danse…

— Je sais…

Dans ma vision périphérique, je vis Cathie me zieuter, de plus en plus curieuse. Je l'ignorai.

— Il va falloir que tu turbines pour finir la salle de danse, lui rétorqua Mathieu.

— C'est vrai que c'est toi qui fais les travaux, souffla Cathie, intriguée.

— Elle est finie depuis ce soir.

— Merci, soufflai-je sans le quitter des yeux.

— Quelle efficacité ! Eh bien, il faut qu'on trouve le moyen de te garder à la fin de la saison ! lui dit Mathieu. Tu trouveras toujours du boulot chez nous !

Brusque retour à la réalité. Élias serra le poing, me lança un regard furtif et esquissa un sourire en coin, non dénué de tristesse. Mon cœur se serra. Il n'était que de passage… À présent qu'il avait fini, il était libéré d'un de ses engagements. Et il pouvait rentrer chez lui. Pendant combien de temps encore Mathieu aurait-il besoin de lui ?

— Pas de plans sur la comète, lui répondit Élias.

— À part travailler avec mon mari, tu fais autre chose ? lui demanda Cathie.

Question logique, mais qui risquait de le refermer comme une huître.

— Je vadrouille en enchaînant des petits boulots pour vivre. Mais je ne suis jamais resté aussi long-temps quelque part !

— Hein ? On est bien chez nous ! lui rétorqua Mathieu, avec une pointe d'orgueil qui me fit sourire.

— Écoute le chauvin ! se moqua Cathie.

Tout le monde éclata de rire.

— Et alors, Hortense ? m'interpella Mathieu. Il bosse bien, au moins ?

— Je ne sais pas, je ne suis pas allée voir.

— Ah bon ?

— J'irai contrôler demain.

Élias me sourit.

— Bon, en attendant tu m'autorises à aller jeter un œil ?

— Vas-y, mais ne me dis rien !

— Tu es marrante, toi, ce soir !

Mathieu se mit debout.

— Tu me fais la visite ? demanda-t-il à Élias.

— J'arrive.

Je les suivis du regard jusqu'à ce qu'ils disparaissent à l'angle de la maison. Je poussai un profond soupir.

— Je peux savoir ce qui se passe, Hortense ?

Je piquai du nez et avalai une gorgée de rosé.

— Je ne sais pas, je ne peux pas l'expliquer.

Je n'osais pas la regarder.

— Hé ! C'est moi, Cathie, tu peux tout me dire.

J'étouffai un rire, avant de lever la tête vers elle, ma douce et tendre Cathie.

— Je ne comprends pas, je te promets… C'est arrivé si vite que je ne m'en suis même pas rendu compte. Il y a si peu de temps, je pleurais pour un autre homme… Et là…

Elle saisit mon visage entre ses mains.

— Tu avais fait le deuil de ta relation avec Aymeric à l'instant même où elle a commencé ! Ce que je vais te dire va certainement te paraître dur, mais Aymeric et toi n'avez jamais été un couple.

— Je sais tout ça…

— Et étrangement, là, en l'espace d'une demi-heure, j'ai l'impression d'en avoir un sous les yeux,

354

toi et Élias… Pourtant, je sens qu'il ne s'est rien passé encore.

Elle me fit un petit sourire coquin. Je le lui renvoyai, puis soupirai profondément.

— Mais ça rime à quoi ? Il va repartir…

— Ce n'est pas ce que j'ai entendu, rien n'est sûr. Il a l'air plus heureux que quand je l'ai rencontré.

— Je crois, oui…

— Tu en sais un peu plus sur lui ?

J'acquiesçai.

— Et alors ?

— Je ne peux pas t'en parler…

Hors de question de le trahir.

— Veux-tu que Mathieu le saucissonne pour qu'il reste à vie ici ? Dis-le-moi, il se fera un plaisir de s'en charger.

On éclata de rire toutes les deux.

— Arrête donc de dire des bêtises, allons plutôt mettre le couvert.

Le dîner se déroula dans les rires, la bonne humeur, la spontanéité et les regards échangés entre Élias et moi. L'entente était parfaite ; Mathieu et Cathie, sans rien savoir d'Élias et sans qu'il y ait *apparemment* de lien particulier entre lui et moi, l'avaient adopté. C'était de l'ordre du rêve. Je ne ressentais aucune gêne, aucun malaise, aucun décalage qui pouvait m'attrister. La seule chose qui me brisait le cœur, c'était l'idée de son départ. Au moment du dessert, je dus quitter la table pour accueillir mes hôtes qui revenaient de leur restaurant. Élias me rejoignit avant que j'aie le temps de les retrouver.

— Mathieu m'a envoyé chercher une nouvelle bouteille de vin.

— Il t'a laissé faire ? D'habitude, il sait très bien
s'en charger tout seul.

C'était étrange de le tutoyer et, pourtant, c'était si
naturel. Ses lèvres dessinèrent un sourire légèrement
penaud.

— En fait, je ne lui ai pas laissé le choix…

Les secondes filaient.

— J'y vais…

— Je crois que c'est mieux.

Il me frôla pour entrer dans la maison, sa main
effleura la mienne d'une manière qui n'avait rien
d'imprévu. L'espace d'un instant, je fus à nouveau en
apnée.

Lorsque Cathie et Mathieu regagnèrent leurs pénates,
Élias me laissa les raccompagner seule. Mathieu me
fit un clin d'œil qui voulait tout dire. Sous ses airs un
peu bourrus, il avait compris. Avant de monter en voiture, Cathie m'embrassa affectueusement la joue, sans
rien dire de plus. Elle n'en avait pas besoin. Quand ils
disparurent dans la nuit, même si mon cœur battait la
chamade, je soupirai de bien-être. De retour sur la terrasse, je ne vis pas Élias. Je le cherchai dans le jardin.
Il demeurait introuvable. Et j'entendis son souffle dans
mon dos, tout près. Je souris.

— J'ai cru que tu étais parti te coucher…

— Tu préférerais ?

— Non… je croyais que tu avais compris.

Sa main se posa sur mon bras, remonta délicatement
jusqu'à mon épaule. Je me retournai vers lui. J'aurais

dû lui demander s'il allait bientôt s'enfuir, j'aurais dû lui dire que je savais tout, mais j'en étais incapable. Jamais je n'aurais cru ça possible. Jamais je n'aurais imaginé qu'Aymeric fasse partie du passé. Jamais je ne me serais crue capable de ce que je m'apprêtais à faire. Je n'avais d'yeux que pour cet homme secret, doux, touchant en face de moi. Mon univers se résumait à lui, en cet instant. J'attrapai son poing serré entre mes mains. Il se laissa faire en s'approchant davantage de moi. Il entrelaça nos doigts.

— J'ai peur, Hortense. Peur de ce qui nous tombe dessus.

— Moi aussi, mais je crois que j'ai encore plus peur de passer à côté.

Délicatement, il enroula son bras autour de ma taille. J'étais incapable de définir qui, de lui ou de moi, avait embrassé l'autre en premier. On s'embrassa tout simplement, ensemble. Ce fut un baiser fébrile, on se cherchait, on était gauches, certainement affolés et submergés par ce qui nous arrivait. Pourtant, j'avais le sentiment que c'était le plus beau que j'avais donné et reçu. Sans rien dire, mais en se tenant fort la main, on se dirigea vers ma chambre. Il referma doucement la porte et me sourit. Je reculai vers mon lit, il me suivit. Je ne le lâchai pas du regard, même dans la pénombre. On fit l'amour avec la même fébrilité que pour notre premier baiser. Ce fut maladroit, délicat et fort à la fois. Nous nous regardions dans les yeux, la respiration coupée, émerveillés, bouleversés par les sensations, le plaisir que nous nous offrions. Avec lui, je découvrais une autre forme de désir, de jouissance, qui allait bien au-delà du sexe et de la performance.

Avec Élias, alors que nous nous découvrions pour la première fois, nous étions en communion.

Nous restâmes longtemps enlacés, incapables de séparer nos peaux ; il embrassait mes joues, mes lèvres, mon nez, mes épaules, je caressais son dos, ses cheveux, une nouvelle écorchure sur son menton.

— J'ai l'impression de n'avoir jamais connu ça, m'avoua-t-il en murmurant. Je n'ai jamais été aussi bien que là.

— Je ne sais pas où ça va nous mener, mais je ne veux pas que tu partes. Ne parle plus de ton départ, comme ce soir.

Il plissa les yeux, je venais de lui faire mal, mais je n'avais pas pu me retenir. Je voulais l'apprendre encore et encore.

— Pour le moment, je suis là…

On passa la nuit imbriqués l'un dans l'autre, sans nous lâcher. Il ne s'était pas éclipsé comme un voleur, il avait vécu et savouré chaque minute avec moi. Je dormais encore, mais je sentais son bras sur ma peau, mon ventre, mes hanches. Quand sa main commença à s'échapper, je la retins.

— Tu ne dors plus ? murmura-t-il.

— Si, mais tu t'en vas…

— Non, je ne m'en vais pas, mais je crois qu'il faut aller préparer le petit déjeuner…

— Et si on les laissait se débrouiller tout seuls ?

Il rit dans mon cou, et je resserrai son bras autour de moi ; j'aimais me réveiller avec lui, le sentir heureux et bien avec moi. Il devint subitement silencieux.

— Que se passe-t-il ?

— C'est le boulanger.

Il avait raison, on entendait le bruit d'un moteur au loin.

— Ne bouge pas, j'y vais.

Il sortit du lit, sauta dans son jean et s'approcha de la porte. Avant de l'ouvrir, il se retourna vers moi.

— C'est facile d'y croire…

Mon cœur se gonfla. Il avait raison.

— Oui…

Il fila. Je l'écoutai ouvrir la porte d'entrée, dire bonjour au livreur, réceptionner le pain et les viennoiseries, comme s'il l'avait fait toute sa vie, comme s'il était chez lui, que nous tenions les chambres d'hôtes ensemble, main dans la main. Pourtant, tout cela ne relevait que du rêve… Avais-je une faculté particulière pour m'imaginer des vies qui n'existeraient jamais dans la réalité ? Pour croire immédiatement à des possibles sans avoir rien de concret sous les yeux ? Ma relation avec Aymeric en était la preuve. La façon dont je me laissais aller avec Élias, alors qu'il pouvait partir à tout moment, en était-elle une autre ?

En arrivant dans la salle à manger, je découvris les hôtes en tenue de randonnée qui lui passaient leur commande, *thé ou café*. Il avait trouvé le moyen de monter dans sa chambre récupérer un tee-shirt. Ils me saluèrent et se désintéressèrent immédiatement de moi. Élias me fit un clin d'œil et je filai à la cuisine préparer le café et mettre de l'eau à bouillir. Quelques minutes plus tard, alors qu'à nouveau je rêvassais à ce possible impossible, les mains d'Élias s'agrippèrent à mes hanches, il se colla à mon dos, je fermai les yeux, bouleversée par la spontanéité entre nous, par cette absence de gêne post-première nuit d'amour.

— Plus vite on les sert, plus vite on sera tranquilles, me glissa-t-il à l'oreille.

J'émis un petit rire et me tournai vers lui pour déposer un baiser sur ses lèvres.

— Je me dépêche de les faire dégager.

Il rit à son tour.

— C'est bien la première fois que je te vois avaler autre chose qu'un café, le matin ! lui fis-je remarquer en le voyant croquer dans un croissant frais.

Nos randonneurs étaient enfin partis. Une fois seuls, nous nous étions installés dehors pour prendre notre petit déjeuner. Comme chaque matin.

— Tu le mettras sur ma note !

Je lui donnai une tape sur l'épaule.

— Imbécile !

Il m'attira dans ses bras au fond du canapé, je nichai mon visage dans son cou et ma main s'accrocha à sa taille. Au loin, je distinguais l'olivier de mes parents ; à cet instant, je les sentis plus proches de moi que jamais. Élias soupira de bien-être, sans rien dire. On était simplement bien, là, tous les deux. La vie normale de deux amoureux – m'autorisai-je à penser – qui partageaient un petit déjeuner le dimanche matin, après une soirée entre amis et une nuit d'amour. Nous avions apprivoisé le quotidien avant de vivre pleinement la naissance de nos sentiments. Un peu comme si nous faisions tout à l'envers. Je repensai aux mots de Cathie qui avait eu le sentiment d'avoir un couple sous les yeux. Moi, j'avais l'impression de découvrir et d'une certaine façon de déjà connaître la vie de couple avec lui. Je resserrai ses bras autour de moi et enroulai les miens sur les siens. Il respira ma peau, mes cheveux.

— Tu sens bon, chuchota-t-il.

Je souris et levai le visage vers lui. Il passa sa main sur ma joue, dégagea mon front et me fixa avec douceur. Je ne pus soutenir son regard, trop remuée par ce que je ressentais.

— Que se passe-t-il ? fit-il, inquiet.

— Rien… juste que c'est incroyable. Je ne devrais pas te dire ça, mais je me sens si bien avec toi, Élias. Je vais te faire peur…

— Si toi, tu me fais peur, moi, je vais t'effrayer… Tu es la dernière chose à laquelle je m'attendais… J'ai l'impression de renaître avec toi, comme si ta présence dans ma vie m'offrait une seconde chance.

— Pourquoi une seconde chance ? ne pus-je me retenir de lui demander.

Il prit une profonde inspiration.

— Avant d'être sur les routes, comme tu dis, j'avais une vie que j'aimais, qui me convenait… Il y a quelques semaines, avant que je débarque ici, que je te rencontre, je croyais que je finirais comme ça, à errer d'un endroit à l'autre, seul… Et j'en suis là aujourd'hui.

Ses mots me coupaient la respiration, je dus ouvrir les yeux comme des billes.

— Tu vois que c'est moi qui remporte la palme de la terreur ! essaya-t-il de plaisanter.

— Tu te trompes, ça ne me fait pas peur…

Et je l'embrassai pour le garder près de moi, subitement terrorisée à l'idée qu'il s'enfuie.

15

Dans l'après-midi, alors que la Bastide était encore déserte, nous avions retrouvé le chemin de ma chambre. Nue, je reposais dans ses bras, regard plongé vers le jardin ; la fenêtre était grande ouverte, c'était comme si nous avions fait l'amour en pleine nature. Soudainement, je me sentis éveillée, animée par une envie impossible à combattre. J'étais repue d'amour, de plaisir, de tendresse. Ça cognait fort dans mon corps, dans mon cœur, dans ma tête, il était temps.

— Élias ?

— Oui…

— Tu m'emmènes dans la salle de danse ?

— Quand tu veux…

— Maintenant !

Je relevai le visage vers lui et l'embrassai. Puis je sortis du lit et allai fouiller dans mon armoire où je récupérai un caleçon court et un top de danse. Pendant que j'enfilais ma tenue, j'entendais le bruissement des vêtements d'Élias. Lorsque nous fûmes habillés, je lui demandai de m'attendre deux minutes, je filai dans la salle de bains où je trouvai une bande. Une fois de retour dans ma chambre, je protégeai ma cheville avec précaution, sous son regard concentré et attentif.

— C'est uniquement pour te rassurer, remarqua-t-il.

Il me tendit la main, je l'attrapai sans un mot et on prit la direction de la salle de danse. Mon cœur battait la chamade. J'allais danser à nouveau, j'avais peur de ne pas y arriver, que la danse ne m'habite plus ; tant de choses avaient changé depuis mes derniers pas. Et je pensais à papa : son esprit, son amour paternel avaient-ils disparu maintenant que quelqu'un avait pris sa place pour s'occuper de cet endroit ? Je ne regrettais pas d'avoir confié cette tâche à Élias, encore moins depuis quelques heures, quelques jours même. J'eus le sentiment d'être touchée par la sagesse en me faisant la remarque que s'il devait finalement partir, si nous ne pouvions pas faire un bout de chemin ensemble, il était de toute manière celui qui devait offrir une renaissance à cette pièce. J'en étais là de mes pensées quand il s'immobilisa en plein milieu du chemin. Je l'interrogeai du regard, son visage était tendu.

— Hortense, je veux que tu me dises si ça ne te convient pas, si tu veux que je recommence certaines choses.

— Il n'y a aucune raison que ça n'aille pas.

— J'espère…

Nous étions à trois mètres de la baie vitrée.

— Tu me caches les yeux et tu me guides à l'intérieur ?

Il sourit, visiblement amusé. Il se plaça derrière moi et posa délicatement ses mains sur mes paupières pour me rendre aveugle. Il me fit avancer pas à pas, je me laissai faire, baignée par un sentiment de sécurité, de sérénité. Il chuchota dans mon oreille au passage du seuil pour que je lève le pied. J'étais dans la salle de danse. Il me fit encore avancer de quelques mètres, je compris qu'il me guidait jusqu'au centre du parquet. Ma gorge se serra, je songeai à papa, à maman. Que devaient-ils penser ? Je tremblais comme une feuille. Ça sentait l'odeur d'avant, à peine teintée d'effluves de peinture fraîche ; non ce parfum de poussière, mais celui de vieilles pierres qui rassure, imprégné de notes de nature. Comment avait-il fait ?

— J'ai travaillé les fenêtres ouvertes en permanence, me souffla-t-il.

Je m'accrochai à ses bras.

— Merci.

Il ôta ses mains de mon visage, mais je gardai les yeux fermés. Je le sentis s'éloigner de moi. J'attendis encore quelques secondes, le temps que mon corps se relâche un peu. Mes paupières papillonnèrent et je me découvris dans le grand miroir. Je ne ressemblais plus à celle que j'avais vue dans le reflet lorsque j'étais revenue là pour la première fois avec Cathie. J'étais plus tonique, j'avais meilleure mine, mon regard n'était plus fuyant, mais déterminé. Toujours dans ce même reflet, je redécouvrais le petit paradis offert par papa. Les murs étaient réparés, redevenus blancs et lumineux, le parquet brillait sans être glissant – ça se voyait –, je n'aurais pas à craindre de tomber. Je levai la tête ; les poutres étaient peintes comme elles l'avaient été à l'origine. Je ne lui en avais pourtant jamais reparlé, il avait pris la décision tout seul. Je tournai sur moi-même et découvris les photos accrochées aux murs. Je m'en approchai, étranglée par l'émotion. Je les avais toutes retirées et reléguées au fond d'un placard, dans un accès de colère, à la mort de mes parents. Il y avait des clichés de Cathie et moi, ici même ou pendant des spectacles durant nos années lycée, il y en avait de mes auditions, de mes concours, de mes petites scènes, d'autres encore de mon année chez Auguste, avec Bertille et Sandro, de l'ouverture de l'école et des premiers stages à la Bastide, alors que mes parents étaient encore en vie, il y en avait une de papa avec sa clarinette, et de maman qui le regardait, admirative et amoureuse.

Je me tournai vers Élias qui m'observait depuis l'encadrement de la baie vitrée et l'interrogeai du regard. Il parut ennuyé.

— J'ai dû vider le placard et, pour poncer les murs, j'ai retiré les clous... Après je me suis dit que tu aurais peut-être envie que les cadres retrouvent leur place...

Il se tut en me voyant courir vers lui, je lui sautai au cou et le serrai si fort... J'aurais eu envie de le broyer dans mes bras, de l'absorber pour ne faire qu'un avec lui à tout jamais. La rapidité avec laquelle il me boule-versait, me chamboulait, me paraissait irréelle.

— Merci, tu n'imagines pas ce que tu viens de faire... Tu as rendu son âme à cette pièce. Tout s'éclaire, maintenant.

Je me détachai à peine de lui et attrapai son visage entre mes mains, j'avais des larmes plein les yeux et je devais combattre ma spontanéité.

— Élias, il y a des mots que je voudrais te dire, mais c'est trop tôt, c'est trop fort encore, pourtant, je te jure, ils sont là...

— Ne dis rien… Garde-les encore pour toi… Je ne suis pas prêt à les entendre.

Son regard fut traversé par le doute, il avait peur, j'avais peur… Je l'embrassai, mais il rompit rapidement notre baiser.

— Je vais te laisser seule, maintenant.

Il avait raison, je ne pouvais pas tout mélanger, j'avais un travail à finir.

— Oui… c'est mieux. Un jour, je danserai pour toi, mais pas maintenant.

— Rien ne presse et je crois qu'il faut que tu danses pour toi-même, et pas pour quelqu'un d'autre, peu importe qui d'ailleurs…

Comment pouvait-il me connaître à ce point ?

— Merci…

Il recula de quelques pas, sourire aux lèvres, il était content pour moi, il n'attendait rien en retour, mon seul bonheur lui apportait de la joie.

— À plus tard…

Il disparut, et je me retrouvai enfin seule face à moi-même. J'allais renouer avec la danse, renouer avec ma passion, mon art, sans avoir dans un premier temps à l'offrir à quiconque, sans avoir à prouver quoi que ce soit, si ce n'était à moi-même. Malgré mon impatience de libérer mon corps, mes émotions, je pris sur moi et me lançai dans un échauffement rigoureux, strict, méthodique et progressif. Après une bonne demi-heure d'exercices, je pus même finir par un grand écart. J'aimais cette chaleur qui irradiait l'intérieur de mes cuisses, cette douleur était bénéfique, jouissive, j'envoyai par la pensée mes excuses au savant fou.

Oui, parfois la douleur était salvatrice, avait du bon. Je me sentais enfin vivante. J'étais prête. Sans me préoccuper de déranger autour de moi, je mis le volume de la musique très fort. Je me positionnai face au miroir. J'inspirai à fond. Je me laissai guider par l'improvisation. Je fis le premier pas. À partir de là, je perdis totalement la notion du temps, emportée loin, très loin ; je dansais, je dansais, laissant mes bras, mes jambes se déployer, je sautais, je me cambrais au maximum, mains accrochées à la barre, j'enchaînai même quelques petites pirouettes en prenant bien garde à ne pas trop tirer sur la corde. Je retrouvais le contact avec le sol, humant le parquet, le caressant par mes mouvements avec grâce, du moins l'espérais-je. Je respirais si bien, tellement mieux, l'essoufflement normal après une telle période d'inactivité ne me gênait pas, je l'assumais, l'accueillant même avec plaisir. Mon corps était en vie, il suait d'une bonne transpiration, une transpiration d'effort, de plaisir, d'adrénaline, qui me revigorait.

Sans jamais cesser de danser, en ralentissant simplement un peu le rythme pour ne pas m'épuiser, je pleurais, je riais. Les larmes pour les adieux que j'étais en train de faire : Aymeric qui était sorti de ma vie, il m'avait rendue heureuse, triste, en colère, il m'avait fait perdre du temps, pourtant je ne regrettais plus notre histoire, elle avait valu la peine d'être vécue. Je versai des larmes de nostalgie aussi parce que j'allais dire adieu à l'école, Bertille et Sandro. Et les dernières, je les dédiai à Auguste, qui m'avait fait confiance, m'avait toujours soutenue et surtout rendu ma liberté.

Ces larmes se mêlaient aux rires parce que j'étais profondément heureuse, je dansais face à la nature, au soleil, aux arbres malmenés par le mistral, dans la chaleur étouffante de chez moi. Je n'étais plus habitée par la peur, la peur de perdre, la peur de ne pas être aimée. Ces dernières semaines, j'avais déconstruit ma vie. Aujourd'hui, j'allais construire. Construire mon avenir. J'allais vivre pour moi.

Et, même absent – je le savais déjà assez discret et respectueux pour ne pas rompre sa parole de me laisser seule –, je pensais terriblement fort à Élias. Comment cet homme, en quelques semaines, quelques mots, quelques regards, avait-il pu prendre cette place ? J'étais prête à lui ouvrir toutes les portes de ma vie, sans réfléchir, sans analyser, en confiance.

Mais s'il faisait machine arrière et qu'il me brisât le cœur, les décisions que j'étais en train de prendre n'en seraient pas bouleversées. Je n'arrêterais plus de vivre par amour ou espoir d'amour. J'allais lui tendre la main, en espérant qu'il la saisisse, qu'il me permette de l'aider à chasser ses fantômes, à guérir comme lui m'avait aidée à guérir, le plus simplement du monde, sans même nous en rendre compte.

Je finis par m'arrêter, en ayant déjà en tête la session d'entraînement du lendemain ; j'étais épuisée et requinquée. Je m'étirai avec application – hors de question d'être percluse de courbatures au réveil – et je retrouvai l'air libre, avec le souhait de partager immédiatement cette vive émotion avec Élias. Je filai à sa recherche. Devant la maison : personne. J'écoutai si du bruit provenait de l'étage au cas où il serait dans sa chambre : rien non plus de ce côté-là. Avant de fouiller le jardin, j'enfilai un sweat pour ne pas attraper froid. Une petite angoisse me gagna et je me précipitai dans la cour ; j'avais visé juste. Toutes les portières de sa voiture étaient grandes ouvertes ainsi que le coffre. Autour, des sacs, des caisses et lui qui semblait s'affairer. Je pris quelques minutes pour l'observer : il paraissait pressé, concentré, coupé du monde. Tandis que j'approchais, quelques branches mortes cassèrent sous mes pas ; il ne réagit pas, il n'entendait rien. Où pouvait-il être ? Peut-être préparait-il son départ ; il avait fini la salle de danse, il avait passé la nuit avec moi, rien ne le retenait et on l'attendait chez lui. Pourtant, cela me semblait impossible et en complète contradiction avec ce qu'il m'avait donné à découvrir de lui.

— Tu fais quoi ? finis-je par lui demander alors que j'étais à moins d'un mètre de lui.

Il s'arrêta net et se releva vers moi. Il me regarda quelques secondes avant de me sourire.

— Je ne retrouve plus rien dans mes affaires, je fais un peu de rangement.

— Pourquoi ?

Ma voix n'avait pu dissimuler mon angoisse. Il franchit la distance qui nous séparait et m'attrapa dans ses bras.

— Parce qu'il fallait que je m'occupe pendant que tu étais prise… c'est tout.

— Je pense à un truc.

— Je t'écoute.

— Tu pourrais peut-être libérer ta chambre et déplacer tes sacs de voyage dans la mienne.

Il eut l'air ennuyé.

— Tu sais que je ne dors pas ou peu, je ne voudrais pas te déranger toutes les nuits…

— Je préfère encore te sentir bouger dans le lit que de devoir monter te rejoindre. Et puis, qui sait ? Peut-être que tu dormiras mieux avec moi…

— Possible…

Il m'embrassa en me serrant fort contre lui, ses mains se faufilèrent sur ma peau pour caresser mon dos.

— Ou pas…, murmura-t-il, sa bouche contre la mienne.

Ce soir-là, après beaucoup d'hésitations, nous décidâmes de rester à la Bastide. Nous étions partagés entre l'envie de nous offrir un restaurant, de nous faire servir et celle de rester dans notre bulle, sans nous confronter à l'extérieur. Après dîner, je me blottis dans ses bras. Je venais de passer une des plus belles journées de ma vie. J'aurais dû profiter de l'occasion et trouver le courage de lui avouer que j'avais lu son journal et que je craignais qu'il ne parte bientôt. Mais j'avais compris quelque chose, ces dernières quarante-huit heures. Je m'étais fourvoyée en jouant un rôle par amour. Je devais laisser Élias libre, ne pas lui mettre la pression et ne surtout pas lui faire vivre ce que, moi, j'avais vécu. De quel droit l'entraverais-je alors que je venais de trouver ma place ? Aussi douloureuse que soit cette décision, je ne pouvais le retenir si son bonheur à lui était ailleurs. Mais comment lui faire passer le message sans révéler que je savais tout ? Il releva mon menton en souriant.

— Alors, raconte-moi… La danse… tu ne m'as encore rien dit.

— Tu veux savoir ?

— Bien sûr !

— Promets-moi de ne pas dire à Cathie que tu l'as su avant elle ?

— Tu me fais confiance ?

Je caressai sa joue. J'étais si émue de pouvoir le dire à voix haute.

— Je ne repars pas à Paris, à la fin de l'été. Je reste ici, et j'ouvre une petite école à la Bastide, seule ; je veux enseigner à ma façon, chez moi. J'en ai toujours rêvé.

Il m'embrassa passionnément. Je rompis notre baiser, pour poursuivre.

— J'ai compris une chose : quand on a un chez-soi, une vie, un projet, il ne faut pas le renier. Pour rien au monde. Même pas par amour…

Il fronça les sourcils.

— Pourquoi me dis-tu ça ?

— Parce que c'est ce que j'ai fait ces dernières années. J'ai retenu la leçon. Et je crois que c'est important que je m'en souvienne.

Il déposa un baiser douloureux sur mes lèvres. Venais-je de le perdre ?

Dans la nuit, il m'embrassa sur l'épaule et quitta le lit le plus discrètement possible. Je ne cherchai pas à le retenir, j'entendis ses pas dans l'escalier, pendant qu'il montait dans sa chambre ; il devait se confier à son cahier. Qu'est-ce que cela pouvait être ? Voulait-il parler de nous ? Ou d'autre chose ? Il revint deux

371

heures plus tard. Je me tournai vers lui, il se blottit dans mes bras et nicha son visage au creux de mes seins. Je le serrai fort contre moi.

Le lendemain matin, sitôt que la Bastide fut vide, je montai l'escalier, la tête et le cœur pleins du baiser et de la tendresse qu'il m'avait donnés avant de partir travailler. Je trouvai son cahier d'écolier et son stylo à leur place sur le bureau. Je pris quelques secondes pour balayer toutes les pages déjà lues, ses mots, ses souffrances, ses doutes, je les parcourus avant d'arriver enfin à la dernière nuit.

J'ai l'impression de me perdre en elle, de me perdre et de me libérer. Elle sourit, elle rit, elle me donne l'impression de flotter dans les airs, ça me bouleverse. Elle attend patiemment, elle trépigne, convaincue que je ne la vois pas faire, elle s'inquiète aussi, et ne sait pas comment me le dire, elle est douce et patiente. Elle attend qu'on l'aime, mais ne le réclame pas. Si seulement elle savait... Elle a trouvé la liberté, et c'est le principal, elle va pouvoir être heureuse... Son regard fier et pétillant quand elle m'a parlé de son école ! Ai-je ma place dans sa vie ? Depuis son retour de Paris et la possibilité de repartir dans mon village, je me pose sans cesse la question. Mais à l'instant où ma main a rencontré la sienne, je n'ai plus voulu la retirer. Ce qu'elle me fait est tellement fort que je pourrais me brûler les ailes. J'aurais voulu la rencontrer plus tôt, pour ne pas être abîmé. Je sais, je sens au plus profond de mes tripes que je pourrais l'aimer, l'aimer à en crever. Je me dis qu'après elle, il ne

pourra plus y avoir personne. Mais... je dois être sin-
cère avec moi. Et avec elle.

Mes joues étaient inondées de larmes. Pourtant, je
devais aller au bout, tourner et lire la dernière page.
Malgré ce qui pouvait me faire beaucoup de mal, après
de telles phrases.

Hortense,
C'est bien à toi que j'écris. Ne regarde pas de tous
les côtés. Je sais que tu es en train de lire. Ne t'in-
quiète pas. Je ne t'en veux pas. Je sais déjà depuis
quelques jours que tu lis mon journal. J'en suis heu-
reux et soulagé. Jamais je n'aurais réussi à tout
te dire de vive voix. J'ai un peu de mal à parler. Tu
t'en es peut-être rendu compte ! Et je crois que tu ne
savais pas comment t'y prendre pour me l'avouer. Je
me trompe ? Tu as dû t'allonger une fois dans mon lit,
ce cahier en main, et tu as laissé quelques cheveux et
ton parfum sur mon oreiller. Cette nuit-là, ce ne sont
pas mes fantômes qui m'ont empêché de dormir, c'est
toi, tu étais partout et je ne pouvais pas te prendre
contre moi, j'ai failli devenir fou. Et samedi, tu n'as
pas réussi à t'empêcher de jeter un coup d'œil dans
mes affaires quand tu es rentrée de Paris. Tu as fait
une tache avec tes larmes. As-tu pleuré en imaginant
que je puisse partir et te laisser ? Je ne l'ai vu qu'il
y a quelques minutes, je veux que tu saches que ma
décision était prise avant. Hier soir, tu m'as donné la
liberté de retourner d'où je viens. Je t'en remercie.
C'est le plus beau cadeau qu'on m'ait jamais fait.
Mais je te le rends, ce cadeau. Ma liberté, elle est avec

toi. Alors, si tu veux d'un médecin qui ne veut plus l'être, qui devient bûcheron parce qu'il a rencontré des gens merveilleux, accueillants et surtout une femme lumineuse, une femme bouleversante qui lui a rendu l'espoir et l'envie de vivre, chez moi, c'est chez toi. Peu importe où. Quand tu as découvert ta salle de danse, je t'ai empêchée de dire des mots que je crève d'entendre dans ta bouche : c'est parce que je veux te les dire en premier.

Une portière claqua au loin. Je ne bougeai pas. Ses pas résonnèrent dans l'escalier.

Merci

À toute l'équipe des Éditions Michel Lafon pour vos sourires, votre travail, votre enthousiasme.

Cher Michel, chère Elsa, votre présence et votre confiance me sont si précieuses. Je me souviendrai longtemps de ce déjeuner sous un parasol normand.

Chère Maïté, tu m'as écoutée et permis d'aller plus loin, en m'offrant ce temps dont j'avais tellement besoin avec Hortense.

Chère Delphine Lemonnier, vous m'avez ouvert les portes de votre belle école de danse. Cette matinée de juillet a été enrichissante et douce, la lumière était merveilleuse ce jour-là.

Chère Marion Blondeau, vous avez partagé avec moi votre passion, votre art, votre rapport au corps.

Cher docteur Savigny, votre savoir sur les entorses des danseurs m'a fait mieux saisir les enjeux d'une blessure.

Chères lectrices et chers lecteurs, je n'existerais pas sans votre soutien et votre fidélité. Je pense à vous lorsque j'écris. Vous êtes toujours là à mes côtés, avec une constance émouvante.

À *Toi* qui m'as soutenue avec amour et humour durant ces mois d'écriture où Hortense et moi étions parfois perdues. Que ferais-je sans ta lumière ?